目次

第6章　戦後沖縄編（1）〜米軍支配下の沖縄〜

第7章　戦後沖縄編（2）〜日本復帰後の沖縄〜

主な参考文献

謎解きジンブン塾

第4章
近代沖縄編(1)
～琉球併合～

[ジンブン試しマーク]   [アシャギマーク]   [シーブン話マーク]

ジンブンとは、ウチナーグチで「知恵」という意味。ジンブン試しで「知恵試し」という意味になります。本書では琉球・沖縄史の知識を試すクイズの問題を、ジンブン試しと呼んでいます。

アシャギとは住宅の「離れ」のこと。昔の沖縄では、大きな家にはアシャギと呼ばれる離れがあり、客人用に使ったり、引退した老夫婦が住んだりしていました。本書では、ジンブン試しの内容を補足したり、関連するコラムを「アシャギ」と呼びます。

シーブンとはウチナーグチで「おまけ」のこと。本書では、ジンブン試しの解答・解説やアシャギのオマケとしてついてくるこぼれ話のミニコラムを指します。

本土	沖縄	西暦	出　来　事
明 治 期	近 代 沖 縄	1871	宮古船の台湾遭難事件おこる
		1872	維新慶賀使，尚泰を琉球藩王とする天皇の詔書受け取る
		1873	宮古沖で遭難したドイツ商船の乗組員を救助
		1874	西郷従道による台湾出兵
		1875	明治政府，「廃琉置県」の方針を琉球に伝える
		1876	幸地親方，清国へ救援を求める密書を携えて中国へ渡航
		1878	清国，「廃琉置県」について明治政府に抗議
		1879	明治政府による武力を背景とした琉球併合（琉球処分） で沖縄県を設置
		1880	日清間で「分島・増約（宮古・八重山を中国領とするかわり，日本商人が欧米諸国並みに中国で商業活動ができるようにすること）」に妥結するものちに解消
		1882	第2代県令・上杉茂憲，旧慣改革を政府に上申 第1回県費留学生派遣
		1883	上杉解任され，旧慣温存策が継続される
		1885	西表炭坑の採掘開始
		1888	人口 37 万 4698 人
		1889	瓦ぶきの制限解除。赤瓦屋根が普及する
		1894	日清戦争（〜95年）の勃発で県内混乱
		1895	日清戦争に日本が勝利したことで，日本への同化進む 尋常中学校ストライキ事件おこる
		1898	徴兵令施行
		1899	入墨禁止令。海外移民始まる
		1900	人口 46 万 5470 人
		1901	この年までに徴兵忌避者 113 人。本格的なカツオ漁開始
		1903	頭懸（人頭税）廃止
		1904	日露戦争始まる（〜05年）
		1908	間切・島および村を，村および字と改称
大 正 期		1912	衆議院議員選挙法施行（宮古・八重山除き2名）
		1914	第一次世界大戦始まる（〜18年）。軽便鉄道開通
		1919	衆議院議員選挙法改正で，宮古・八重山を含む5人
		1920	本土並みの地方制度となる
		1923	このころ県外出稼ぎ多くなる
		1924	このころからソテツ地獄と呼ばれる不況続く
		1925	人口 55 万 7993 人

21　明治政府による琉球併合

琉球王国はどのようにして解体されたのか

　開国によって目覚めた日本が，新しい時代を誕生させようとしていたころ，琉球では清朝から冊封使をむかえ，尚泰の即位式が行われていました。むろん，これが琉球国王の最後の冊封になろうとは，だれ一人として知るよしもありませんでした。西欧諸国に侵食され，弱体化していた清国にとっても，宗主国としての威信をかけた外交儀礼でした。

　1867年12月，明治天皇によって王政復古の大号令が発せられ，天皇を中心とする新政府がうまれました（明治維新）。これによって1871年に廃藩置県が実施されると，琉球はひとまず鹿児島県の管轄下におかれました。

　1872年，明治政府は鹿児島県を通じて琉球に使者を送るよううながしました。首里王府は，これを維新政府へのお祝いの使節（慶賀使）として受けとめ，伊江王子朝直を正使に，三司官・宜野湾親方朝保を副使として東京へ派遣しました。明治天皇は琉球の使節に対し，「尚泰を琉球藩王となし，華族（貴族にあたる身分）にする」という詔書をわたしました。

　伊江王子らは困惑したものの，尚泰が藩王として直接，天皇から任命（冊封）されたことで，日清両属体制を新政府が認めたものと解釈し，ひとまず安心しました。琉球の管轄が鹿児島から中央政府に移っただけのことだと考え，事の重大さには気づいていませんでした。それどころか，外務卿（外務大臣）に対し，薩摩藩に課せられた重税の軽減と，奄美大島の返還さえ求めていたのです。

　明治政府はなぜ尚泰を藩王としたのでしょうか。一般には，これを琉球藩設置とみなし，廃藩置県によって琉球を併合するための布石だと理解されていますが，異論もあります。幕藩体制が崩壊したことで，琉球の日本帰属の根拠が失われたため，新たに天皇国家の藩属として日清両属関係を維持させる必要があったからであり，廃藩置県を意図したものではないとの指摘です。いずれにせよ，明治国家の琉球併合の方針は，早い段階で決定していたと思われます。では，どのようにして琉球王国は日本の領土に組み込まれていったのでしょうか。

　1871年暮れ，宮古船が台風で遭難し，台湾に漂着しました。そこで乗組員66人のうち54人が地元住民に殺害されるという事件がおこりました（台湾漂着琉

球人殺害事件)。明治政府はこの事件を利用して，琉球の日本領有と台湾への進出を企てたのです。

　1873年4月，日本は日清修好条規が成立すると，日本の藩属である琉球人が台湾で殺害された事件の責任について，清国政府に問いただしました。清国側は，琉球人は日本人ではないとの認識を示したうえで，「台湾は蕃地で，中国の政令・教化のおよばない化外の遠地である」として，この問題にとりあおうとしませんでした。

　ところが，明治政府はこの発言を逆手に取って，台湾出兵を計画したのです。国際法では，どの国にも属していない無主の地は，先に支配した国の領土とすることができたからです（無主地先占論）。明治政府は先に琉球藩（日本帰属）を設置していたので，琉球人（日本人）殺害の報復として，中国の政令・教化のおよばない無主の地への出兵は正当だと解釈したのです。これは，新政府に不満を抱いていた士族の目を海外へそらすためにも都合のいい口実でした。しかし，明治政府は欧米諸国からの批判を受け，いったん台湾出兵を中止しました。ところが，1874年5月，総司令官・西郷従道は独断で出兵を強行し，牡丹社などを平定したのです。

　清国政府は衝撃を受け，日清修好条規に違反する行為であると，激しく明治政府に抗議しました。政府は「公法上ニ於イテ政権及ハサル地ハ版図（領土）ト認メスト云ヘリ」と，先の清国政府の台湾に対する答えを理由に，出兵の正当性を主張しました。

　日清間の交渉は平行線をたどりましたが，イギリスの調停で清国が日本に50万両の賠償金を支払うことで決着しました。台湾は無主の地ではなく清国領土であると，中国の主張を認めるとともに，蛮行をはたらいた生蕃（先住民族に対する蔑称）の責任は清国にあり，日本の軍事行動は正義であった，という理屈でした。

　日本は互換条約で出兵の理由を，「台湾の生蕃が，かつて日本国属民等に妄りに害を加えたため，日本国政府はこの罪を問わんとして遂に兵を派した」と記しました。日清交渉の場で，琉球人について論じられることはありませんでしたが，日本政府はここに記された「日本国属民等」に琉球人を含めていたので，中国が琉球人を日本人とみなしたと解釈したのです。

ジンブン試し Q.147

1872年，明治政府は琉球からやって来た維新慶賀使に，琉球の国王を藩王とする詔書を手渡しました。

その国王とはだれでしょうか。（　　）

a．尚温

b．尚順

c．尚泰

（那覇市歴史博物館提供）

ジンブン試し Q.148

1874年，外務卿の副島種臣は，王府に対し琉球がアメリカ・フランス・オランダと結んだ3条約書を提出するよう求めました。当初，琉球はこれを拒否しましたが副島があることを約束し，後日これを外務省高官が文書化したことをきっかけに提出に応じました。

あることとは何でしょうか。（　　）

a．琉球王国の存続を認めてくれたこと。

b．多額の経済援助を約束してくれたこと。

c．薩摩からの解放を承認してくれたこと。

c．尚泰

　尚泰（1843～1901）は，最後の琉球国中山王（第二尚氏王統19代王）です。6歳の時に父・尚育が亡くなったあと王位を継いだのですが，1866年に冊封を受けるまで18年もかかっています。

　1872年に琉球藩王として華族に列せられ，1879年に廃琉置県（琉球併合）が強行されて王位を廃されました。同年5月，強制的に上京させられ，東京の麹町区富士見町に約2000坪の邸宅を与えられました。経済面では，侯爵として40万石の大名に相当する待遇を受けました。

　1901年に58歳で亡くなり，遺体は首里の玉陵に葬られました。

a．琉球王国の存続を認めてくれたこと。

　1872年，尚泰を藩王とした政府は，琉球の内国化をすすめるために那覇におかれていた薩摩の在番奉行所を廃止して，外務省出張所を設置しました。翌73年には，久米島・石垣・宮古・西表・与那国に日の丸を掲揚するよう命じ，3条約（琉米条約・琉仏条約・琉蘭条約）と国王印・三司官印の提出などを求めました。もちろん，琉球はこの申し入れを拒否しました。

　琉球はこうした日本政府の対応に危機感を抱き，東京在勤の与那原良傑は外務卿・副島種臣を訪ね，日清両属による王国体制が存続できるよう強く訴えました。これに対し，副島外務卿も「国体政体永久に変わらず，清国交通もこれまで通り」だから安心せよと約束してくれ，渋々ながらこれを文書にすることも承諾したのです。そして1874年3月，外務官僚から「国体政体永久に変わらず」の確約文書を受け取ることに成功したのです。

　どうやら琉球はこれを担保に，政府から求められていた米・仏・蘭と結んだ3条約書等を提出したのではないかと思われます。

1871 年，琉球船が台湾に漂着し，乗組員 54 人が地元の住民に殺害されるという事件がおこりました。
　琉球船が漂着した場所はどこでしょうか，地図中の記号で答えてください。（　　）

　1874 年，明治政府は台湾に漂着した琉球人殺害事件を利用して軍隊を派遣し，台湾を領有しようとしました。その根拠となったのが，清国の高官が述べた「台湾の蛮地は中国の政令の及ばない化外の遠地である」という言葉でした。
　どうして，このことが出兵の根拠となるのでしょうか。

（　　）

a．当時の国際法では政令の及ばない地は「無主地」とみなされ，先に支配した国が領地にすることができたから。

b．台湾が中国の支配に抵抗していることを意味しており，日本の軍事力でその独立を手助けするという名目がたつから。

c.

1871年暮れ，那覇に年貢を運んだあと帰路についた宮古船が台風で遭難し，台湾に漂着しました。そこで乗組員66人のうち54人が地元住民に殺害されるという事件がおこりました（台湾漂着琉球人殺害事件）。

明治政府はこの事件を利用して，台湾への進出を企てました。なぜなら，1872年に尚泰は明治天皇から「琉球藩王」の詔書を受け取っていたので，琉球は日本の藩であり，琉球人は日本人とみなすことができたからです。

 a. 当時の国際法では政令の及ばない地は「無主地」とみなされ，先に支配した国が領地にすることができたから。

1873年4月，副島外務卿は日清修好条規の批准を交わすと，同省の高官に，清国総理衙門の台湾・朝鮮・琉球に対する認識を探らせました。その結果，台湾でおこった漂着琉球人の殺害事件については，琉球人は日本人ではないとの認識を示し，「台湾は蕃地で，中国の政令・教化のおよばない化外の遠地である」として，この問題にとりあおうとしませんでした。

明治政府はこの発言を逆手に取って，台湾出兵を企てました。国際法では，どの国にも属していない無主の地は，先に支配した国の領土とすることができたからです（無主地先占論）。

新政府に不満を抱いていた士族の目を台湾へ向けさせ，琉球の日本領有と台湾への進出を果たすには，絶好の機会でした。明治政府は先に尚泰を琉球藩王に任命（日本帰属）していたので，琉球人（日本人）殺害の報復として，中国の政令・教化のおよばない無主の地への出兵は正当だと解釈したのです。

しかし，明治政府は欧米諸国からの批判を受け，いったん台湾出兵の中止を決定しました。ところが，1874年5月，総司令官・西郷従道は独断で出兵を強行し，牡丹社などを平定したのです。

1874年，日本の台湾出兵をめぐる日清間の調印文書に，「台湾の生蕃が日本国属民等に妄りに害を加えたので，日本国政府はこの罪を咎（とが）めて彼らを征伐した」ということが書かれていました。

　琉球人については一言も触れていないのですが，日本政府はこれによって清国が「琉球人を日本人と認めた」と解釈しました。どうしてなのでしょうか。（　　）

a．「日本国属民等」という複数の言葉に，琉球人を含めていたから。

b．琉球の日本帰属を前提に，交渉が行われていたから。

c．尚泰を藩王とする天皇の詔書を，中国が承認していたから。

a．「日本国属民等」という複数の言葉に，琉球人を含めていたから。

　清国政府は日本の台湾出兵に衝撃を受け，日清修好条規に違反する行為であると，激しく明治政府に抗議しました。政府は「公法上ニ於イテ政権及ハサル地ハ版図（領土）ト認メスト云ヘリ」と，先の清国政府の台湾に対する答えを理由に，出兵の正当性を主張しました。

　日清間の交渉は平行線をたどりましたが，イギリスの調停で清国が日本に50万両の賠償金を支払うことで決着しました。「台湾は無主の地ではなく清国領土である。したがって，蛮行をはたらいた生蕃（先住民族に対する蔑称）の責任は清国にあり，日本の軍事行動は正義であった」，という論理です。

　日本は互換条約（北京議定書）で出兵の理由を，「台湾の生蕃が，かつて日本国属民等に妄りに害を加えたため，日本国政府はこの罪を問わんとして遂に兵を派した」と記しました。日清交渉の場で，琉球の帰属問題については論じられませんでしたが，日本政府はここに記された「日本国属民等」を琉球人とみなしたのです。

　実は台湾出兵に際し，1873年に小田県（現在の岡山県西部，広島県東部）の佐藤利八ら４人が，台湾で「衣類器財」を略奪される事件が起こっており，これを出兵理由の一つとしていたのです(注)。

　日本政府は日本国の「属民等」という複数を意味する用語に，小田県人と琉球人を含めて交渉していたのです。つまり，「日本国属民等」を清国が認めたということは，琉球人が日本人であることを容認したと解釈したのです。もちろん，清国側にはそのような認識はありませんでした。交渉の当事者であった大久保利通も，必ずしもこれで琉球の帰属問題が解決したとは思っていませんでした。

　明治政府は台湾への進出こそ実現できませんでしたが，琉球が日本の領土であるという言質を取っていたのです。

（注）清国側の資料では，佐藤らは地元の頭目に食事を与えられるなど親切にもてなされたと記されています。

1875年3月，明治政府は首里王府の高官を上京させ，台湾出兵が琉球のためであったことを強調し，琉球を日本の帰属とすることを伝えました。

その担当者となって「琉球処分」（琉球併合）を強行した人物は誰でしょうか。（　　）

a．木梨精一郎
<small>きなしせいいちろう</small>

b．鍋島直彬
<small>なべしまなおよし</small>

c．松田道之
<small>まつだみちゆき</small>

（那覇市歴史博物館提供）

c．松田道之

松田道之（1839 ～ 1882）は鳥取県出身。1875年３月，内務卿・大久保利通のもとで内務大丞に抜擢され，琉球関係の事務を担当しました。

明治政府は琉球から池城親方（三司官）らを上京させ，藩政改革の方針を命じましたが，なかなか説得することはできませんでした。そのため，大久保は松田を琉球処分官として琉球に派遣し，王府の首脳部と直接，交渉させることにしました。

1875年７月，政府は松田道之に池城らを伴わせて琉球に派遣しました。松田は首里城に乗り込み，今帰仁王子や摂政・三司官らに対し，次のような命令を言いわたしました。

（１）清国との冊封・朝貢関係を廃止し，中国との関係をいっさい断つこと，（２）明治の年号を用いること，（３）日本の刑法を施行すること，その調査のため役人を派遣すること，（４）新制度や学問を研究させるための若手官吏を派遣すること，（５）藩の制度を日本の府県制度にならってあらためること，（６）これらの改革を混乱なく実施するため，鎮台分営（軍事施設）を設置すること，などでした。

これを受けた首里王府は，国家存亡にかかわる問題として受け入れを拒否し，これまでの日清両属的な状態を保持してもらうよう嘆願をくりかえしました。松田は執拗に琉球側を説得しましたが，その姿勢を変えることができず，いったん那覇を引き上げました。

しかし，王府内部にも松田らの強い説得工作で，日本に従属しながら王国体制の維持を図るべきではないか，とするものもあらわれていました。1609年におこった薩摩侵攻の再現を恐れたからでした。だが，こうした主張を持つものはわずかで，多くの官吏が日清両属による王国体制の保持こそが最善の選択であると考え，清国の援助に期待をかけていました。

ジンブン試し
Q.153

　1876年12月，首里王府はひそかに清国に使者を送り，日本への併合が強制的に行われようとしていることを伝え，救援してくれるよう請願しました。
　その時の使者とはだれでしょうか。（　　）

ａ．与那原良傑
_{よなばるりょうけつ}

ｂ．富川盛圭
_{とみがわせいけい}

ｃ．幸地朝常
_{こうちちょうじょう}

c．幸地朝常

　1875年9月，王府を説得できなかった松田道之は，ひとまず東京に引き上げることにしました。その際，王府は政府へ「琉球藩」存続を訴える陳情使節として，三司官の池城 安規をはじめ与那原良傑・幸地 朝 常らを同行させました。上京した池城らは，琉球藩邸を拠点に，中国との関係断絶の命令を撤回するよう政府要人に請願書を提出しました。彼らは，同年10月から十数回にわたって請願書を提出し続けましたが，聞き入れられることはありませんでした。

　それでも，琉球救国運動に理解を示す人びとが現れ，琉球藩邸に激励文書が届けられることもありました。しかし，日本政府はこうした動きが活発化しないよう，池城らに退去命令を出しました。だが，池城はこれを無視して，東京で粘り強く救国請願を続けました。

　1876年12月，幸地朝常（向徳宏）は池城の指示を受け，蔡大鼎（伊計親雲上）・林世功（名城里之子親雲上）らを伴って密かに清国へわたり，日本への併合が強制的に行われようとしていることを訴えました。翌年1月，これを知った政府は，池城らを厳しく責め立てました。4月末，池城安規は心労が重なって病に倒れ，東京の藩邸で亡くなりました。

　琉球から救援要請を受けた清国政府は，初代の駐日公使として派遣されることになった何如璋に，明治政府との交渉を命じました。

　東京に着任した何如璋は，琉球藩邸から詳しい情報を得たあと外務省を訪ねて外務卿・寺島宗則と会談をもちました。何如璋は，琉球の進貢を差し止めて中国との関係を断ち切り，一方的に日本への帰属を進める政策に対し，厳しく抗議しました。寺島外務卿は，琉球に関する措置は内政上の問題だとして，交渉に応じようとはしませんでした。

　何如璋は国際社会にも訴えるよう，琉球側にアドバイスしました。新たに上京していた三司官の富川盛奎は，琉球と条約をかわしていた米・仏・蘭の駐日公使に日本政府への抗議要請を働きかけましたが，期待通りには動いてくれませんでした。それどころか，琉球の帰属問題が国際的に注目されることを恐れた明治政府は，「琉球処分」を急ぐことになったのです。

ジンブン試し

Q.154

　1879年3月27日，明治政府は琉球藩を廃止し沖縄県を設置する廃琉置県（琉球併合）を実施しました。これによって第二尚氏は19代410年で滅び，察度王統から500年余も続いた「琉球の王国時代」は終わりました。

　この琉球国の解体は，どのようにして行われたのでしょうか。（　　）

首里城の正門「歓会門」の前に立つ明治政府軍の兵士（石黒敬章氏提供）

a．明治政府による，武力を背景とした強制併合で行われた。

b．明治政府の強い説得に，尚泰王が応じたことによって行われた。

c．明治政府の清国への経済援助のみかえりとして行われた。

a．明治政府による，武力を背景とした強制併合で行われた。

1879年３月，政府の「琉球処分」断行の命を受けた処分官・松田道之は，軍隊・警官およそ600人を率いて来島し，首里城内で尚泰王代理の今帰仁王子，三司官ら王府首脳部に，琉球藩を廃し沖縄県を設置する廃藩置県（琉球併合）を通達しました。

これにともない，藩王・尚泰は華族として東京に居住を命じられ，琉球の土地・人民およびそれに関するすべての書類を政府に引き渡すことになりました。松田は反対派の嘆願にはいっさい耳をたむけず，処分を断行しました。琉球は，強権的に日本の一県に位置づけられたのです。

こうして，第二尚氏は19代410年で滅び，察度王統から500年余もつづいた「琉球の王国時代」に終わりをつげることになったのです。

しかし，これでもって琉球の帰属問題は解決したのではありません。王府内の反対運動は根強く，中国も日本政府のとった行動を容認していたわけではありませんでした。琉球の所属問題は，やがて国際的な問題としてクローズアップされることになりました。

 ──「琉球処分」後の松田道之(1839〜1882)の苦悩

「琉球処分」を断行した松田道之の精神的負担も，相当大きかったようです。帰京後，知人宛に送った書簡には，「病にかかり，吐血や半面痛に襲われ，医者からは精神的なことはすべて忘れるよう強く言われた」ことが記されています。

その後，東京府知事となり，防火対策や水道敷設，ガス灯設置など東京の近代都市づくりに精力を傾けました。しかし，体調は完全には回復していなかったらしく，在職中の1882年に43歳の若さで亡くなりました。琉球併合から３年後のことでした。

琉球併合にともない，藩王・尚泰は華族として東京に住むことになりました。沖縄芝居では，尚泰が臣下との別れで次の琉歌を詠う場面があります。

　その琉歌の空欄にあてはまる言葉を，語群から選んで入れてください。

〔琉歌〕

いくさ世もすまち
イクサユンシマチ

　　　　　みろく世ややがて
　　　　　ミルクユヤヤガティ

　　　　　　　　　嘆くなよ臣下　（　　　　　　　　　　　）
　　　　　　　　　ナジクナヨシンカ

a．島ど宝
　　シマドゥタカラ

b．命どぅ宝
　　ヌチドゥタカラ

c．親ど宝
　　ウヤドゥタカラ

王国の崩壊を記録に残した
喜舎場朝賢(1840〜1916)

　喜舎場朝賢は，王国末期に最後の国王・尚泰の側仕となり，琉球王国の崩壊を身をもって体験しました。このときの出来事を，のちに『琉球見聞録』として著し，「琉球併合」を沖縄の側から描き出した貴重な資料となっています。

　そのほか，牧志・恩河事件の牧志・恩河・小禄の無罪を主張する『琉球三冤録』，王国時代末期の逸話・記録を随筆形式でまとめた『東汀随筆』なども著しており，これらも王国末期の琉球を知るうえでの重要な資料となっています。

b．命どぅ宝

〔歌の意味〕

　戦場のような混乱した時代（琉球の帰属をめぐっての様々な対立）は終わった。やがて，平和で豊かな時代がやってくるだろう。臣下のものよ「命あっての物種」，けっして命をそまつにしてはいけない。

〔歌の説明〕

　昭和初期に上演された沖縄芝居の『首里城明け渡し』『那覇四町昔気質』で，最後の国王・尚泰（在位：1848 ～ 1879）が臣下との決別のシーンで朗詠して有名になりました。作家の山里永吉が組踊などのせりふを引用して作ったと思われますが，尚泰役の伊良波尹吉が，芝居を盛り上げるために作ったともいわれていいます。

　現在では，反戦・平和を求める沖縄人の黄金言葉として，「命どぅ宝」がよく使われます。

 ── 琉歌に見る「沖縄の心」

　昔から，沖縄人は争いを好まない民族として知られ，近世期に琉球を訪れた欧米人も，琉球文化のことを「やさしさの文化」とか「非武の文化」だと表現しています。沖縄人が大切にしている黄金言葉にも，次のような暴力を戒めた琉歌があります。

（1）　意地ぬいじらー　手ー引き　手ーぬいじらー　意地引き
　　　（腹が立ったら手を抑え，手が出そうになったら感情を抑えなさい）
（2）　他人に殺さってぃん　寝んだりーしが　他人殺ちぇー　寝んだらん
　　　（他人に痛めつけられても寝ることはできるが，他人を傷つけては，胸が痛んで寝ることができない）

「琉球処分」に抗議し，清国に救援を求めて琉球を脱出していった人びとのことを亡命琉球人といいます。彼らは十分な活動費を持参して海を渡ったのではありませんでした。

清国での生活費は，どのようにして工面していたのでしょうか。（　　）

a．中華料理店でアルバイトをして稼いだ。

b．琉球芸能を披露して稼いだ。

c．宗主国の清国が支給してくれた。

首里王府の下級士族のなかには，「廃琉置県（琉球併合）」による新たな政治に期待し，琉球処分官・松田道之に協力するものもいました。

その代表的な人物は誰でしょうか。（　　）

a．亀川盛棟
かめがわせいとう

b．大湾朝功
おおわんちょうこう

c．浦添朝昭
うらそえちょうしょう

ｃ．宗主国の清国が支給してくれた。

　亡命琉球人は，家財をなげうって海を渡っていたのですが，それだけでは十分ではありませんでした。その生活費は，宗主国の清国が支給していたのです。帰国する際にも，旅費を工面してくれました。清国政府にとっては負担でしたが，それが宗主国を頼ってくる者への務めでもありました。そのほか，福州・琉球館の財産も亡命琉球人の活動資金に充てられていました。

ｂ．大湾朝功

　明治政府が「琉球併合」を断行したころ，30歳を迎えたばかりの大湾朝功は，役職のない無禄士族でした。一部の特権階層だけが裕福に暮らしている社会のしくみに不満をもっていた朝功は，明治政府に協力することにしました。

　「琉球の士族の多くは，役人になって妻子を養うことしか考えていない。国の将来を心配するものは少なく，たとえ高い志を持っていようとも，現在の官僚組織では現状を変えることは不可能である。百姓は奴隷のような生活をしいられており，士族をにくんでいる。国をささえているのは民衆である。その民衆を苦しめて，国家の存続がありえようか」

　朝功は明治政府による新しい政治制度に期待しました。しかし，このような考えをもっているのはごく少数で，首里士族による家族や親族への嫌がらせは日増しに強くなっていきました。一時，政府への協力をやめていましたが，「古い制度で苦しめられている貧しい民衆を救うには，身の危険をかえりみるいとまはない」と思いなおし，再び政府の役人に仕えることにしました。

　朝功のもたらした情報によって，琉球処分官・松田道之らは沖縄の社会情勢を把握し，王国を廃止したあとの政策を適切に進めることができたのでした。

　松田は本土へ引き上げるとき，朝功を警視庁雇として東京へ連れて行きました。彼の身を案じてのことでした。

　その後の朝功がどうなったかは，よくわかっていません。一説によると，翌年，沖縄に帰って来て警察に仕えたのち行商をいとなみ，58歳で亡くなったということです。

1879年の廃琉置県（琉球併合）で強権的に琉球国は解体され，沖縄県が設置されました。1880年，清国はアメリカの前・大統領グラントが中国にやってくると，琉球の帰属問題について日本と話し合いが持てるよう仲介を依頼しました。

　日本はグラントの要望を受け入れ，沖縄諸島以北を日本領土としたうえで，ある条件をだして日本商人が中国で欧米諸国なみに通商ができるよう提案しました。

　ある条件とは何でしょうか。（　　）

a．宮古・八重山を中国の領土として認める。

b．新型の兵器を大量に提供する。

c．当時のお金で，3億円支払う。

a．宮古・八重山を中国の領土として認める。

　明治政府は1880年３月，竹添進一郎を中国へ送り，予備交渉を行わせました。日本は，琉球問題で事を荒立てるより，清国の交渉要求に応じ，中国大陸の豊かな資源に目を向けたほうがよいというグラントの助言をくみいれ，中国の高官・李鴻章に次の案を提示しました。

　一．沖縄諸島以北を日本領土とする。

　二．宮古・八重山諸島を中国領土とする。

　三．上記のことを認めるかわり，1871年に結ばれた日清修好条規に，日本商人
　　　が中国内部で欧米諸国並みの商業活動ができるよう条文を追加（増約）する。

　この条約案のことを，中国に宮古・八重山を分け与えるかわり，今までの条約に日本の有利になる条文を追加（増約）するよう要求したことから，分島・増約（改約）案といいます。しかし，日本側に都合のいいこの案を，清国側がすんなり受け入れるはずはありません。清国も奄美諸島を日本領土，沖縄諸島を琉球王国の領土，宮古・八重山諸島を中国領土とする三分割案を提示しました。しかし，これを日本が受け入れなかったため，正式交渉は日本案で行われることになりました。

　その結果，同年10月，両国が分島・増約案に合意し，10日後を目途に調印，３か月以内に批准を済ませて，翌年２月には宮古・八重山の土地・人民を日本に引き渡すことで交渉は妥結したのです。清国は宮古・八重山諸島に琉球王国を復活させればよいと，安易に考えていたのです。

　ところが，いざ調印の段階になると，清国は延期を申し出てきたのです。天津の李鴻章から，国王の即位を打診した幸地朝常（向徳宏）が，かたくなにこれを拒絶しているとの報告があったからでした。また，琉球の亡命者からは「日本への帰属反対」「琉球二分割反対」の請願書が届けられていました。実は清国も，日清修好条規の改約による国内市場の混乱と，そのことが台湾・朝鮮への日本の進出を招くのではないかと恐れていたのです。そんな状況下で，清国政府に琉球救援を要請し続けていた林世功が抗議の自決をとげたこともあり，結局，条約は調印されませんでした。

実は，分島・増約（改約）案は完全に決裂したのでありませんでした。水面下で再交渉が行われ，宮古・八重山に王国を復活させることで話し合いが進められていました。その際，中国側は琉球を説得するために，日本が拒否するであろうことを知りつつ，ある追加案を提示しました。

ある追加案とは何でしょうか。（　　）

a．琉球国を非武装・中立国とする案。

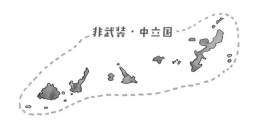

非武装・中立国

b．首里城を尚氏に与える案。

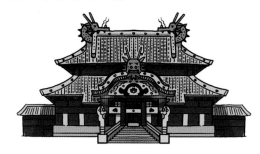

c．福州の琉球館を存続させる案。

ｂ．首里城を尚氏に与える案。

　1881年２月，中国とロシアとの間で国境問題が落着すると，光緒帝は総理衙門に，琉球問題の解決に向けて日本と再交渉するよう命令を下しました。

　中国からの再交渉の呼びかけに対し，日本政府は宮古・八重山に王国を復活させることで，問題の解決をはかろうと工作しました。場合によっては，元・国王の尚泰を中国へ引き渡してもよいとさえ考えていました。

　1882年２月，清国駐日公使として赴任した黎庶昌は，旧・三司官の与那原良傑と面談し，「琉球全域の返還は不可能だが，宮古・八重山に本島南部を加えて王国を復活させる案ならば可能である」と，交渉の打診をしました。しかし，在京の尚家はこれに難色を示しました。与那原らは，中国が分島案で琉球問題の決着を図ろうとしていることに驚き，すぐさまこのことを北京や琉球現地の士族に伝えました。

　沖縄では同じく旧・三司官の富川盛奎を中心に会合が重ねられ，「宮古・八重山に王国を築くことはできない。清国へ使者を遣わして全島返還を訴えるべきだ」ということが決められました。富川は沖縄県顧問官となっていましたが，1882年４月，家族にさえ一言もつげずに清国へ渡りました。三司官としての最後の勤めだと考えたのでしょう。富川は先に清国へ渡っていた幸地親方らとともに，「琉球の全面返還による王国復活」の請願をくり返しました。

　李鴻章と天津領事・竹添進一郎の交渉では，竹添が宮古・八重山での復国案を提示し，李は琉球を説得する材料としてこれに加え首里城を尚氏に与える案を提示しました。予想通り竹添がこの案に難色をしめしたため，交渉は暗礁に乗り上げてしまいました。その結果，琉球の分割は阻止できましたが，全面返還による王国復活のめどは立たず，富川は苦しみ悩んだあげく失明し，中国で亡くなりました。

　ところで，なぜ琉球の士族たちは，もっとも実現困難な「全面返還による琉球王国の復活」を求めたのでしょうか。琉球分割による民族の分断を阻止する目的もあったでしょうが，宮古・八重山に王国を復活することは，都落ちを意味していたからではないでしょうか。それよりは「琉球処分」を受け入れ，これまでの身分と生活を保障してもらったほうが得策だと考えたからではないでしょうか。

　いずれにせよ，彼らには琉球の未来を描く具体的な構想がありませんでした。

琉球併合の問題点

　日本政府による「琉球処分」は，琉球の国家権力を強権的に接収した琉球国併合でした。琉球の救国運動を受け，清国政府は日本政府に王府の請願を受け入れるよう厳しく抗議しました。明治政府は，琉球の藩政改革(王国解体)は内政問題であるとして清国の訴えを退けました。1872年，尚泰を藩王とする天皇の詔書を，琉球が受けとっていることを根拠としたのです。もちろん，これは日本政府による一方的な押し付けによる冊封でしたが，日本政府はこれを国内問題として意に介さなかったのです。

　ところが，日本政府は中国から琉球問題の仲介を依頼された前・米国大統領グラントがやって来て，清国との話し合いを促すとその提案を受け入れたのです。その日清交渉の場で『分島・改約』を提案し，かつ，その実現にもっとも熱心だったのが日本でした。

　もし，「調印され，批准されて発効していたならば，宮古・八重山諸島の土地・人民は，日本の中国内地での通商権とひきかえに清国へ売り渡されていたであろう。また，そのことによって利益を受ける人は，宮古・八重山を含む琉球には一人としていなかった。琉球分割（分島）問題は，近代日本の国家エゴイズムの露骨な表白であった」(『沖縄近代史辞典』より要約)ということになります。

　いっぽう，近代国家の形成をビジョンとして描けず，日清両国に依存して王国体制の維持をはかろうとした琉球の為政者にも問題はありました。

　松田道之は，「琉球処分」に対する琉球人の反応として，「一般の人々は平穏に生活しており，騒いでいるのは役人・士族だけである」と認識しています。農民の反応についても，これまでは上納のほか役人による米・雑穀・野菜等の取り立てがあったが，そのような取り立てがなくなるだけで「百姓共ノ喜ヒ一方ナラス候事」とみていました。もちろん，これを鵜呑みにすることはできません。清国の救援のないなか王国復活は望めず，多くの農民が日本化を受け入れざるを得ない状況に置かれていたからです。

　ただし，貧窮士族の大湾朝功の行動にもみられるように，首里王府の

官僚制度の硬直化と農村社会の窮乏は深刻な事態に陥っており，藩政改革に対する農民の一定の期待があったことも事実でしょう。

実は，「廃琉置県」のおよそ20年前，そのことを予見させる事件が宮古島でおきています。王国統治を否定し，薩摩への帰属を直訴した落書事件です。

1860年，元・島役人の波平恵教は，薩摩商人に次のような内容の密書を託し，那覇の薩摩在番奉行に訴えました。

(1) 琉球は小国で常に財政が窮乏しており，農民は納税に疲れ果てている。一日も早く大国に帰属することを願っている。

(2) 宮古は14世紀ころから中山に服属したが，先祖は大和でありこれに帰属することを望んでいる。

(3) 王府と交渉して，悪政に疲れ果てている島民を救出してもらいたい。

王府はこれを重大な叛逆罪とみなし，役人を宮古島へ派遣して波平とこれに連動した数人の元役人を捕え，斬首・流刑に処しました。

このように19世紀半ばには，王府の地方経営は末期的症状を呈していました。近代化の波が押し寄せる時代，この内部矛盾を打ち崩し，新しい国家秩序の形成を急ぐ必要がありましたが，日清両国に依存していた琉球にはそれを生み出す力がありませんでした。その琉球を，日本の国家論理のみで解体し，併合したのが「琉球処分」だったのです。

シーブン話おまけ ── 琉球分島を批判した植木枝盛(1857〜91)

日本国内では「琉球処分」をどのように受け止めていたのでしょうか。新聞等では明治政府の方針を支持し琉球の抵抗を批判する論調が大勢でしたが，少数ながら琉球の主張に理解を示す意見もありました。

自由民権運動の指導者・植木枝盛は，琉球分島案が日清両国で話し合われていた際には，琉球独立論の立場を取り，「琉球を分割して，日本と清国で分け合うということは実に残忍である。琉球は一つであり，これを引き裂くことは人の体を両断して殺すことと同じである。人の家族を分断して，その愛を分けることもあってはならないことである」と批判しています。

中国では，琉球を清国所属とする立場から日本を批判する意見が主流でしたが，国際会議を開いて琉球の独立を国際的に保障してあげるべきではないか，との意見もありました。しかし，これらの考えが受け入れられることはありませんでした。

22　沖縄県政のはじまり

沖縄県民は世替わりをどのように受け止めたのか

　1879年4月4日，政府は正式に琉球藩を廃止して沖縄県設置の布告を発し，初代県令として鍋島直彬を任命しました。沖縄県政のはじめ，いわゆる大和世（ヤマトユー）への世替わりでした。

　県政を統括する県庁は那覇におかれ，県庁職員は他府県出身者で占められました。従来の身分制度も廃止され，王と王子は華族，按司以下の士は士族，百姓は平民に編入されました。

　県内の行政区は，国頭，中頭，首里，那覇，島尻，伊平屋，久米島，宮古，八重山の九地区に分けられました。旧来の間切・番所・蔵元などの地方行政機関はこれまで通り置かれましたが，その監督機関として新たに役所が設置されました。

　中央政府の沖縄県に対する当面の方針は，「沖縄は日本の国内であっても本土から遠隔の地にあり，おのずから民族の歴史や生活習慣，行事などが異なる」という理由で，古い制度をそのまま残し，急激な改革はひかえるという政策でした。これを旧慣温存策といいます。

　旧慣とは，具体的には土地制度・租税制度・地方制度，そして古い社会風俗のことで，20世紀初頭まで温存されることになりました。これをそのまま残した歴史背景は，第一に，廃藩置県の断行によっておこった旧支配者層の反発をさけること，とくに清国への亡命琉球人によって刺激された中国との対立をさけること，第二に，明治14年の政変による国内の動揺で，中央政府は沖縄統治について具体的政策を打ち出す余裕がなかったこと，第三に，古い税制をそのまま残しておいた方が政府にとっては経済的利益が大きかったこと，などでした。つまり，旧慣をそのまま残して沖縄を統治した方が，明治政府にとっては都合よかったのです。この旧慣温存策こそが，沖縄の近代化を遅らせた大きな要因でした。

　世替わりの混迷のただなかで県政を担当した初代県令の鍋島は，急激な改革は避けつつも，教育と産業の振興には力を入れました。教育については，「言語や風俗を日本本土と同一にすることが，当県の施政上もっとも急務である」として学校の設立を進めました。産業では，糖業にもっとも力をいれて保護奨

励しました。しかし，旧藩支配層の新政への抵抗や藩閥人事への批判，当時，流行していたコレラにかかったことなどもあって，その目的を達成することなく，2年余で県令を辞職しました。

シーブン話 おまけ ── 他府県人で占められた県庁職員 ──

　沖縄県庁の職員は，警察部門を除く100名余のうち，沖縄県人はわずか24人にすぎませんでした。また，警察は鹿児島県出身者が，行政は長崎県出身者が多く，両藩の藩閥的色彩が濃かったことがわかります。

シーブン話 おまけ ── 沖縄県民は「土人」! ──

　沖縄県政の運営には，首里王府の旧支配層の協力が必要でしたが，彼らは不服従・不協力の態度を崩そうとしませんでした。琉球処分官の松田道之は，次の告諭を出して県政への協力を迫りました。

　「お前たちが旧態を改めないときは，新たに発足する県庁の職務はみな『内地人』を採用する。ここの土人は一人も県庁に就職できず，あたかもアメリカの土人，北海道のアイヌ等のごとき態をなすにいたるべし。（1879年6月3日）」

　ここでいう「土人」は，単に「現地に住んでいる人びと」を指した言葉で，差別用語ではない，との意見もありますが，明らかに支配者が被支配者を恫喝した告諭と読み取れます。しかし，それでも士族の抵抗が止むことはありませんでした。それどころか同年8月，中城御殿（世子の居宅）に結集していた旧士族たちは，かってに百姓たちから租税を徴収していました。

　業を煮やした県庁は，警察権力を使って，宮古・八重山を含む百名余の士族を拘引し，県政に従うよう激しい拷問を加えました。喜舎場朝賢の『琉球見聞録』によると，「縄で両手を縛って梁に吊り下げ，木材で強く殴りつけた。苦痛のあまりに発した悲鳴は，那覇じゅうに響いた。これを聞いた人びとも，恐れおののいた（要約）」ということです。

　この惨状をみかねた旧・三司官の富川親方は，浦添親方とともに捕縛された旧役人の釈放とひきかえに県政への恭順を表明し，沖縄県顧問官に就任しました。これによって，日本政府への組織的な抵抗も終了したのです。

1879 年 4 月 4 日，廃藩置県が断行されて沖縄県が設置されると，中央政府から県令 (のちに県知事と改称) が任命されてきました。沖縄県政のはじめ，いわゆる大和世 (ヤマトユー) への世替わりです。

　初代県令として沖縄にやって来た人物は誰でしょうか。

（　　）

a．木梨精一郎
　　_{き なしせいいちろう}

b．岩村通利
　　_{いわむらみちとし}

c．鍋島直彬
　　_{なべしまなおよし}

（那覇市歴史博物館提供）

　明治政府がとった，この時代の琉球に対する政策を何というでしょうか。（　　）

a．旧慣温存策　　　b．旧慣改革策　　　c．旧慣維持策

c．鍋島直彬

鍋島直彬（1843～1915）は，旧・肥前佐賀藩支藩の鹿島藩主。

鍋島は，沖縄県庁設置の４月４日に任命されていますが，実際に赴任したのは５月18日でした。その間，県政を執行したのは，処分官の松田道之と県令心得の木梨精一郎でした。

世替わりの混迷のただなかで県政を担当した鍋島は，急激な改革は避けつつも，教育と産業の振興には力を入れました。教育については，「言語や風俗を日本本土と同一にすることが，当県の施政上もっとも急務である」として学校の設立をすすめました。産業では，糖業にもっとも力をいれて保護奨励しました。しかし，旧支配層の新政への抵抗や藩閥人事への批判，当時，流行していたコレラにかかったことなどもあって，その目的を達成することなく，２年余で県令を辞職しました。

戦前の歴代の沖縄県知事は全員他府県人

戦前(1879～1945年)の沖縄県知事は27人いますが，すべて他府県出身者です。現在のように県民が選挙で選ぶのではなく，政府から任命されてきたからです。任期も短く，ほとんどが2か年程度でした。なかにはたった7日の人もいます。一番長いのは沖縄の旧慣改革に当たった奈良原繁で，1892年から1908年まで約16年間も沖縄に君臨し，「琉球王」とあだ名されました。

a．旧慣温存策

中央政府の沖縄県に対する当面の方針は，「沖縄は日本の国内であっても本土から遠隔の地にあり，おのずから民族の歴史や生活習慣，行事などが異なる」という理由で，古い制度をそのまま残し，急激な改革はひかえるという政策でした。これを旧慣温存策といいます。

旧慣とは，具体的には土地制度・租税制度・地方制度，そして古い社会風俗のことで，20世紀初頭まで温存されることになりました。

ジンブン試し Q.162

　1881年，第2代県令として旧・米沢藩最後の藩主・上杉茂憲（もちのり）が赴任（ふにん）してきました。

　上杉の政策として誤っているものはどれですか。（　　）

a．県政改革のため，地方公務員の数を増やした。

b．県政の方策を決めるため，沖縄各地を巡回した。

c．人材育成のため，県費留学生を東京に派遣した。

ジンブン試し Q.163

　上杉県令の三女は沖縄で誕生しました。そのため，娘には沖縄にちなんだ名前がつけられました。

　何という名でしょうか。（　　）

a．沖子　　　　b．琉　　　　c．うるま

a．県政改革のため，地方公務員の数を増やした。

　上杉茂憲は，初期県政において，旧慣の改革を試みた政治家として知られています。

　上杉は着任した年に，「新政による県民の生活実態を探り，県政の方策を決める」ことを目的に沖縄島各地を巡回し，翌年には，久米島・粟国島・宮古島・石垣島を視察しました。その時の記録が『上杉県令沖縄県巡回日誌』として残っており，近代沖縄を知る貴重な資料となっています。

　この視察で上杉が見たものは，重税と貧困にあえいでいる困窮した農民の実態と，いっぽうで大きな屋敷を構えて穀倉を一杯にしている富裕な地方役人の存在，さらに農民を不当に搾取している下級役人の姿でした。こうした状況を目のあたりにした上杉は，沖縄の旧慣改革が急務であることを政府に訴えましたが，時期尚早として退けられました。県政の運営には，旧支配層の協力が必要でした。琉球復国運動がさかんに行われている時期，旧慣を改革して彼らの反発を招くことは得策ではなかったからでした。

　1883年，上杉茂憲は解任され，政府の会計検査院長・岩村通俊が第3代・沖縄県令に就任しました。

　上杉は，第一回県費留学生を派遣するなど人材育成や教育に熱心で，沖縄を去る際に奨学金として3000円（1500円説もある）を県に寄付しました。

b．琉

　1882年7月，上杉茂憲は東京出張の帰り，妻の兼，長男の憲章，次女の重，さらに執事や女中などを伴って沖縄に戻りました。上杉の「沖縄県日誌」には，沖縄での家族の暮らしぶりが記されています。

　翌年，兼は沖縄で三女を儲けました。その名前は，沖縄の古称である「琉球」の一字をとって，「琉」と名付けられました。沖縄を愛した茂憲らしい命名でした。

次の写真は，第1回県費留学生のものです。

沖縄を離れて東京で暮らすことになった彼らが，一番困ったことは何だったでしょうか。（　　）

前列左より太田朝敷(18歳)，岸本賀昌(15歳)，高嶺朝教(15歳)，後列左より山口全述(18歳)，
謝花昇(18歳)　(那覇市歴史博物館提供)

a．気候の違いと地震の多さ。

b．食生活と年中行事の違い。

c．言葉遣いと身なりの違い。

c. 言葉遣いと身なりの違い。

　第2代県令となった上杉茂憲は、「沖縄県はもとより言語風俗が異なる上、県の設置も浅く何事も他県と同様に見ることはできない（遅れている）。このような状況を解消するには、人材育成が肝要である」と考え、県費留学制度を創設しました。本土に留学生を派遣し、日本文化を直に体験させながら高等教育を身につけさせ、将来のリーダーを養成するためでした。

　第1回の県費留学生には、岸本賀昌（15歳）、謝花昇（18歳）、太田朝敷（18歳）、高嶺朝教（15歳）、今帰仁朝蕃（15歳）[注]の5人が選出されました。このなかに、平民出身の謝花昇が含まれていることは、王府時代には考えられないことでした。しかも、首里王府が崩壊してまだ3年しかたっていません。留学生に対する旧支配層の反発も強く、必ずしも祝福されて東京へ送り出されたわけではありませんでした。

　1882年12月、5人の県費留学生は学習院に入学して勉学に励んだ後、謝花は帝国大学農科大学で、他の4人は慶應義塾で学びました。とはいえ、当初、生活環境の全く異なる東京の暮らしは、戸惑いの連続だったようです。

　とりわけ、言葉遣いと身なりの違いには苦労しました。たとえば、標準語は使えたとしても、ニュアンスの違いで「床を取る（布団を敷く）」ことを、床を取ったり下ろしたりすると解釈して、ちぐはぐな会話をしたり、カタカシラ姿の身なりは奇異な目でみられて「珍客扱い」されたといいます。写真は最後の琉装姿を撮ったもので、その後、5名そろって断髪しています。

　卒業後は5人とも、県庁や政財界・マスコミ等で活躍しました。

（注）今帰仁朝蕃は学習院を中退して帰郷し、かわりに山口全述（18歳）が選抜されました。山口は卒業後、裁判所に努めましたが、若くして亡くなっています。

沖縄県は古い制度を残しつつも，言語や風俗を日本本土と同一にする必要から学校教育には力を入れました。

当時，学校のことを何と呼んでいましたか。（　　）

a．標準語屋　　　b．大和屋（やまとや）　　　c．天皇屋

1887年，忠君愛国の精神を養うため，教員を養成する師範学校に，あるものがもたらされました。

それは何でしょうか。（　　）

a．御真影（ごしんえい）（天皇・皇后の写真）

b．日の丸と君が代の楽譜

c．二宮金次郎（にのみやきんじろう）の銅像

b．大和屋

学校での教育の内容は，日本人としての自覚をうながすことが主で，標準語と天皇に対する忠誠心を育てることに重きがおかれました。教師も他府県人で占められていたため，人びとは学校のことを大和屋と呼んでいました。

a．御真影（天皇・皇后の写真）

戦前の学校には，「御真影（天皇・皇后の写真）」と教育勅語をおさめるための奉安殿という建物がありました。校門の近くか校舎と校門の間に建てられており，この前を通るときには，生徒・教師とも最敬礼しなければなりませんでした。天皇は現人神であり，御真影はその分身とされていたからです。

教育勅語とは，天皇の教えを絶対とする教育理念で，祝日などの学校儀式で奉読されました。

このような教育を徹底することで，天皇国家への忠誠をつくす忠君愛国の思想を高めたのです。

沖縄にはじめて「御真影」がもたらされたのは，廃琉置県（琉球併合）前の1873年のことでした。そのころは天皇の権威を明示したもので，必ずしも皇室への忠誠を強要するものではありませんでした。

学校への下賜は1874年5月の開成中学校が最初でしたが，それは国家元首・天皇のもとにある「官立」としての証しであり，皇民化教育を意図したものではありませんでした。

初代文部大臣の森有礼は，「御真影」を忠君愛国の精神を養うための教育政策に取り入れ，1887年に他県にさきがけて沖縄県尋常師範学校に下賜しました。「琉球併合」後の沖縄県民を，教育によっていち早く皇民化する必要があったからです（p.110参照）。

琉球王国から沖縄県にかわると，県庁職員や警察官・教員・商人など，たくさんの本土人(ヤマトゥンチュ)がやってきました。

19世紀末には，どれくらいの本土人が沖縄に居住していたのでしょうか。(　　)

a．およそ800人

b．およそ2,000人

c．およそ10,000人

県庁職員の県別出身者統計

年次	本県	鹿児島	他府県	合計
1880	24人	16人	82人	122人
1881	19	8	86	113
1882	13	10	116	139
1883	21	19	94	134
1884	20	22	99	141
1885	26	32	104	162
1886	29	42	96	167
1887	17	40	86	143

太田朝敷『沖縄県政50年』より作成

b. およそ 2,000 人

　本土からやって来た人びとは，内地人（ナイチャー）または寄留人とよばれ，日清戦争がはじまるころにはおよそ 2,000 人に達していました。なかでも商業にたずさわるものを寄留商人と呼んでいました。寄留商人は鹿児島出身者が多く，沖縄経済は彼らが牽引車となって発展していきましたが，利益の大きい仕事もほとんど独占されました。

　寄留人のなかには，沖縄人（ウチナーンチュ）を見下したり沖縄文化に無理解な者もいたりしたため，彼らへの反発も強くなっていきました。

　寄留商人に対抗する地元勢力としては，尚家一族による「丸一」商店がありました。尚家は政府の手厚い保護でえた不動産や資金をもとに，貿易・金融・開墾・鉱業開発・新聞社などの経営にのりだしました。また，経済的に優遇された有力士族のなかにも，商業活動に進出するものもでてきました。それでも，多くの士族は職を失ったままで，沖縄経済の主導権は寄留商人ににぎられていました。

《史料》「廃琉置県」10 年後の沖縄の状況

内地人ハ殿様ニテ土人①ハ下僕タリ内地人ハ横柄ニシテ土人ハ謙遜（けんそん）ナリ肝心ノ表通リハ内地人ノ商店ニテ場末ノ窮巷（きゅうこう）②ハ土人ノ住居ナリ内地人ハ強ク土人ハ弱ク内地人ハ富ミ土人ハ貧シ畢竟（ひっきょう）③是レ優勝劣敗ノ結果ニシテ如何トモスベカラサル訳ナレトモ凡ソ亡国ノ民ホドツマラヌモノハナシ・・・

『琉球見聞雑記―明治廿一年沖縄旅行記事』沖縄県史第 14 巻より

①現地人，琉球人　②さびれた場所　③つまるところ，結局

23 日本への同化

日清戦争がもたらした日本化への道

1894年に日清戦争が勃発すると，明治政府による士族層への懐柔策などで，一時，下火になっていた頑固党（親清派）と開化党（親日派）の抗争が再燃しました。頑固党は王府時代の大礼服をつけて，毎月1日と15日には園比屋武御嶽や円覚寺などの社寺をめぐって清国の勝利を祈願しました。久米村では清軍への支援金を募り，兵器も密かに集めていました。開化党は『琉球新報』を拠点にして，日本軍の活躍を大々的に報道するなど，頑固党の態度を激しく批判しました。

戦争の進展とともに憶測や流言が飛び交い，清国の南洋艦隊が沖縄を攻撃するとの情報が流れると，県内は大いに動揺しました。中学や師範学校では，熊本鎮台沖縄分遣隊を援護する義勇団を組織し，連日射撃訓練などを行って有事に備えました。鹿児島を主とした寄留商人や官吏は，自衛組織として同盟義会をつくって武装化し，清国軍艦の来襲と沖縄人の反乱にそなえました。同盟義会の組織者・佐々木笑受郎は，分遣隊から清軍来襲の際は「最初に久米村を焼き払う計画を立てている」ことを告げられ，石油缶の輸送などに協力するよう指示を受けていました。

那覇の住民は中頭方面へ避難するなど，県内は一時，騒然となりました。

だが，清国の沖縄への襲撃はなく，戦争も日本の勝利に終わり，騒動もおさまりました。その結果，清国にはもはや琉球救援の意図も，その力もないことがはっきりしました。頑固党の望みもすべて断たれ，沖縄の人びとの多くが日本への同化を受け入れるようになったのです。

日本の勝利は「琉球の時代」を終焉させ，近代沖縄への歩みを決定づける重大な転機となりました。「廃琉置県」以来，日清間で争われていた琉球の復国問題に最終的な決着がつけられ，それにより旧慣諸制度の改革が行われました。沖縄県民の意識も大きく変化し，皇民化に重きがおかれた教育を受け入れ，標準語や和装・洋服の普及，男子のカタカシラや女性のハジチを廃止するなど，沖縄社会は近代化へ向けてあらたな展開をはじめました。

また，日本が台湾を植民地として領有したことで，沖縄のもつ軍事的位置や砂糖の生産地としての経済的地位も相対的に低下していきました。

　日清戦争に勝利した日本は，1895年に下関で講和条約を結びました。日本の全権は
伊藤博文・陸奥宗光で，清国側の全権は琉球が最も頼りにしていた李鴻章でした。

　その内容は，（1）清国は朝鮮の独立を承認し，（2）遼東半島（注）および台湾・
澎湖諸島を日本に譲り，（3）賠償金として2億両（テール）支払い，（4）沙市，重慶，
蘇州，杭州の4港を開くこと，などでした。

　実は（1）の朝鮮の独立は，「清国が朝鮮の宗主権を放棄してその独立を認め，朝貢・
冊封体制を終わらせる」ことを意味していたのです。清国はすでに，ベトナムやビルマ
などの朝貢国を失っており，下関条約によって清国を宗主国とする東アジアにおける国
際秩序は崩壊し，琉球も王国復活のよりどころを失って日本に帰属することが決定的と
なったのです。

（注）三国干渉によって清国に返還。

日清戦争がはじまると頑固党のリーダー義村朝明は，中国の高官・李鴻章の密使を名乗る山城一という詐欺師にだまされ，大金を失ってしまいました。

山城はどのような方法で義村をだましたのでしょうか。

（　　　）

a．李鴻章の写真の裏に書いた文字を密書にみせかけた。

b．火あぶりの文字を密書にみせかけた。

c．五本爪の竜が描かれた紙の文字を密書にみせかけた。

b．火あぶりの文字を密書にみせかけた。

　義村朝明（1830 ～ 1898）は，首里の上流士族（按司の身分）で，東風平間切の総地頭職にありました。琉球王国の崩壊に伴い，その身分を失いましたがそれなりの財力は保持していました。

　朝明は「琉球併合」に徹底的に抵抗した，頑固党のリーダーでもありました。日清戦争が始まると，園比屋武御嶽や円覚寺などの社寺をめぐって，公然と清国の勝利を祈願していました。そんなおり，李鴻章（りこうしょう）の密使を名乗る山城一（やまのじょうはじめ）が朝明のもとにあらわれ，火あぶりの文字を密書にみせかけて，活動資金・旅費を名目に莫大（ばくだい）な金をだまし取ったのです。しかも，日清戦争では頼みとする清国が日本に敗れ，「琉球王国」復活の夢も絶たれたのでした。

　それでも朝明は，どうしても琉球独立の夢を捨てきれず，1896年11月に意を決して息子・朝真らを引き連れて中国へ渡りました。琉球救国の陳情（ちんじょう）をするためでしたが，もはや中国にはその力はありませんでした。夢破れた義村父子は異郷の地で亡くなりました。

　その後，二人の遺骨は首里の義村家の墓に移されましたが，沖縄戦で破壊されてしまいました。波乱万丈の人生を送った義村朝明は，南風原町新川に移された墓所で，沖縄の歴史を見守っています。

台湾領有で，宮古・八重山と沖縄諸島の間に時差が生じた

　日清戦争で日本が勝利すると，台湾は日本の領土に組み込まれました。これにより，日本国内の時差が，東端の北海道と西端の台湾では大きく開いてしまうことになりました。

　そのため，従来の標準時とは別に，台湾を基準にした「日本西部標準時（1時間遅れ）」が設けられ，宮古・八重山諸島にも適用されることになったのです。同じ沖縄県でありながら，宮古・八重山諸島と沖縄諸島の間に，1時間の時差が生じることになったのです。

　この二つの標準時は日本国内にはなじます，1937年に廃止されて沖縄県も一つの時間帯に戻りました。

日清戦争後，沖縄では旧・王家一族を中心に公同会運動がおこりました。名目は「沖縄県民の幸福を実現するため」ということでしたが，実際は旧支配層の復権を目指したものでした。

　その方法として，彼らが政府に要求したものは何だったでしょうか。（　　）

a．沖縄県を発展解消して，沖縄特別州にすること。

b．沖縄県庁職員の過半数を，県出身者にすること。

c．沖縄県知事を，尚氏の世襲制にすること。

c．沖縄県知事を，尚氏の世襲制にすること。

　公同会は，琉球藩最後の国王・尚泰の次男・尚寅ら，７人の旧支配層を発起人とする沖縄最初の政治結社でした。その目的は，「沖縄県人民の共同一致をはかり，公利公益を振興する手段・方法を研究」して，「40万沖縄県民の幸福を実現すること」としていましたが，実際は旧支配層の復権を目指したものでした。

　その方法は，沖縄県民の日本への同化（皇民化）政策に，民衆の精神的支柱である旧・王家が尽力するかわり，県知事を尚氏の世襲制にするというものでした。これによって沖縄人を主体にした自治政治を確立し，政府の干渉を最小限におさえて旧支配層の復権をはかろうとしたのです。

　この会には，「廃琉置県」後たがいに反目しあっていた開化・頑固両党の人びとや地方役人層だけでなく，第１回県費留学生として本土に学び，沖縄最初の新聞『琉球新報』を創刊した太田朝敷・高嶺朝教などの新知識人までも加わっていました。

　彼らは県内各地を遊説しておよそ７万3000人の署名を集め，翌1897年には，９人の請願団を上京させました。しかし，政府は彼らの請願運動を理にかなわぬ要求だとして退けたばかりか，このような運動家は国事犯であるとして処罰することさえほのめかしたのです。それに，たのみの中央の諸新聞や在京沖縄県人留学生も，こぞってこの運動を「時代錯誤の復藩論」だとして手厳しく批判したため，「旧支配者層の最後のもがき」となった公同会運動は，やがて自然消滅していきました。

　しかし，彼らはなぜ実現の見込みのないこのような運動を繰り広げたのでしょうか。実は，その裏にもう一つの目的があったのです。それは，旧王家を沖縄に迎えることによって，黒党及び頑固党・開化党に分裂した王国時代の旧支配層を一つにまとめ，沖縄県政を大和人の手から奪い返して沖縄人の主体性を確立するということでした。その意味では，一定程度の成果を上げることができた，といえるでしょう。

台湾が日本の領土となると，沖縄からもたくさんの人が仕事をもとめて台湾へわたり，教員や巡査，漁師，出稼ぎ労働者などとして働くようになりました。

　1930年10月のことです。台湾中央部の高山族（こうざんぞく）の住む霧社（むしゃ）という集落である出来事がおこり，沖縄人を含む多くの日本人が犠牲になりました。

　いったい何がおこったのでしょうか。（　　）

a．高山族による日本人襲撃（しゅうげき）事件がおこった。

b．大地震に見舞われて日本人集落が壊滅（かいめつ）した。

c．大きな隕石（いんせき）が日本人集落に落下した。

シーブン話 おまけ ── 台湾に沖縄島？

　台湾の基隆（キールン）の港の出口に，外周4kmほどの「和平島」があります。この島に「琉球漁民慰霊碑」が建てられています。台湾が日本領土になったころ，沖縄のウミンチュ（漁師）たちがこの島に住んで漁業を営んでいました。家族を含めると最大600人ほど住んでいました。彼らは地元の人たちと助け合いながら暮らしていましたが，1945年の日本の敗戦とともに沖縄へ引き上げていったのです。

　2011年，この地で亡くなった沖縄の人たちの霊を慰めるため，「琉球漁民慰霊碑」が建てられました。

琉球漁民慰霊碑（仲村顕氏提供）

a．高山族による日本人襲撃事件がおこった。

　台湾中央部の山岳地帯に霧社とよばれる高山族の住む集落があります。

　1930年10月27日未明，霧社の11集落のうち6集落の成年男子300名余が，日本の植民地支配に抗して蜂起しました。霧社地域の連合運動会が行なわれる日でした。

　抗日武装団は最初に駐在所を襲って銃器を奪い，職員宿舎や郵便局などを次々と襲撃しました。最終目標は運動会場でした。午前8時ごろ，国旗掲揚式が行われようとしていた時，高山族の抗日武装団が「日本人を殺せ」と叫びながらなだれ込んできました。女性や子どもも関係なく，日本人だけを狙って拳銃が発射され，刀が振り下ろされたのです。楽しいはずの運動会が，阿鼻叫喚の巷と化しました。この襲撃で，沖縄出身の教員・巡査の家族を含む130名余の日本人が殺されました。

　台湾総督府は衝撃を受けました。事件が外部に漏れないよう緘口令をしき，警察・軍隊を動員して討伐隊を組織しました。討伐隊は銃砲だけでなく，飛行機による爆弾攻撃や毒ガスまで使いました。

　武装団が山岳地帯に立てこもり徹底抗戦の構えを取ると，対立関係にあった同じ高山族を利用して追い詰めていきました。これによって，蜂起した高山族は約600人もの死者をだして敗れました。しかし，これで報復攻撃は終わったのではありませんでした。投降者551名のうち210名が保護観察中に殺害されたのです。蜂起した高山族集落1237名のうち，残ったのは300名たらずの女性や子どもだけでした。討伐隊には沖縄出身巡査も加わっており，事件後は多くの沖縄出身の教員や巡査が先住民族対策に利用されました。

　高山族の蜂起は，強制労働の過酷さ，低賃金とその未払い，取り締まり警官による侮辱や収奪など，日本の植民地支配における非人道的な行為への抵抗にありました。しかし，台湾総督府はその原因を，首狩りの風習をもつ野蛮な高山族同士の争いや巡査との個人的なもめごとなどにあるとして，事件を矮小化したのでした。

日清戦争が終わった1895年，沖縄尋常中学校で沖縄差別に対するストライキ事件がおこりました。これは，校長のある発言がきっかけでした。

いったい，校長は何と言ったのでしょうか。（　　）

a．諸君はもともと日本人ではないので，愛国心に欠ける。皇国臣民として，もっと天皇を崇拝せよ。

b．諸君は毛遊びと称する夜遊びに夢中になり，日ごろの勉学をおろそかにしている。これだから，沖縄人は本土人に馬鹿にされるのだ。本日より毛遊びを禁止する。

c．諸君は普通語さえ満足に話せないのに，英語まで学ばされている。かわいそうなので英語の教科を廃止する。

c．諸君は普通語さえ満足に話せないのに，英語まで学ばされている。かわいそうなので英語の教科を廃止する。

　ことの発端は，1894年に本土出身の児玉喜八校長が全校生徒への訓話で，「皆さんは普通語さえ完全に使えないくせに，英語まで学ばなければならないという気の毒な境遇にいる」と述べ，英語の教科を廃止しようとしたことにありました。校長の差別意識まるだしの沖縄同情論に，生徒は激怒したのです。英語は高等学校の受験科目でもあったので，生徒にとっては将来の進路にかかわる重大な問題でした。このときは，生徒に信頼のあった下国教頭の説得で，英語を選択科目として設置することで騒ぎはおさまりました。

　しかし翌年10月，児玉校長は下国教頭と沖縄文化に理解のあった田島利三郎教諭を解雇処分にしたのです。そこで生徒の怒りが爆発し，児玉校長の退陣と教育刷新を求めて，6カ月におよぶストライキを敢行したのです。世論も生徒らの行動を全面的に支持したため，児玉校長が紛争の責任を問われて解任され，ストライキは中学生の勝利におわりました。

　だが，ストライキを指導した漢名憲和や伊波普猷ら，リーダーの復学は許されませんでした。

 ── 中学生たちの内なる問題

　中学生たちのストライキ事件には，内なるもう一つの問題がありました。それは，生徒たちの不満が沖縄差別にあったにもかかわらず，その差別を生み出していた皇民化（日本への同化）へは批判の目が向けられなかったことです。むしろ彼らの目的は，そのなかへ自らを順応させることにありました。日清戦争のとき，同じ児玉校長が編成した義勇団へ，中学生たちが率先して応じていたことにもそのことはみてとれます。それはまた，現代にまで影響をあたえている，近代沖縄人の意識構造のあらわれでもありました。

アシャギ COLUMN　除籍や退学となった生徒たちのその後

伊波普猷（1876 ～ 1947）…本土で旧制中学・高等学校を卒業し，東京帝大に入学。在学中に恩師・田島利三郎から沖縄関係の資料を譲り受けて研究。『古琉球』などを著し「沖縄学の父」と呼ばれる。

漢那憲和（1887 ～ 1950）…奈良原知事のはからいで卒業。海軍兵学校・海軍大学校に進学し，卒業後は海軍軍人としてのエリートコースをあゆむ。海軍少将で退役し，衆議院議員を5期つとめる。

金城紀光（1875 ～ 1967）…復学を許されて卒業。第五高等学校をへて東京帝国大学医学部に学び，沖縄最初の医学士となる。沖縄県立沖縄病院院長，衆議院議員，那覇市長などを歴任。

照屋　宏（1875 ～ 1939）…上京して明治義会尋常中学校に編入。第一高等学校をへて京都帝国大学土木工学科に学ぶ。卒業後，台湾総督府鉄道部の技師をへて那覇市長などを歴任。

西銘五郎（1873 ～ 1938）…徳太ともいう。除籍処分ののち上京。明治義会尋常中学校に編入。卒業後に一時，明治法律専門学校に学んだあと渡米し，アメリカ本国移民の先駆けとなる。

真境名安興（1875 ～ 1933）…復学を許されて卒業。『琉球新報』『沖縄毎日新聞』などの記者をへて県庁職員となり，そのかたわら沖縄の文学・芸能・民俗・歴史などを研究する。1925（大正14）年に伊波普猷のあとをついで2代目の県立図書館長となる。

もう一人のリーダー屋比久孟昌(1875～1902)はどうなったのか

退学になった首謀者に，もう一人屋比久孟昌がいます。屋比久は復学を許されて卒業。陸軍士官学校を出て歩兵少尉となりましたが，1902年に自殺しています。何があったのでしょうか。

『琉球新報』（同年1月25日）の記事によると，「すでに媒酌人も決まり，結婚をまつばかりになってトラブルが生じ，認めてもらえなかったことに痛く憤慨したため（要約）」とあります。また，将校から「琉球出身で言語不明瞭」の侮辱を受けたことも自殺の原因ではないか，といわれています。

北が「北海道」なら南は「南洋道」?

　奈良原繁（P.58参照）が県知事を退いたあと，沖縄県の存亡にかかわる危機的な問題がおこりました。沖縄県と台湾を合併させて「南洋道」を設立しようとする動きです。その理由は，北海道に対比させた国家政策であったとか，台湾総督府の財源政策と関係があったのではないか，といわれていますがはっきりしたことはわかっていません。

　1908年11月，南洋道問題は台湾在住の県出身者から伝えられました。『琉球新報』はこの問題を社説で取り上げ，提案者である議員をはじめ賛同者の前知事・奈良原らの不見識を厳しく批判しました。南洋道が設立されると，沖縄は台湾に従属させられることを意味し，皇民化に専心してきた県民の忠誠心を踏みにじるものだ，として強く反対しました。

　12月にはいると，『琉球新報』は逐一この問題を取り上げ，沖縄が台湾に合併されることへの不当性を訴えました。この問題は本土でも関心を呼び，中央の新聞でも報道され，さまざまな議論を巻きおこしました。

　南洋道創設の提案は，第25回帝国議会に向けて画策されましたが，各方面の反対で立ち消えとなりました。しかし，この問題は本土への同化が進みつつあった沖縄にあって，いまだに本土並みの改革が行われていなかった時期におこっており，県民の被差別意識を一層増大させることになりました。

シーブン話 おまけ ── ミーカガンを発明した玉城保太郎(1854～1933)

　糸満は，昔から漁業の盛んな港町として知られています。沖縄の伝統的な漁法にアギヤーというのがあります。漁師たちが海に潜って，水中に仕掛けた網に魚の群れを追い込んで捕らえるという漁法です。

ミーカガン

　1884年に糸満漁師の玉城保太郎が，モンパノキの幹でフレームを作ってガラスをはめ込んだ，ミーカガンという水中メガネを発明したことで盛んになりました。その後，沖縄全域に広まり，追い込み漁や貝採取の潜水漁には欠かせない漁具となりました。

24　沖縄における民権運動

沖縄の民衆はどのようにして権利を獲得したのか

　王府時代の地方役人は，その地位と特権を利用してさまざまなかたちで農民を搾取し，私腹を肥やしていました。

　旧慣を隠れみのに不正を行っていた地方役人に対する農民の不満は，最初に離島の粟国島で爆発しました。1881年7月，地方役人層の不当な租税徴収への疑惑が発覚し，これに怒った農民たちがその不正を糾弾して，ついには租税徴収簿を公開させることに成功したのです。また，翌年には新村頭が数百人の農民をひきいて決起し，旧村頭の在職中の不正行為を糾弾しています。その際，農民らは「鐘を鳴らし，棒を携え」て暴徒と化し，旧村役人5人の家を襲って金品を略奪するという暴動までひきおこしました。

　1883年には，沖縄島北部の名護間切屋部村の村人が，同村の前・地頭代（現在の村長クラス）で，屋部ウェーキ（富豪）といわれた久護家に乱入して植樹を伐採し，同家の広大な屋敷地（1500坪）と開墾地の阿楚原（4万8000坪）の開放を要求する騒動をおこしました。この事件は裁判にもちこまれ，阿楚原の所有は同家に認められましたが，屋敷地の600坪を村民に開放することで和解しました。

　実はその4年前，屋部村の農民たちは，「廃琉置県」後の新政に従うことを拒否して警察に連行された地頭代を救出するため，棒やなたを持って名護までおしかけたのでした。その時の地頭代こそ，この久護家の主人でした。「かつて，体を張って守ろうとした地頭代に対して，同じ農民たちが，いまは逆に，その屋敷に乱入して樹を切り倒し，宅地を勝手に分割して農地の開放を要求する。

　そのような農民たちの変貌こそ，まぎれもない民衆の本来の素顔であった」（新川明『琉球処分以後　上』）。

　そのほかにも，本部間切・中城間切・渡名喜島などでも，村役人に対する不正を訴える集団抗議行動がおこりました。先に述べた，上杉県令の吏員（村役人）改正をはじめとした県政改革への動きも，こうした民衆運動が背景にあったのです。しかし，上杉のあとをついだ岩村県令は，1883年に集団的請願行動の禁止令を発し，このような民衆の集団行動を封じようとしました。だが，農民の地方役人層への不正摘発は，止むことはありませんでした。

1886年には今帰仁間切の各村の民衆が，1888年には越来間切越来村の民衆が，1889年には知念間切の各村の民衆が，それぞれの村の地方役人である捌理の不正を役所や番所へ訴え，帳簿の公開を要求しました。これらの要求は，一部，認められたものもありましたが，多くは地方役人や県当局によって弾圧されたので，民衆の不平・不満は消えることはありませんでした。

　このような「一般農民の集団的行動は，さしあたり地方役人の不正行為にむけられていたが，それはまぎれもなく『旧慣』そのものに対する農民の不満であり，抵抗であり，改革要求の意思表示にほかならなかった」（『沖縄県史1 通史』）のです。

　こうした農民の集団抗議に対し，県当局は1888年に予算協議会を設置して，地方費の予算審議に農民代表を参加させるなどの懐柔策をとらざるをえなくなっていました。そして，宮古島農民の頭懸（人頭税）廃止要求運動で民衆の抵抗運動はピークに達し，ついには"旧慣"そのものを改革させる大きな力となったのです。

 —— 旧役人・喜舎場朝賢の不正摘発 ——

　王府の役人として，最後の国王・尚泰のそばで「王国の崩壊」を体験した喜舎場朝賢は，『琉球見聞録』『琉球三冤録』『東汀随筆』などに，王国末期におこった出来事をまとめました。『東汀随筆』には，知念間切の住民による地方役人の不正摘発に関する記述があります。

　「知念間切の各村の住民が，捌理（地方役人）の不正を島尻役所へ訴えた。役所の役人が知念番所に出張して2，3年前より住民から徴収した税金の使い道を調べると，不正に使い込まれた金が多いことがわかった。その結果，不正分はすべて捌理に弁償させた。各郡民はこれを聞いて喜んだが，捌理の罪は問われなかったので不正が止むことはなかった。これでは住民の不平が絶えないのも無理はない」

　朝賢は王国崩壊によって無禄となり，農村社会で困苦の生活を味わわされていました。そんな体験が，役人の不正に対する容赦ない摘発と糾弾へ向かわせたものと思われます。

ジンブン試し
Q.172

銅像の人物は，第一回県費留学生（5人）で唯一の平民出身です。彼は東京山林学校などを経て帝国農科大学に学び，沖縄初の農学士となりました。卒業後は県庁につとめ，高等官となってエリートコースを歩みました。

のちに，奈良原県政を批判し，民権運動に身を投じました。その人物は誰でしょうか。（　　）

a．謝花昇

b．太田朝敷

c．高嶺朝教

a．謝花昇

　謝花昇は東風平間切（現在の八重瀬町の北部）の百姓の子として生まれました。幼いころから活発で賢く育った昇は，14歳の時に地頭の義村御殿（P.46参照）に奉公しました。ところが翌年，首里王府が滅んだため，新たに師範学校で学ぶことになり，第1回県費留学生に選ばれたのです。

　1891年，帝国大学農科大学（現・東京大学農学部）を卒業して，県庁につとめることになりました。沖縄で平民出身者として初めて高等官となり，身分の壁を破った人物として尊敬され，多くの若者に希望を与えました。

　しかし翌年，沖縄を改革するためにやって来た奈良原繁知事と真っ向から対立することになりました。奈良原は産業を発展させるという名目で，杣山と呼ばれる山林を，農民の反対を押し切って民間に払い下げる政策（貸与による開墾）をとったからです。当時の沖縄は，役人をはじめ商業や教育など，あらゆる分野で本土の人が中心となっており，沖縄の人びとは差別されていました。杣山の開拓を願い出たのも，これら高級官僚や大金持ちでした。沖縄の旧支配層もみずからの利益を求めて奈良原と結びつきを強めていました。昇は県の杣山払い下げに反対し，奈良原の政策を厳しく批判したのです。

　1898年，上京した昇は，奈良原や旧支配層による専制的な県政を変えるには，国会に農民代表を送り出して国政レベルで対抗するしかないと考え，県庁をやめて民権運動に身を投じました。東京で當山久三らとともに「沖縄倶楽部」という政治団体を作り，雑誌『沖縄時論』を発行して参政権獲得の必要性を訴えました。

　沖縄に戻ると，これを中心に奈良原県政を鋭く攻撃しました。それに対し，奈良原や旧支配層は，新聞やお金の力に物を言わせて徹底的に反撃を加え，彼らの運動をつぶしてしまいました。

　奈良原との戦いに敗れた昇は，職を求めて本土へ旅立ちました。そして，その途上で精神の病に倒れ，1908年に44歳の若さで亡くなりました。それから4年後の1912年，沖縄からも国会議員が出せるようになったのでした。

廃琉置県（琉球併合）によって沖縄県となってからも，宮古・八重山では昔ながらの頭懸（人頭税）と呼ばれる税制のもとに置かれていました。その不合理な税制の廃止運動に尽力したのが，沖縄島からやって来た城間正安と新潟県出身のある人物でした。

　その人物は誰でしょうか。（　　　）

a．岩崎卓爾
　いわさきたくじ

b．笹森儀助
　ささもりぎすけ

c．中村十作
　なかむらじゅうさく

人頭税廃止100周年の記念碑（仲村顕氏提供）

ｃ．中村十作

　沖縄島から製糖指導員として宮古にやってきた城間正安は，精力的にサトウキビの栽培と製糖技術の普及につとめました。ところが，悲惨な生活をしいられていた農民は，なかなか新しい農業技術を受け入れようとしませんでした。どんなにがんばっても，「利益は士族にしぼり取られてしまう」と，無気力になっていたからです。

　正安は「宮古の農業を発展させるには，頭懸（人頭税）を廃止させることが先決だ」と考え，新潟県出身で真珠養殖を志して宮古島にやってきていた中村十作とともに，農民を指導して頭懸（人頭税）廃止運動をはじめました。

　力強い指導者をえた宮古農民は，頭懸（人頭税）の廃止など古い制度の改革を島役所や県庁に訴えました。しかし，士族の圧力でなかなか重い腰をあげてくれません。そこで十作と正安は，農民代表の平良真牛と西里蒲をひきつれて東京へおもむき，政府に直訴することにしました。

　出発の日，漲水港は正安たちの乗船を阻止しようとする士族と，彼らを送り出そうとする農民とで険悪な雰囲気につつまれました。もう，あともどりはできません。農民の熱い期待を背にうけて，宮古島をあとにしました。那覇でも正安たちを東京へ行かせまいとする警察の厳しい妨害にあいましたが，どんな誘惑やおどしにも屈しませんでした。

　1893年11月，東京へ着いた正安たちは，十作の案内で新聞社や知識人，国会議員らをたずねて宮古の実情を強く訴え，精力的に頭懸（人頭税）を廃止させるための活動をはじめました。正安たちの活動は予想以上の成果をあげ，理解ある各界有力者の協力をえて，頭懸（人頭税）廃止の要求書を内務大臣に手わたすことができました。

　1895年の第八帝国議会で「沖縄県政改革建議案」が可決され，1903年に頭懸（人頭税）は廃止されました。

城間正安らは，国へ頭懸（人頭税）廃止を訴えるために，十分な運動資金を持たないまま那覇へ向かいました。そこで不足分の資金が送られてくるのを待ったのです。しかし，宮古農民にはもう彼らを援助する余力はありませんでした。

では，残りの運動資金はどのようにして工面されたのでしょうか。（　　）

a．役所の穀倉番人が粟を盗み出して売り，その売上金を送ってきた。

b．那覇の宮古郷友会にカンパを呼びかけて集めた。

c．那覇の芝居小屋で，クイチャーを踊って資金を集めた。

a．役所の穀倉番人が粟を盗み出して売り，その売上金を送っ
てきた。

　宮古島の農民を代表して，頭懸（人頭税）廃止を請願するために東京へ向かっ
た一行4人は，十分な資金をもって出発したのではありませんでした。12月に
開かれる帝国議会にまにあわせるため，とにかく宮古をたち，那覇で残りの寄
金が送られて来るのを待つという見切り発車だったのです。しかし，貧しい農
民から残りの資金を集めるのは困難でした。

　もうこれ以上は待てない。そんな八方ふさがりの状況のなか，砂川番所の穀倉
番人・砂川金と与那覇番所の穀倉番人・池村山の二人が資金の工面を申し出てき
ました。ここで運動を挫折させるわけにはいかない。彼らは死を覚悟して番所の
穀倉から粟俵を運びだし，その粟を売り払った代金を那覇に送ったのです。

　砂川と池村の二人は捕えられ，厳しい取り調べをうけました。しかし，彼ら
は生活が苦しく，妻子を養うため，やむにやまれず盗難をはたらいたと言いは
り，警察の厳しい拷問にも口を割りませんでした。働き手を失った二人の家族
もどん底の苦しみを味わうことになりましたが，農民たちの援助で暮らしてい
けたということです。

　やがて，資金が無事，那覇にいる一行に届けられたことを確認すると，農民
たちは砂川と池村のてびきで運びだした粟の弁償をしたのでした。

再検証がもとめられている頭懸（人頭税）廃止運動の評価

　頭懸（人頭税）廃止運動の評価については，再検証すべきではないかとの意見があり
ます。その理由は，なぜ課税の対象を「人口」から生産性の低い「土地」にしてほしい
と要求したのか根拠が疑わしいこと。また，貨幣経済が未発達な社会状況のなか，なぜ「物
納」から「金納」への変更を求めたのか，農民たちがそのことをどれだけ理解していた
のか疑問が残ること。さらに，「請願書」は東京で書かれており，その内容も政府が考
えていた政策と同様だったことなどから，中村兄弟の考えが反映されていたのではない
か，と思われるからです。

　以上のことから，今後，頭懸（人頭税）廃止運動の評価に変更が加えられる可能性が
あることを注記しておきたいと思います。

頭懸（人頭税）が廃止された1903年，大阪で開催された勧業博覧会で，沖縄の女性や外国人を見世物にするという人類館事件がおきました。沖縄の新聞はこれに激しく抗議しました。

それは，どういう立場からの抗議だったのでしょうか。

（　　）

人類館で見世物にされた人びと（伊藤勝一氏蔵　那覇市歴史博物館提供）

a．琉球人は立派な皇国臣民であるにもかかわらず，見世物にしたうえ，外国人として紹介していることは屈辱である。

b．琉球人を，台湾先住民やアイヌなどの劣等民族と同一にならべ，見世物にしていることは屈辱である。

c．人間はみな平等であるはずなのに，琉球人をはじめ特定の民族を見世物にするということは許せない行為である。

b．琉球人を，台湾先住民やアイヌなどの劣等民族と同
　　　一にならべ，見世物にしていることは屈辱である。

　1903年3月，大阪で政府主催の勧業博覧会がひらかれました。

　会場周辺には営利目的の見世物小屋が立ち並んでいました。その一角に，「学術人類館」と称する施設がたてられ，アイヌ・台湾の先住民族・琉球人（二人の女性）・朝鮮人・中国人・インド人・アフリカの人びとなどが集められ，見世物にされていました。これに対し，韓国・清国の留学生から抗議の声があがりました。

　『琉球新報』の主筆・太田朝敷も「隣国の体面をはずかしめるものである」として中止をもとめました。しかし，太田は同時に「琉球人が生藩（台湾先住民族）やアイヌと同一視され，劣等種族とみなされるのは侮辱」であると述べ，沖縄のゆがんだ日本への同化思想をあらわにしたのです。沖縄人もまた自らを皇国臣民だと認識し，彼らを差別の対象として見ていたのです。

　沖縄からの抗議で，琉球女性の展示は取りやめになりましたが，他の民族（清国は除く）の展覧は最後まで続けられました。

　　━━　「平等」からの出発　━━

　　1903年1月，頭懸（人頭税）が廃止されると，八重山でも郡民あげた新税法実施の記念祝賀会が催されています。その様子を当時の新聞は次のように紹介しています。

　　「式典は盛大なうちに終わり，余興の最後に大綱曳きが行われた。会場の緑門に掲げられた『平等』の額の下で東西の雌雄の綱が結ばれ，銃声の合図で勝負が始まった。しかし，力が均衡していてなかなか勝負がつかない。すると，大観衆の見守る中，綱が結び目から断絶し，一本の人垣が真っ二つにくずれた。どよめきの声とともに立ち上がって空を仰いだ両軍の目に，『平等』の大額が超然と輝いていた。それを見た両軍，勝敗の必要ないことを悟り，喜びを分かち合って散会していった。（要約）」

1910年，県立第一中学校（現・首里高校）の分校として，県立第二中学校の仮校舎が首里城内に設置されました。この学校が現在の那覇高校の前身ですが，何と本校舎は北谷村嘉手納（現・嘉手納町）に建設されたのです。那覇高校はもとから那覇にあったわけではなかったのです。

実は，この第二中学校でもストライキ事件がおきているのです。いったい何が原因だったのでしょうか。（　　）

a．本土出身教師による沖縄差別が根強く残っていたため。

b．一中に対するコンプレックスが爆発したため。

c．二中に県立農学校を併置し，廃校に追いやろうとしたため。

c．二中に県立農学校を併置し，廃校に追いやろうとした
ため。

　1909年に沖縄県会が設置され，その年の12月に通常県会が開かれて中学校の分校（第二中学校）設置計画が満場一致で可決されました。教育による人材育成が，本県の大きな課題だったからです。

　沖縄県立第二中学は，1910年に県立第一中学の分校として首里城内に設置されました。本校舎は中頭郡に建てられることになっており，首里・那覇に近い浦添が有力視されていました。そのためか，県民の期待も大きく，志願者も定員（100名）の五倍をこえました。ところが，いざ敷地選定がはじまると，政治的な駆け引きなどで北谷村の嘉手納に決められ，生徒や学校関係者を驚かせました。

　1912年に学校は移転しましたが，中途退学者の増加と入学志願者の減少で学校経営は困難をきわめました。太田朝敷の著した『沖縄県政五十年』によると，「大正四(1915)年の第一回卒業生は一学年の百人中より三十人は出したが，第二回は僅か十三人・・・大正八(1919)年における最後の卒業生は十八人であった」と記されています。

　そのため，沖縄県は1916年に二中を縮小してその構内に県立農学校を併置するという措置をとりました。二中を廃校に追いやろうとしたのです。校長も農学校長に二中を兼務させ，農学校重視の学校経営を進めました。こうした二中軽視の学校経営に生徒たちが黙っているはずはありません。その不満は農学校生にもむけられ，両校は険悪な状態になりました。混乱は二中全生徒によるストライキ事件に発展し，社会問題となりました。

　県も事態の収拾に動き，二中の初代校長で県議となっていた高良隣徳の提案もあって，翌1917年に中学校と農学校の分離が決定しました。そして1919年，校舎の一部落成とともに二中は那覇に移転し，現在の那覇高校の前身となったのです（P.219参照）。

古い慣習のカタカシラ，針突（ハジチ）はどのように消滅していったのか

カタカシラを結った男性

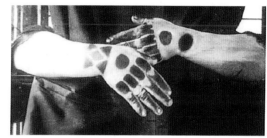

針突（ハジチ）と呼ばれる入れ墨
琉球大学附属図書館（ブール文庫より）提供

　明治政府によっておし進められた近代化政策は，「文明開化」の名のもとに，おのずから日本古来の生活様式や風俗などを抑圧することになりました。

　沖縄の古い風俗として，男性はカタカシラとよばれるマゲを結い，女性は手の甲に針突（ハジチ）とよばれる入墨を入れることが慣わしになっていました。日清戦争後，旧慣の改革が進められるとともに，これらの慣習も前近代的な悪習の象徴として禁止されることになったのです。

　針突は，成女としての通過儀礼がその起源だと思われますが，近世期の沖縄では女性の貞淑の印だとか，来世への渡航証だと信じられていたため，なかなかあらためることができませんでした。しかし，1899年に入墨に罰則が適用され，入墨師や禁令をやぶって針突をした女性が警察に検挙されると，針突という伝統的な風俗文化もしだいに沖縄社会から消滅していきました。

　男性のカタカシラは，王府時代の成人男子の髪型で，その形は士族も百姓も同じでした。沖縄における断髪は，本土の断髪令（1871年）にならって進められ，1888年ごろに，官吏や教師・児童生徒を中心に行われました。しかし，これに対する批判は強く，断髪している者への投石や婚姻破棄，父兄による強制退学などがおこりました。特に首里・那覇の旧士族層に反対する者が多く，かたくなにカタカシラを

切ることを拒絶していました。だが，これも日清戦争のころまでで，日本の勝利をさかいに断髪するようになり，20世紀にはいるまでには，カタカシラ姿はほとんど姿を消していきました。

　そのほか「風俗改良運動」として，毛遊びやユタの禁止，冠婚葬祭，行事の簡素化などが行われました。こうした沖縄の生活様式や風俗・慣習の改革は，たんに沖縄の近代化をはかるためだけに行われたのではなく，日本への同化＝皇民化をおし進めるものでもありました。

シーブン話 おまけ ── 修学旅行で強制断髪し，大騒動となった八重山

　1895年，八重山高等小学校，大川尋常小学校の生徒が，修学旅行で小浜島・竹富島へ行くことになりました。楽しいはずの旅行が，竹富島で大騒動を引き起こすことになりました。

　何と，子どもたちが寝ている間に，進歩派の人びとによって断髪が強行されたのです。これに気づいた子どもたちは，悲鳴を上げて逃げまわったり，福木に登って隠れたりして大騒ぎになりました。

　保護者は石垣島に戻った子どもたちを見て激怒し，引率の教員は責任を取って総辞職しました。頑固派の強い抵抗で学校は休校となり，騒ぎは大きくなるばかりでした。そのため蔵元は各地の有力者を呼び出して人びとを説得させ，やっと事態を収拾するというありさまでした。

　その後，一般への断髪指導も強権的に進められましたが，1903年に頭懸（人頭税）が廃止されると「心も形も真に日本人とならなければならない」とする意見に同調し，多くの人が断髪するようになりました。

25　徴兵令の施行

国民としての権利よりも義務が優先されたのはなぜか

　富国強兵をめざしていた明治政府は，欧米の近代的な軍事制度に学び，1873年に徴兵令を公布しました。

　沖縄への徴兵令の適用は1885年に計画され，日本が日清戦争に勝利をおさめ，沖縄県民が日本への同化を受け入れるようになったころから具体化されました。

　まず1896年，師範学校を卒業した小学校教員に6週間の兵役が実施され，2年後の1898年^(注1)に，小笠原諸島とともに一般への徴兵令が実施されました。先に教員へ施行されたのは，沖縄県民の皇民化には教育が重要だったことと，当時，日本政府がおし進めていた国家主義教育の実質的な担い手が教員だったからでした。また，沖縄の軍事的価値についても早くから注目され，1886年には徴兵制を実現させた内務大臣・山県有朋が，翌年には総理大臣・伊藤博文が軍事視察の目的で沖縄をおとずれていました。

　政府が旧慣諸制度の改革がまだ完了していない沖縄に，国民の義務としての徴兵令の施行を急いだのは，日清戦争後，ロシアをにらんだ軍備拡張にともなう兵員を確保する必要にせまられていたからでした。沖縄に対して，日本国民としての権利よりも義務を先行させていた政府と県の方針は，ここでも貫かれていたのです。

　沖縄の指導的立場にあった県庁の職員や，教育者・新聞人などは，沖縄にも徴兵令が施行され，国民の義務である兵役を負うことによって沖縄県民も晴れて日本国民（皇国臣民）の仲間入りができると歓迎し，積極的に徴兵制の普及につとめました。だが，肝心の一般民衆のあいだでは，日本各地で徴兵忌避運動がおこったように，検査前に逃亡したり，故意に身体を傷つけたり，障害者をよそおったり，あるいは海外移民となるなど，さまざまな方法で徴兵を拒否する者があとを絶ちませんでした。

　こうした動きに対し，民権運動を指導した謝花昇らも，参政権を獲得するためには国民の義務である兵役に服することは当然だと考えていたので，本土の「血税一揆」のような組織的運動へと発展することはありませんでした。

　徴兵忌避のために捕えられて処罰された者の数は，徴兵令が施行された1898

年から1915年までの18年間に，総数774人にものぼりました。

　いっぽう，兵士として入隊した青年たちのなかには，標準語が話せず読書算術もできない者が多かったので，軍隊内には未開人をイメージした「琉球人」と蔑む差別が待っていました^(注2)。日本国民として，一定の皇民化教育を受けていた沖縄出身の兵士にとって，その差別をはらいのけて，忠誠心の強い国民＝臣民であることを証明するには，戦場で身を挺して戦うこと以外に方法はありませんでした。そして，その悲壮な決意は，日露戦争ではやくも実践されることになったのです^(注3)。

　本土人から差別された沖縄出身兵士は，その１割近い死傷者（戦死者205人・戦傷者149人）を出すことによって，「敵を恐れることなく上官の命令に従い，身命を顧みる者なし」と誉めそやされました。そのことで，皇国臣民としての市民権を得ることができると考えたのです。ところが，政府や軍部の評価は，必ずしも沖縄人が考えていた通りではありませんでした。

　“沖縄戦”というもっとも悲惨な結末で，沖縄は帝国日本の真の姿をみせつけられることになるのです。

（注１）　従来，宮古・八重山は古い税制の頭懸（人頭税）がしかれていたため，徴兵令の実施は土地整理終了後まで延期されていたと考えられていました。しかし，近年の研究では免役規程はあったものの，沖縄諸島と同時期に施行されていたことがわかっており，全てが免除されていたわけではありませんでした。
（注２）　全成人のうち読書算術ができない者は，1901（明治34）年で72％，1903（明治36）年で65％もありました。
（注３）　日露戦争に沖縄から出兵した兵士は，3864人にのぼっていました。

1898年，沖縄にも徴兵令が適用されました。沖縄の指導的立場にあった人たちは，国民の義務である兵役を負うことによって沖縄県民も晴れて皇国臣民（天皇国家の国民）の仲間入りができると歓迎し，積極的に徴兵制の普及につとめました。ところが，肝心の一般民衆は，検査前に逃亡したり，故意に身体を傷付けたりして徴兵を忌避するものがあとをたちませんでした。

　身体を傷付ける方法として，実際に行われたのはどれでしょうか。(　)

ａ．右腕に刺青を入れた。

ｂ．右手人差し指を切断した。

ボキッ

ｃ．右肩をはずした。

ｂ．右手人差し指を切断した。

1898年，沖縄にも徴兵令が施行されると，一般住民は様々な方法で徴兵を逃れようとしました。たとえば，小銃が引けないよう右手人差し指を切断したり，醤油を飲んで心臓疾患をよそおったり，下痢を誘発させる薬草などを食べて極度に体重を減らしたりしたのです。

自分で指を切断するのは大変勇気のいることなので，たいていが他人に協力してもらっていました。その方法は，右手人差し指を差し出し，その上に鎌やなたなどの刃をあて，さらにその上に棒を置き，大きなハンマーでその棒を力いっぱい打って断ち切るというものです。また，戸の節穴に指を差し込み，その指を刃物で切り落とすという方法もありました。いずれも乱暴な方法で，後遺症に悩まされたり，傷口が化膿してそれが原因で命を落としたりする者もいました。

徴兵逃れとして，もっとも多かったのが醤油を飲むことでした。醤油を多量飲むと動悸が激しくなり，急性心臓病を装うことができたからでした。また，醤油を長期間飲み続けることで下痢を誘発させ，極端に体重を落として徴兵検査に不合格になるという方法もとられました。

そのほかにも，目に異物を入れて視力をおとしたり，あげくは片目をつぶしたり，戸籍を偽って年齢をごまかしたり，耳が聞こえないふりや気がふれたふりをする者もいました。合法的な徴兵のがれとして，海外移民になる者もいました。

 ── 徴兵忌避の名演技も優しい言葉に,つい…

徴兵忌避については，笑い話のようなエピソードもあります。

ある青年が，事故で鼓膜が破れ「耳が聞こえない」，という設定で徴兵検査に臨みました。検査官に「嘘つくな，聞こえるだろう」と怒鳴られても動じず，無事検査を終えました。ところが，徴兵免除の手続きの際，「よかったね」と優しい言葉をかけられ，思わず「ありがとうございました」と答え，嘘がばれたということです。

徴兵検査を逃れるため，１年余りも自分の家の床下に身を隠していた人がいました。ところが，この人はある出来事をきっかけに自首することになり，５か月の禁固刑に処せられました。

何があったのでしょうか。（　　）

a．妻が出産したため。

b．親の葬儀に出るため。

c．病気になったため。

a．妻が出産したため。

　徴兵検査を逃れるため，山奥や村外に身を隠したり，清国へ逃れて逃亡失踪者となる者もいました。そんななか，自宅の床下に1年以上も身を隠して徴兵を逃れている人がいました。この家には，地下に味噌甕や農作物，養蚕の繭などを保管する場所があり，そこに身を潜めていたのです。

　徴兵忌避者が出ると，村の駐在はその家を監視するため，定期的に見回りにやって来ました。そのため，うかつに外を出歩くことはできません。しかし，いつまでも人目を忍んで生活することもできません。そのうち，奥さんが妊娠して子どもが生まれると，妻が不貞を働いたなどのうわさが立ったこともあり，覚悟を決めて自首してきたということです。

シーブン話おまけ —— もっとも徴兵忌避者が多かった本部村

　県内でもっとも徴兵忌避者が多かったのは，本部村（現・本部町）でした。1910年5月の徴兵検査の際，徴兵忌避の疑いのある青年に対し，係官が麻酔をかけるなどして強引な検査を実施しました。やむことのない徴兵忌避を，断固たる態度で阻止しようとしたのです（注）。

　ところが，それを見ていた村民がいきり立ち，百人余りが検査場に乱入して器物を壊したり，係官に殴りかかるなどしたのです。徴兵官は軍刀をぬいて応戦し，村民を場外に追いやりました。夜になると，数百人の村民が検査場の本部尋常小学校を取り囲んだため，翌日，那覇から応援の警察官を動員して検査を終えるという事態になりました。

　その後，23人が騒擾罪で起訴され，21人が懲役5年から罰金5円の刑を受けました。村長は騒動の責任をとらされて辞任。県は，本部村に軍人の村長と武力に優れた教育者を派遣しようとしましたが，世論の反対で撤回しました。

　軍は本部騒動をきっかけに徴兵忌避に対する弾圧を強め，軍事教育を徹底しました。それ以後は，徴兵忌避者も大幅に減少していきました。

（注）その前年にも，宜野座・北谷・具志川・羽地などで群衆と警察官との間にいざこざがおこっており，徴兵検査に対する県民の不満がくすぶっていました。

沖縄初の軍人といわれた屋部軍曹の息子・憲伝は，父の生き方に強く反発し，ある方法で合法的に徴兵をまぬかれました。

その方法とは何でしょうか。（　　）

a．結婚して妻帯者になった。

b．戸籍の性別を女性に書き替えた。

c．海外移民となった。

c．海外移民となった。

　屋部憲通（1866 ～ 1937）が県立中学校に通っていたころの沖縄は，何かと本土から差別され，大変悔しい思いをしていました。

　卒業を前に将来のことを考えていた憲通は，「軍人として天皇国家のために尽くす人が出てくれば，ヤマトンチュの沖縄人に対する見方も変わるに違いない」と考え，旧制中学校を退学して9人の仲間とともに陸軍教導団に入学しました。

　1892年に教導団を卒業すると沖縄最初の軍人となり，仲間とともに日清戦争（1894 ～ 95）に従軍して活躍しました。

　息子の憲伝は，軍人としての父の生き方に強く反発しました。県立第一中学校に入ると，人間の平等愛を説くキリスト教を信仰し，トルストイの思想にも興味をもつなど，父とは反対の道を歩むようになりました。

　中学校を卒業した憲伝は，大きな岐路に立たされました。20歳になると徴兵検査がまっていたからです。憲伝は，神学の研究を名目にハワイへ行く決心をしました。海外移民になると兵隊にならずにすんだからです。沖縄初の軍人として称えられた「屋部軍曹」(注)の長男が，沖縄初の「良心的徴兵拒否者」となったのです。

　ハワイで熱心にキリスト教の教えを学んだ憲伝は，その後，ロサンゼルスに渡りました。しかし，そこに待っていたのは，人間の平等と博愛にみちた理想の社会ではありませんでした。人種差別と民族差別，それに貧富の差という厳しいアメリカ社会の現実でした。それでも，この地で生きる道をみつけた憲伝は31歳で結婚し，貧しくも3人の娘に恵まれた温かい家庭を築きました。いつしかキリスト教からも離れ，移民としてアメリカにやってきた沖縄の青年たちの面倒をみるようになっていました。

　そして1919年3月，軍隊を引退した父・憲通をロサンゼルスに招き，妻や娘たちを紹介し，長いあいだの親子の溝を埋めたのです。これこそが，憲伝が求めていた真の人間愛の姿でした。

(注) 屋部憲通は最終的に陸軍中尉まで昇進しましたが，一番初めに下士官になった栄誉をもって，「屋部軍曹」と呼ばれました。

1889年に国民皆兵となってからも，農芸化学者の鈴木梅太郎は徴兵されずに済みました。

なぜ，徴兵検査を受けなくてもよかったのでしょうか。

（　　）

a．沖縄県出身者であることを公表したから。

b．沖縄県の八重山に戸籍を移していたから。

c．ビタミンB₁発見の功労者だったから。

b．沖縄県の八重山に戸籍を移していたから。

　1873年に徴兵令がしかれ，これまで軍事には無縁だった国民にも兵役が義務づけられました。当初は，一家の主人や跡継ぎ・官吏などに徴兵が免除され，徴兵該当者の96％が免役者となっていました。そのうえ，跡継ぎのいない家の養子になったり，病気を装うなどして徴兵を逃れる者も多くいました。

　政府はしだいに免役規定を縮小し，1889年には国民皆兵としました。これによって徴兵逃れの道も閉ざされたかにみえましたが，まだ方法は残されていました。徴兵令が施行されていない沖縄へ戸籍を移すことでした。事実，沖縄ではこのころ本土から密かに転籍していた人がいたことが伝えられています。しかし，1898年に沖縄にも徴兵令が適用されると，この方法も意味をなさなくなりました。これで転籍による合法的な徴兵逃れの道はすべて閉ざされたことになります。

　だが，それでもまだ兵役を逃れている者がいました。実は，沖縄の宮古・八重山諸島は古い税制である頭懸（人頭税）が残されていたため，徴兵令の免役規定が適用されていたのです。オリザニン（ビタミンB$_1$）の発見者として有名な，農芸化学者・鈴木梅太郎もこの地に転籍して徴兵を逃れた一人だったとみられます。

　このことは，1970年代に偶然，鈴木の本籍が沖縄にあったということ知った人物が，地元の新聞に投稿したことがきっかけとなって，一時，話題になりました。そこで，八重山在住の郷土史家が石垣市の古い除籍簿を調べたところ，「八重山石垣間切新川村 拾五番地」に鈴木の戸籍が存在していたことがわかりました。その期間は，鈴木が帝国大学農科大学（現・東京大学農学部）を卒業した1896年から，1916年に東京渋谷に転籍するまでの約20年間でした。もちろん，同地に鈴木が住んでいた形跡はありませんし，関係者もいません。どのような伝で八重山に本籍を移したかわかっていませんが，徴兵を逃れるための方策だったと思われます。

　ちなみに鈴木梅太郎は静岡県出身です。

電信屋～日露戦争と沖縄～

　石垣島屋良部半島の岬の海岸に，電信屋とよばれるコンクリート建ての古ぽけた小屋がある。1897年，八重山電信所の開設で，海底送電線を中継するための陸揚室として建設されたものである。沖縄戦では機銃掃射の的になったらしく，弾痕（だんこん）の痛手をさらけだした無残な姿で立ちつくしている。

　1905年，日露戦争も終盤にさしかかった5月，宮古島沖を航行中の帆船がロシアのバルチック艦隊を発見し，宮古島司へ急報した。「大至急，大本営に連絡を取らねば」。しかし，宮古島には通信施設がない。128km余も離れた石垣島まで行かねばならない。

　さっそく漁村の久松地区(久貝・松原集落)から5人の男たちが急使として選ばれた。5人の勇士は荒波をものともせず，サバニを漕（こ）いで石垣島へ向かった。

　「国の命運をかけた使いだ。一刻の猶予も許されない。とにかく急がねば」

　5人の勇士は力の限り，サバニを漕ぎ続けた。

　翌日，久松五勇士のサバニは，無事，石垣島に到着した。

　「バルチック艦隊見ゆ」の打電が県庁へ，県庁から大本営へ届けられた。が，すでに五島列島の西方海上を哨戒（しょうかいちゅう）中だった信濃丸（しなのまる）から，連合艦隊への通報がなされたあとだった。久松五勇士の通報は，一時間遅れの二番煎（せん）じとなり，徒労に終わった。

　日本は，日本海海戦でバルチック艦隊を破ることによって，日露戦争を勝利に導くことができた。だが，久松五勇士の行動は世に知られることなく，忘れ去られていった。

　30年後，日本が軍国主義の道を突き進み，大陸での侵略戦争が泥沼化していった時代，一躍，久松五勇士の忠誠心が国策としてクロー

ズアップされ，海軍大臣から表彰されることになった。以来，久松五勇士は「忠君愛国」の「範」とされ，後世に語り継がれることになった。

　現在，宮古島の久松海岸には，「忠君愛国の至誠にもえて祖国の難にのぞみ，国の大節につくした壮挙」として，サバニをかたどった「久松五勇士顕彰の碑」が，石垣島の伊原間の浜辺には「久松五勇士上陸の地」の碑が建てられている。

　"戦争の過ちが顧みられることなく，戦争による勇気のみが美しく称えられるとき，再び同じ過ちがくりかえされる"。

　128km余を隔てて，二つの久松五勇士の碑を目にしたとき，「忠君愛国の精神」がもたらした結末は何だったのか，と問わずにはいられなく，反戦平和への誓いをあらたにした。

　石垣島屋良部半島の岬の海岸に，電信屋とよばれるコンクリート建ての古ぼけた小屋がある。日露戦争中，「バルチック艦隊見ゆ」の打電を中継した，海底送電線の陸揚室である。沖縄戦では機銃掃射の的になったらしく，弾痕の痛手をさらけだした無残な姿で立ちつくしている。

　観光にはならないが，戦争の痛みにじっと耐えている老兵のような姿に，観光の島の，よそ向けではない素顔の一面を見ることができるだろう。

新城俊昭『南の島の話』より

26　第一次世界大戦後の恐慌

ソテツ地獄とは，どのような状況をいうのか

　20世紀初頭のヨーロッパは，積極的な軍備拡張政策で世界進出をはかるドイツに，オーストリアとイタリアを加えた三国同盟と，ロシアとフランスの同盟（露仏同盟）にイギリスが加わった三国協商とが対立していました。とくに，日本との戦争に敗れたロシアが極東進出を断念してバルカン半島への南下策をとると，同じくバルカン地域に進出してきたドイツと激しく衝突し「ヨーロッパの火薬庫」といわれました。

　1914年6月，親露的なセルビアの民族主義者がオーストリアの皇太子を殺害するという事件をおこすと，両国の間に戦争がおこり，たちまちドイツとロシアの戦争に拡大しました。戦闘はさらに，イギリス・フランス・ロシアを中心とした連合国と，ドイツ・オーストリア・トルコを中心とした同盟国との戦争へと発展し，世界史上空前の大戦となりました。これが第一次世界大戦です。

　第2次大隈内閣は，イギリスがドイツに宣戦すると，日英同盟を理由にいち早く参戦し，極東におけるドイツの根拠地である中国の青島をおとしいれ，さらに赤道以北のドイツ領南洋諸島をも占領しました。

　いっぽう中国では，1911年に辛亥革命がおこり，翌年，アジア最初の共和国となる中華民国が成立して清国が滅び，2000年におよぶ皇帝政治に終わりをつげていました。

　中国での権益強化をめざしていた日本は，大戦によってヨーロッパ諸国が中国に目くばりをするゆとりがないのをいいことに，1915年，袁世凱政府に二十一か条の要求をつきつけ，軍事力を背景にその大部分を認めさせました。このことは，中国の主権を侵害するものであり，中国民衆を憤激させました。また，欧米列強も日本の中国政策に対して，強い警戒心をいだくようになりました。

　1917年，連合国の一角，ロシアで革命がおこり，世界ではじめての社会主義国が誕生しました。革命の影響をおそれた日本は，アメリカなどとともに，1918年，シベリア出兵を開始しました。大戦終了後，列国が撤退したあとも日本は駐留をつづけたので，内外から非難をあび，1922年に撤兵しました。

　1918年11月，第一次世界大戦はドイツの降伏によって連合国側の勝利に終

わり，翌年，パリで講和会議が開かれてベルサイユ条約が結ばれました。日本はこの会議に，アメリカ・イギリス・フランス・イタリアとともに五大国の一員として参加し，赤道以北のドイツ領南洋諸島の委任統治国の地位と，中国の山東省における利権を受け継ぐことになりました。また，1920年，アメリカの大統領ウィルソンの提唱にもとづいて，平和維持のための国際機構として国際連盟が組織され，日本も常任理事国の地位をえました。

　第一次世界大戦は，日露戦争後の不況をふきとばす未曾有の好景気を日本にもたらしました。日本は戦争によってアジアからいちじ後退した列強にかわって市場を独占し，アメリカとともに連合国側に軍需品・鉱産物を輸出したので，工業製品の生産が飛躍的に増大しました。また，逆に薬品・染料などの輸入が途絶えたことによって化学工業が発達するきっかけをつくり，世界的な船舶不足は船成金を生み出しました。

　日本の好景気は沖縄にもおよびました。沖縄の代表的な産業は糖業でしたが，第一次世界大戦は参戦国の糖業生産にも打撃をあたえ，砂糖の価格を一気におし上げました。これによって農家の生産意欲が高まり，県経済は活況を呈しました。ことに，大規模なサトウキビ農家や砂糖商人および砂糖仲買人は大きな利益をあげ，砂糖成金とよばれる者もあらわれました。

　しかし，この大戦景気は底の浅いもので，長続きしませんでした。1918年に第一次世界大戦が終わり，ヨーロッパ経済が復興してアジア市場にその製品が再登場してくると，日本の輸出は急速に減少して，たちまち過剰生産による深刻な不況におちいりました（戦後恐慌）。これにともない砂糖の価格も急落し，沖縄にも不況の波がおしよせてきました。

　さらに1923年におこった関東大震災がこれに追い打ちをかけ，ついで金融恐慌がおこり，1929年には世界恐慌が日本経済を襲うという慢性的な恐慌にみまわれました（昭和恐慌）。

　第一次世界大戦は，日露戦争後の不況をふきとばす未曾有（みぞう）の好景気を日本にもたらしました。国際的な砂糖価格の高騰（こうとう）は，沖縄の生産農家にも大きな利益をもたらしました。しかし，1918年に大戦が終わると，国内の景気は後退し，昭和恐慌といわれる深刻（しんこく）な不況にみまわれました。

　沖縄では，大正末期から昭和初期にかけておこったこの恐慌を，何と呼んでいるでしょうか。（　　　）

a．ソテツ地獄

b．アリ地獄

c．飢餓地獄

a．ソテツ地獄

　沖縄では，大正末期から昭和初期にかけておこったこの恐慌を，ソテツ地獄と呼んでいます。食べものがなく，調理をあやまれば命をも奪うソテツの実や幹を食べなければならなかったことから，そう呼ばれています。

　当時の沖縄の人口は約60万人で，その7割が農民でした。廃藩置県（琉球併合）後，沖縄では換金作物としてサトウキビを栽培する農家がふえ，自給食糧であるサツマイモの栽培面積と水田面積を減少させていました。そのため，砂糖価格の急落は，農家に深刻な食料不足をまねいたのです。しかも追い打ちをかけるように台風や旱ばつが襲い，農村は文字どおりソテツを食べて飢えをしのがなければならないという状態にまでおいつめられたのです。

　多額の借金をかかえ，どうにも生活が立ち行かない農家では，最後の手段として公然と身売りが行われました。男性は漁業に従事する糸満に，女性は遊女として辻の遊郭に売られました。しかし，それでも農民の生活が好転することはなく，海外移民や本土への出稼ぎとなって沖縄を出て行く人びとも増えていきました。

ジンブン試し
Q.182

　沖縄県は全国でも有数の移民県で，ソテツ地獄のころには
たくさんの県民が海外へ飛び立っていきました。現在(2020
年)，海外で暮らすウチナーンチュ（沖縄県系人）は約42
万人いると推計されています。
　次の沖縄の海外移民について，設問に答えてください。

（　　）

（1）「海外移民の父」と呼ばれて
　　いる人物は誰ですか。

a．西銘五郎
　　にしめごろう

b．當山久三
　　とうやまきゅうぞう

c．仲村権五郎
　　なかむらごんごろう

（仲村顕氏提供）

（2）2016年，「世界のウチナーンチュの日」が制定されました。何月何日
　　ですか。

a．9月18日

b．10月30日

c．11月1日

（1）ｂ．當山久三（とうやまきゅうぞう）
（2）ｂ．10月30日

　沖縄県は全国でも有数の移民県として知られ，現在，海外で暮らすウチナーンチュ（沖縄県系人）は約42万人いると推計されています。

　100年以上前，移民の父と呼ばれる當山久三の「いざゆかん，我らの家は五大州」の言葉に象徴されるように，先人達は強い意志と万国津梁（しんりょう）の精神で海外に雄飛（ゆうひ）し，幾多の困難を乗り越え，生活の基盤を築いてきました。それぞれの地では，沖縄の文化が大切に守られ，子や孫にウチナーンチュとしてのアイデンティティーが継承されています。

　1990年，世界各国に住むウチナーンチュと沖縄県民のネットワークづくりを目指して，母県沖縄にウチナーンチュが一斉に集（つど）う一大イベント「世界のウチナーンチュ大会」が開催されました。大会では，沖縄独自のソフトパワーが発信され，沖縄の魅力に接するイベントが多数実施されました。以来，おおむね５年に１度開催される大会を中心に，様々な分野でウチナーネットワークの交流が深められています。

　2016年10月30日，第6回大会の閉会式において，翁長知事は10月30日を「世界のウチナーンチュの日」と制定することを宣言しました。この記念日の制定には，これまで築きあげられてきた世界中のウチナーネットワークが継承され，今後もますます繁栄していくようにという願いが込められています。毎年この記念日を中心に，世界各地で沖縄に関する様々な取り組みが行われることが期待されています。

1930 年，沖縄県はソテツ地獄にあえぐ社会状況を打開するため，「沖縄振興計画」を作成しました。
この時の沖縄県知事は誰でしょうか。（　　）

a．<ruby>渕上房太郎<rt>ふちがみふさたろう</rt></ruby>　　b．<ruby>早川　元<rt>はやかわ　はじめ</rt></ruby>　　c．<ruby>伊野次郎<rt>い の じ ろう</rt></ruby>

沖縄の各地には，出稼ぎや海外移民として故郷を離れる人びとを見送る場所がありました。本部村崎本部（現在の本部町崎本部）には，<ruby>合図森<rt>エージモー</rt></ruby>とよばれる見晴らしのよい丘があります。
どのようにして，沖合を過ぎ去る船に別れを告げる合図を送ったのでしょうか。（　　）

a．松葉を燃やして白い煙を上げた。

b．たくさんの黄色いハンカチを木に結び付けた。

c．家族全員で<ruby>松明<rt>たいまつ</rt></ruby>を振った。

合図森の句碑（本部町字崎本部）（仲村顕氏提供）

c．伊野次郎

　戦後恐慌で沖縄の経済は壊滅的な打撃をうけ，銀行の倒産もあいつぎました。県の財政は租税滞納で危機的状況におちいり，公務員の給料支払いの遅れや不払いがおこりました。各地の学校では，欠席・欠食児童が増加し，教師への給料不払いもおこりました。

　1930年，沖縄県はソテツ地獄と称されたこのような社会状況を打開するため，第22代知事・井野次郎のもとで「沖縄振興計画」を作成しました。この計画は，1932年に「沖縄振興15ヵ年計画」として閣議決定され，翌年から15ヵ年にわたって実施されることになりました。その内容は，土地改良・港湾・道路・橋など産業基盤の整備を柱としたもので，糖業の振興と各分野における生産力の増強をはかることを目的としていました。予算額は年間約450万円で，沖縄県の国庫に対する過去10年間の過払い分に相当しました。

　これは，政府によるはじめての沖縄振興策でしたが，日本が戦時体制に入っていくなかで停滞し，実際に実施されたのは計画の20％程度でした。1937年に本格的な日中戦争がはじまると，沖縄の振興策も有名無実化したのです。

a．松葉を燃やして白い煙を上げた。

　20世紀初頭以来，崎本部からも多くの住民がハワイや南米に移民として渡りました。また，フィリピンや南洋諸島（ミクロネシアの旧・日本委任統治領の島じま），大阪や和歌山などへも出稼ぎとして村を出て行きました。残された家族は，合図森にのぼって松葉を燃やしながら即興の歌で別れをおしみ，沖合を過ぎ去る船を見送ったのです。

　また，名護市の名護グスクの中腹には，黒い煙をあげる汽船に乗って本土へ出稼ぎに行く娘に別れをつげるため，老夫婦が松の青葉を燃やして白い煙をあげたという逸話を記した「白い煙と黒い煙」の碑が建てられています。

当初，移民の多くが独身男性でした。そのため，女性との出会いが少なく，なかなか結婚できませんでした。

彼らは，どのような方法で女性と出会い，結婚したのでしょうか。（　　）

a．1年間，文通を重ね，お互い気に入ったら結婚した。

b．お互いに写真を送り合って，気に入ったら結婚した。

c．新聞広告を出して花嫁を募集し，気に入った女性と結婚した。

b．お互いに写真を送り合って，気に入ったら結婚した。

　初期のころの移民の多くは，独身男性でした。そのため，結婚適齢期になっても，なかなか相手を探すことができませんでした。それは他府県の男性も同様でしたが，沖縄出身者の場合は生活習慣や文化が違うため何かと差別され，せっかく結婚相手を見つけても反対されました。沖縄に帰ってから結婚相手を見つけるには，お金がかかりすぎます。そこで考え出されたのが，「写真結婚」でした。これは他府県の男性も同様でした。

　写真結婚とは，結婚の意思を持った男性が，自分の写真とともに良い生活ができる旨の条件などを手紙にしたため，家族・親族のもとに送る。それを見た家族などが，花嫁候補を探してその写真を移民先の男性に送る。男性が気に入れば，家族・親族などが役所に婚姻届けを出し，移民先から夫が呼び寄せるという方法でした。

　しかし，夫婦になったとはいえ，現地で初めて顔を合わせます。なかには，写真と顔が違っていたり，事前に伝えられていた生活環境とはまったく異なっていたりして，離婚することも少なくありませんでした。

　では，なぜ女性たちは異国の花嫁になったのでしょうか。当時は家父長の権限が強く，娘の意思よりも父親の考えが重視されていたからです。また，外国に対する若い女性のあこがれも，写真結婚を助長させたのかもしれません。

　ところが，米国社会では写真結婚は「異常な結婚形態」だとして理解されず，1920年には禁止されました。しかし，南米や南洋諸島などでは，戦後しばらくまで写真結婚は続けられていました。

ジンブン試し Q.186

　沖縄は一般に地下資源には恵まれていませんが，西表島にはある資源が埋蔵されており，一時その採掘事業でにぎわっていました。何が産出したのでしょうか。（　　）

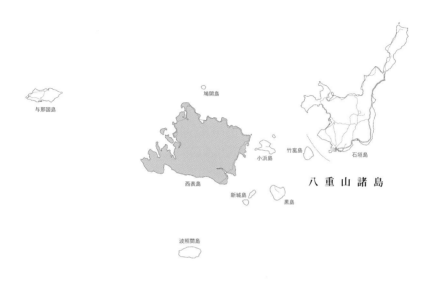

与那国島

鳩間島

小浜島

竹富島

石垣島

西表島

新城島

黒島

八重山諸島

波照間島

a．燐鉱石　　　b．石油　　　c．石炭

ｃ．石炭

　西表でいつごろ石炭が発見されたか，詳しいことはわかっていませんが，地元では「燃える石」としてかなり古くからその存在は知られていました。

　明治維新によって日本の殖産興業政策が進み，西表にも石炭が産出することがわかると，鹿児島の商人・田代安定や内務大臣・山県有朋らの視察によって西表炭坑の有望性が説かれました。

　これにより，1885年に内離島で最初の試掘を行い，翌年には県内の囚人労働者によって本格的な採掘がはじめられました。しかし，この坑山では囚人たちがマラリアに苦しめられ，多くの病死者をだしたため，3年後には事業停止に追い込まれました。囚人労働は，近代化を急いでいた明治政府がとった政策の一つで，おもに九州や北海道の炭坑・鉱山で行われていました。西表炭坑で働いていた労働者の多くは本土出身で，ほとんどが募集人の甘い言葉に騙されてやってきた人たちでした。西表までの旅費や衣服，斡旋料までも借金してやってきたため，その借金を清算するために働かされ，西表島から出られないという状態にしくまれて働かされていました。

　こうした労働者を徹底して管理し，強制的に働かせる仕組みを「納屋制」といい，西表ではそのほか，坑夫を拘束する制度として「炭坑切符制」も取り入れられていました。これは，炭坑内でしか通用できないチケットで賃金を支払うことによって，坑夫の逃亡防止と，賃金を合理的に回収するために考えられたものでした。

　借金を払わないまま炭坑から逃亡する者がいると，「炭坑ピンギムン」として手配され，すぐさま警察や監視人に捕えられて手ひどい仕打ちをうけました。なかには殴り殺される者や西表の山中で行き倒れになって死ぬ者もいたのです。

　西表炭坑は，第一次世界大戦による戦争景気のころと，日本が中国大陸への侵略戦争をはじめたころにもっとも繁栄しました。しかし，西表炭坑は明治のなかばから戦後しばらくまでの約70年しか続かず，沖縄史のなかに異質な歴史の一ページを記して幕をおろしたのです。

南北大東島の歴史

　大東諸島（南大東島・北大東島・沖大東島）は，記録の上ではロシア海軍によって発見されたことになっていますが，琉球では古くからウフアガリジマ（はるか東方の島）としてその存在は知られていました。1885 年，明治政府は大東諸島を調査して，日本領を示す国標を建てました。

　1900 年，八丈島出身の玉置半右衛門が南大東島の開拓をはじめました。玉置は八丈島からの移住者を島の構成員として耕作地を貸しあたえ，沖縄出身者を労働者として雇い，サトウキビ栽培を主としたプランテーション的経営を行いました。

　南大東島は半右衛門が経営する玉置商会の社有地で，特例で市町村制は施行されていませんでした。島民は小作農で自治権もなく，生活用品の販売店や学校・郵便局・病院・交通などの公的施設および行政関連の権限もすべて同商会に握られていました。

　北大東島の開拓は，1903 年にはじめられました。当初は，燐鉱の採掘をおもに開拓がすすめられましたが成功せず，南大東島と同様にサトウキビ栽培のプランテーション的経営が行なわれました。

　沖大東島では，明治期からラサ燐鉱会社によって発掘が行われ，1949 年まで続けられました。採掘された燐鉱石は，ほとんど神奈川県の川崎市に送られました。

　1910 年，半右衛門が病気で亡くなると，玉置商会は事業不振におちいり，1916 年には大東諸島の経営権は東洋製糖株式会社に引き継がれ，1918 年に南・北大東島は同社へ売り渡されました。東洋製糖は玉置の経営方法を踏襲し，島民の管理を徹底して製糖業を拡大するとともに，北大東島の燐鉱採掘も再開しました。しかし，昭和初期の恐慌によって経営不振に陥り，大日本製糖株式会社に引継がれました。

　沖縄戦後は，米軍によって島内のすべての資産が没収され，製糖会社による経営体制は崩壊しました。1946 年に村政がしかれ，南大東村と北大東村（沖大東を編入）で，はじめて住民自治が行われました。

それにともない，製糖会社によって経営されていた学校・病院・交通などの公共業務も，琉球政府や村役場に移管されました。

　1964年7月には，入植以来の懸案だった島民による土地の私有が認められ，これまでの小作耕地は小作者の私有地となりました。

　現在も両村の主産業はサトウキビ栽培で，県内有数の製糖産地になっています。また，両大東島近海は豊かな漁場になっており，近年は港湾の整備による漁業の発展に期待がもたれています。

　毎年9月におこなわれる祭りでは，八丈太鼓など八丈島の伝統文化の影響をうけた独特な行事が催されています。

南・北大東島の祭りでは，沖縄県では珍しい神輿や江戸相撲などが行われます。

27　十五年におよんだ戦争への道

沖縄戦はどのようにしてはじまったのか

　第一次世界大戦後の国際社会は，ベルサイユ体制のもとで封建制を崩壊させ，民主主義・軍備縮小・民族自決・国際平和をめざすことになりました。しかし，敗戦国ドイツへの厳しすぎる制裁，社会主義国ソビエト連邦や後進諸民族の立場を軽くみるなど，新たな国際間の緊張を生みだす要因をもっていました。

　国際平和をまもるために設立された国際連盟も，提案国のアメリカが加わらず，敗戦国のドイツや社会主義国ソビエト連邦の参加が認められなかったうえ，イギリス・フランスの利益が優先されるなど，連盟本来の目的を達成することはできませんでした。こうした内部矛盾をはらんだ戦後の国際協調の精神は，1929年10月，ニューヨーク株式市場の暴落をきっかけにおこった世界恐慌で，もろくも崩れ去りました。

　資本主義社会最大の恐慌から脱出するため，アメリカでは大規模な公共事業などで，生産力の回復と国内市場の拡大をめざしたニューディール政策が実施されました。イギリス・フランスは，自国の植民地や関連諸国によるブロック経済圏をつくり，他国からの輸入品には高い関税をもうけるなどして，この危機をのりきろうとしました。

　いっぽう，後進資本主義のドイツ・イタリア・日本などのような，「もたざる国」における恐慌のダメージはもっと深刻で，軍事力によって植民地を獲得しようとするファシズム勢力・軍国主義勢力が台頭するようになりました。

　敗戦によって賠償の責任を負わされたドイツでは，ナチスがドイツ民族の優秀性をうちだし，ベルサイユ体制破棄，植民地の再分配，ユダヤ人排斥などをとなえて台頭してきました。1933年にはナチ党のヒトラーが政権をにぎり，独裁政治をはじめました。

　日本は，戦後の恐慌と関東大震災で大きな打撃をうけ，ひき続いておこった金融恐慌・世界恐慌によって小作争議，労働運動，社会主義運動がひんぱつし，深刻な経済危機に直面しました（昭和恐慌）。国内の経済が動揺するなか，政党は財閥とむすんで腐敗し，国民の信頼を失いました。かわって，軍部や右翼が勢力をのばしてきました。

　中国では1911年，辛亥革命がおこって清朝がほろび，翌年，中華民国が成立

しました。

　第一次世界大戦中の1915年，日本政府は欧米諸国が極東をかえりみるいとまがないことをいいことに，中国に対してドイツが山東省にもっている利権のひきつぎや南満州および東部内蒙古における利権の強化，日中合弁事業の承認などを内容とする二十一か条の要求をつきつけました。

　中国はこれをはねかえす力がなく，その大部分を認めました。日本政府はつぎつぎと中国における権利と利益を拡大し，中国民衆の激しい怒りを買いました。また，欧米諸国も日本の行動に疑惑をもち，警戒心をいだくようになりました。

　第一次世界大戦で中国に対する西欧諸国の圧力がゆるむと，軽工業を中心に民族資本の企業が発展し，労働者階級も成長しました。辛亥革命以後は近代教育も進み，北京大学を中心に民主主義と科学をかかげた新文化運動がおこりました（文学革命）。

　陳独秀は封建制度と儒教思想を批判し，魯迅は口語文で『狂人日記』『阿Q正伝』などの作品を発表して儒教道徳をきびしく批判しました。ロシア革命がおこると，マルクス主義の研究も進められました。

　大戦後の1919年，パリで開かれた講和会議に出席した中国代表は，日本がおしつけた二十一か条の要求の撤回と，旧ドイツ領山東省の利権の返還を求めました。だが，議会は中国の要求を無視し，日本の主張を受け入れたため，同年5月4日，北京の大学生が抗議行動をおこし，全国的な反帝国主義・反封建主義などの民衆運動に発展しました（五・四運動）。この運動に圧倒された中国政府は，ベルサイユ条約の調印を拒否しました。

ジンブン試し
Q.187

　1911年，中国で民主主義を求める辛亥革命がおこると，沖縄出身のある人物のもとへも「中国革命に参加しないか」との手紙が送られてきました。彼は中国へ渡り，革命軍の兵士として活躍し，大佐級まで昇進しました。その部下には，のちの中国国民党総統・蔣介石^{しょうかいせき}がいました。

　その人物とは誰でしょうか。（　　　）

（沖縄県公文書館提供）

a．宮城新昌_{みやぎしんしょう}　　　b．新垣弓太郎_{あらかきゆみたろう}　　　c．田場盛義_{たばせいぎ}

b. 新垣弓太郎
あらかきゆみたろう

　新垣弓太郎（1872〜1964）は，南風原の農家に生まれました。物心つくころに，琉球王国が沖縄県となる世替わりを経験しました。これからは「農民の子でも能力があれば出世できる」。弓太郎は，いつしか沖縄を出て本土で活躍できる人物になりたいと思うようになり，21歳の時に上京しました。

　しばらく郵便局に勤めたあと，巡査に応募して台湾へわたり，それから東京に戻って学校の事務職をしながら下宿屋をいとなみました。1898年には，謝花昇らの民権運動にも参加しました。

　1905年，弓太郎はある人物から孫文を紹介されました。中国民族の統一をめざすその思想に感銘し，のちに辛亥革命で活躍する宋教仁ら，中国人留学生を自分の下宿にひきとって面倒をみるようになりました。

　1911年，中国で革命がおこり，弓太郎のもとにも宋教仁から「中国革命に参加しないか」との手紙が送られてきました。そのころ朝鮮に渡っていた弓太郎は，東京から回送されてきた手紙を読んで，すぐさま中国へむかいました。翌年，清朝がほろんで中華民国が成立し，孫文は臨時大統領となりました。しかし，軍閥の袁世凱に大統領の位をゆずらなければならなくなり，革命の目的は達成されませんでした。そのうえ，宋教仁が暗殺されたこともあって，再び革命の火が燃えあがりました。弓太郎は大佐級まで昇進して活躍しました。そのときの部下に，のちに中国国民党の総統となる蒋介石がいました。

　1919年，第一次世界大戦後のパリ講話会議で中国における日本の利益が認められると5月4日，民族主義に目覚めた中国の人びとが日本への抗議行動をはじめました。孫文はこれを機に，中国国民党を組織して新政府をたてました。弓太郎はこれ以上中国にいることはできないと考えました。

　1923年，沖縄に帰ってきた弓太郎は，農業をしながら悠々自適に暮らしていました。沖縄戦がはじまると，日本軍は弓太郎夫妻をスパイ視し，避難先に向かう妻を射殺しました。いきり立った弓太郎は，妻の墓標に「日兵逆殺」と刻んで立てました。

　戦後は，92歳で亡くなるまで「沖縄独立論」をとなえ続けました。

ジンブン試し
Q.188

1922年3月，第25回初等教育研究会で「教育界に於いて審査委員を設け，本県民の姓名の呼称を統一することを県教育会に建議すること」を満場一致で可決しました。これに基づいて「姓の呼称統一調査会」が設けられ，翌年2月「読み換えるべき姓」(84姓)が一覧表で示されました。

現在，私たちが使用している姓の呼称は，ほとんどがこの頃に読み換えられたものなのです。

例にならって，次の姓のもとの呼称(沖縄の読み)を書いてください。

（例）　山城(やましろ)　　　→　（　ヤマグスク　）

　　　津嘉山(つかやま)　　→　（　　　　　　　）

　　　比屋根(ひやね)　　　→　（　　　　　　　）

　　　真栄平(まえひら)　　→　（　　　　　　　）

　　　西平(にしひら)　　　→　（　　　　　　　）

　　　志喜屋(しきや)　　　→　（　　　　　　　）

　　　安次富(あしとみ)　　→　（　　　　　　　）

 シーブン話 おまけ ── 読み換え困難な姓の改姓 ──

読み換えの困難な姓は，次のように改姓するよう推奨されました。

仲村渠→仲村・中村　　安慶田→安田　　慶田元→慶田　　下茂門→下條

平安山→平山　　平安名→平安　　高江洲→高安　　島袋→島・島田

この例からもわかる通り，現在，仲村を称している人の多くは，仲村渠からの改姓なのです。

（例）　山城(やましろ)　　　→　（　ヤマグスク　）

　　　　津嘉山(つかやま)　　→　（　ツカザン　　）

　　　　比屋根(ひやね)　　　→　（　ヒヤーグン　）

　　　　真栄平(まえひら)　　→　（　メーデーラ　）

　　　　西平(にしひら)　　　→　（　ニシンダ　　）

　　　　志喜屋(しきや)　　　→　（　シチヤ　　　）

　　　　安次富(あしとみ)　　→　（　アシブ　　　）

　オジー，オバーは沖縄語ではない！

　　オジー，オバーというと，現在でもよく使用される最もポピュラーなウチナーグチだと思われていますが，実はそうではありません。標準語励行運動のころに使われるようになった，標準語に似せたウチナーグチなのです。

　　次のウチナーグチと標準語を対比させてみると，よくわかると思います。

| | ウチナーグチ | | 標準語 | ウチナーヤマトグチ |
	士族	平民		
祖父	タンメー	ウシュメー	おじいさん	オジー
祖母	ンメー（ハンシー）	ハーメー	おばあさん	オバー
父	ターリー	スー	おとうさん	オトー
母	アヤー	アンマー	おかあさん	オカー

　　1944年発行の月刊誌『文化沖縄』(5月発行)に，「数年前から時々耳にする度にいやな気持ちになっていた」と前置きして，「兄という愛称らしいが『ニーニー』，同じく姉という語の『ネーネー』というものがある。これと同じ響きを持ったものに，オプー，オバー，オトー，オカーがある。こうした現状は，標準語励行運動の上からは若干問題になることと思う。これは何といっても標準語ではないからだ。もしかしたら沖縄語の連想から派生した新しい流行語ではないかとさえ思われる（要約）」と，標準語をまねたウチナーグチを批判した記事が掲載されています。

　　現在使用されているオジー，オバーは，標準語励行運動によって生み出された，ウチナーヤマトグチとして流行した言葉だったのです。

ジンブン試し
Q.189

日中戦争の開始にともなって国民精神総動員運動が展開されると、沖縄県では「標準語励行運動」が行われました。特に教育の場では、ある方法で徹底して「標準語励行」が行われました。

それは、どういう方法だったのでしょうか。（　　）

a．罰則として、「方言札」を首にかけさせた。

b．罰則として、一週間の停学にした。

c．罰則として、校内掲示板に名前を貼り出した。

A.189

a．罰則として，「方言札」を首にかけさせた。

　学校では，方言をつかった生徒に罰則として「方言札」を首にかけさせ，方言をつかった他の生徒にまたこれを渡すという方法で標準語励行が進められました。しかし，この指導法は，方言蔑視による沖縄文化の否定につながり，逆に子どもたちに劣等意識をうえつけることになりました。また，生徒同士，生徒と教師間の信頼をそこなわせるなど，教育方法としても問題がありました。

　「方言札」は戦後しばらくまでもちいられましたが，1960年代なかばまで使用した地域もあったようです。

シーブン話 おまけ ── 方言札を独り占めにした金城 朝永の抵抗 ──

　「標準語励行運動」が始まる20年ほど前，県立第一中学校で方言罰札制度が取り入れられ，これに抵抗する「方言の乱」なるものが起こっています。

　方言札を渡された者は，次に方言を使った者を見つけてこれを渡さなければなりませんでした。方言使用者を見つけられなければ，操行点が1日1点ずつ引かれるという仕組みでした。この制度は県学務課が指導したものと思われていますが，そうではありません。県出身の教員が，ウチナーンチュの言葉によるコンプレックスを払拭させようと，郷土愛という善意から考えだされた制度だったのです。

　ところが，その結果は最悪でした。方言罰札を渡された者は，下級生や自分より力の弱いものを見つけて無理やり方言を使わせたり，友人にふざけて「ころすぞ」といったら「ころす」は方言で標準語では「ぶんなぐる」というのだ，と罰札を渡されたりしました。当然，生徒と教師の信頼関係や生徒同士の友情は壊れ，学校の雰囲気は悪くなっていきました。

　そこで気骨のある生徒たちが立ち上がり，罰札を持っている生徒の前で堂々と方言を使ってそれを独り占めにするという不服従運動（方言の乱）をおこしたのです。そのうちの一人が，沖縄研究者の金城朝永でした。朝永は成績優秀の特待生で級長をつとめていましたが，方言罰札を多く持ったため留年となり，卒業が一年遅れてしまいました。こうした事態を受け，学校もこれを廃止することにしたのです。

　ところが，戦時体制のもとで「標準語励行運動」がはじまると，沖縄各地の学校で方言札が使用され，方言論争を巻き起こすことになったのです。

ジンブン試し
Q.190

1939 年末から翌年1月にかけて，民芸協会や国際観光協会のメンバーが県学務部の招きで沖縄にやってきました。

県を視察した一行と地元関係者との座談会で，民芸協会の柳宗悦（やなぎむねよし）が県の推進する「標準語励行運動」を批判したことによって，「方言論争」がおこりました。

柳は何と言ったのでしょうか。（　　）

a．標準語励行には反対だ。沖縄は他府県とは違うのだから，無理に標準語を使うことはない。沖縄の文化にもっと誇りを持ってほしい。

b．標準語励行に反対をするものではないが，そのために沖縄方言をみくだしてしまうのは，県民に屈辱感（くつじょくかん）をあたえることになり，ゆきすぎである。

c．標準語励行には大賛成だが，あまりにも生ぬるい。だから，いつまでたっても沖縄人は本土から見下されるのだ。もっと厳しくやってほしい。

シーブン話 おまけ — 女の子たちの抵抗,帯の前結び（メームスビ）

戦前の学校で，ウチナーグチの使用が禁じられていたことはよく知られていますが，実はもう一つ，厳しく指導されていたものがありました。女子生徒の帯の前結び（メームスビ）の禁止です。琉装では，帯はすべて前に結んでいました。ところが，学校では帯の前結びは沖縄的で卑しいとされ，大和風に後ろに結ぶよう指導していました。

しかし，慣れない後ろ結びは何となく照れくさいものです。女の子たちは，家を出るときには前結びにし，校門に入る時に後ろ結びに直していました。そして，学校がひけて校門を出ると，いっせいに前結びにして，ウチナーグチでおしゃべりしながら家路についたということです。

女の子たちは，帯の結び方に良し悪しなんてない。むしろ，前結びの方が美しく便利だと思っており，先生方の理不尽な指導にささやかな抵抗をしていたのです。

b. 標準語励行に反対をするものではないが, そのために沖縄方言をみくだしてしまうのは, 県民に屈辱感（くつじょくかん）をあたえることになり, ゆきすぎである。

日清戦争で日本が勝利をおさめると, 日本への同化が急速に進みました。ところが, 生活の根幹ともいうべきことば（沖縄口）は, 県がもっとも力をいれていたにもかかわらず, 容易に標準語にあらためることはできませんでした。

しかし, 日本の国家主義・軍国主義が高まっていくにつれ, 標準語を励行しようとする気運はしだいに強くなっていきました。1940年には, 懲罰（ちょうばつ）などによる強制も行れたので, 一般には「方言撲滅（ぼくめつ）運動」としてうけとめられました。

そんなおり, 日本民芸協会の柳宗悦（やなぎむねよし）らが県のまねきで沖縄をおとずれ, 県学務部の進める「標準語励行運動」がゆきすぎであることを批判し, 県内外に賛否両論の「方言論争」をまきおこしたのです。

柳ら民芸協会側の意見を簡単にまとめると, 次の三点になります。

1　標準語励行に反対をするものではないが, そのために沖縄方言をみくだしてしまうのは, 県民に屈辱感をあたえることになり, ゆきすぎである。

2　沖縄方言は日本の古語を多量にふくんでおり, 学術的にも貴重である。

3　他県にはこのような運動はない。

これに対し県当局は, 沖縄県民が消極的でひっこみ思案なのは, 標準語能力がおとっているからであり, 県外で誤解や不利益を受けているのもそのためであるとして, 標準語励行こそが, 県民を繁栄にみちびく唯一の道であると主張しました。沖縄方言の学術的価値についても, ほこるべきものにはちがいないが, その研究は一部の人にまかせるべきものである, として問題にしませんでした。

論争は1940年, 新聞・雑誌を中心に県内外の有名知識人から一般の人びとまでまきこんで, ほぼ1年間つづきました。東京では, 柳田国男や萩原朔太郎ら文化人の多くが柳らの民芸協会側の意見を支持しました。県内においては, 新しい時代に適応するためには標準語を強制し, 方言を禁止することもやむをえないとする意見の方が多かったようです。

1932年6月号『婦人公論』に，沖縄出身の久志芙沙子の作品「滅びゆく琉球女の手記」が掲載されました。ところが，ある人たちの抗議で連載が中止され，芙沙子も文学の世界から遠ざかり幻の女流作家と呼ばれました。
　　どういった人たちの圧力があったのでしょうか。（　　）

a．東京在住の沖縄女性団体からの激しい抗議。

b．東京在住のアジア人留学生会からの激しい抗議。

c．東京在住の沖縄県学生会からの激しい抗議。

『婦人公論』誌上で使われたカットの復製図

ｃ．東京在住の沖縄県学生会からの激しい抗議。

　文学少女だった久志芙沙子は，女学校を卒業したあと小学校の教師になりましたが，結婚を機に台湾をへて本土へ渡りました。しかし，幸せな日々は長くはつづきませんでした。

　東京で暮らすことになった芙沙子は，いつしか作家を志すようになり，コツコツと作品を書き続けました。そして29歳の時，雑誌『婦人公論』に投稿した作品が採用され，同誌に掲載（けいさい）（1932年６月号）されることになったのです。

　内容は，東京で暮らす沖縄の女性が，本土で沖縄出身であることを隠して出世した伯父の姿を，当時の悲惨な沖縄社会の様子とともに批判的に描いたものでした。

　この小説は，『滅びゆく琉球女の手記』と題して掲載されました。読者の注目を引くために編集者がかってに題名を変えたのでした。芙沙子は何となくいやな気がしました。

　案の定，雑誌発刊後，東京在住の沖縄県学生会からきびしい批判をうけました。その理由は，「沖縄のことを洗いざらい書きたてられると迷惑である。アイヌや朝鮮人と同一視されるのもこまる。謝罪しろ」というものでした。

　芙沙子は悩んだあげく，次のような釈明文を書きました。

　「私は沖縄のことをあしざまに書いたつもりはありません。沖縄文化に無理解な人に媚（こ）びへつらい自分自身まで卑屈（ひくつ）になる必要はないと思います。また，アイヌや他民族を差別する心のほうがゆがんでいると思います。むしろ，そんな差別をもたらす社会に対し，正々堂々とぶつかっていったらどうでしょうか」。

　当時はこのような考えを持つ者は少数で，しかも女性の視点から堂々と沖縄の風俗習慣を論じ，これを差別的にみる社会を批判することは大変勇気のいることでした。芙沙子は自分の考えをきちんと伝えたあと，しだいに文壇から遠ざかっていきました。

　芙沙子の主張は，時代とともに重みをまし，沖縄人（ウチナーンチュ）がみずらの文化にほこりをもって生きてゆくことの大切さを教えてくれました。

1879年の琉球併合で，首里城は明治政府に明け渡されました。主をなくした首里城はどうなったのでしょうか。（　　）

a．国宝に指定されて修理がおこなわれ，沖縄神社が建てられた。

b．取り壊した後に，県立第一中学校が建てられた。

c．首里城正殿及び北殿，南殿を博物館として整備した。

a．国宝に指定されて修理がおこなわれ，沖縄神社が建てられた。

1909年，琉球併合で主をなくした首里城は，首里区（のちに市）の所有物となりました。しかし，首里区の財政では，とても広大な首里城とその施設を管理することはできませんでした。

1924年３月，沖縄で教職経験があり琉球文化に造詣の深かった鎌倉芳太郎は，偶然，首里城正殿が十日後に壊され，そのあとに沖縄神社が建てられるという新聞記事を目にしました。鎌倉は，帝国大学の伊東忠太博士とともに文部省と内務省にかけあい，首里城正殿が重要な文化財であることを訴え，破壊事業を中止するよう要請しました。そのかいあって，取り壊し寸前に政府から首里市に正殿破壊中止の電報が発せられたのでした。

翌1925年，首里城正殿は特別保護建造物（国宝）に指定され，1928年に修理工事がはじめられました。ところが1930年７月，80年余も修理されることなく極度に老朽化していた首里城は，台風被害で崩壊の危機に見舞われたのです。この窮地を救ったのが，文部省高官で国宝保存会の幹事・阪谷良之進と文部省建築技師の柳田菊蔵でした。

急遽，首里城正殿修理の現場監督として沖縄に派遣された柳田は，大掛かりな修理工事が必要であることを痛感しました。国宝保存会の阪谷は，精力的に各方面にはたらきかけ，約十万円の工事費を獲得しました。これは首里市の年間予算に匹敵する額でした。

1931年12月，修理工事は再開され，1933年９月に首里城大修理工事は竣工しました。こうして幾度も破壊の危機をのりこえてきた首里城でしたが，1945年の沖縄戦で破壊されてしまいました。現在の首里城は1992年以降に復元されたものです（2019年10月末，火災で正殿など６棟が焼失）。

ところで，忘れてならないことは，1924年，沖縄神社も創建されていることです。祭神は源為朝，舜天，尚泰（のちに尚円，尚敬も加えられる）で，首里城正殿を拝殿として，その後方に本殿がおかれました。翌年，沖縄神社は県社として指定され，かつての琉球王国の居城が天皇制国家のよりどころとなったのです。また，1944年３月には，沖縄古来の拝所である御嶽も神社に移行されています。沖縄戦は目前に迫っていました。

戦前の学校には奉安殿という建物があり，生徒・教師とも
この前を通るときには，最敬礼しなければなりませんでした。
なぜでしょうか。（　　）

奉安殿（沖縄市）

a．「御真影」と教育勅語がおさめられていたから。

b．歴代の学校長の写真がおさめられていたから。

c．学問の神として歴代の琉球国王が祀られていたから。

a．「御真影」と教育勅語がおさめられていたから。

「御真影」とは天皇・皇后の写真のことで，教育勅語とは天皇の教えを絶対とする教育理念で，祝日などの学校儀式で奉読されました。天皇は現人神であり，御真影はその分身とされていたので，奉安殿の前を通るとときには最敬礼しなければならなかったのです。

学校長にとって「御真影」と教育勅語をあずかることは，もっとも重要な任務でした。1910年には，火災で御真影を焼失した佐敷尋常小学校の校長と宿直教師が責任をとわれて懲戒免職になっており，戦時中には「御真影」を隠すために山中を物色していた本部国民学校の校長が，スパイ容疑で日本兵に斬り殺されるという事件もおきています。

日中戦争がはじまると，毎日の朝礼では全職員・生徒が北東の方角（皇居）に向かって拝礼し，祝祭日の儀式には，天皇・皇后の「御真影」に最敬礼して，謹んで教育勅語を読むという儀式が行われました。

ちなみに，1941年には小学校を国民学校と呼びあらためて，心身一体の軍事教育が行われ，子どもたちも少国民と呼ばれました。たとえ年少であっても，皇国日本の国民であるという自覚を植え付けるためでした。

 沖縄に最初に「御真影」がもたらされたのは本当か？

1887年，他県にさきがけて沖縄県尋常師範学校に「御真影」がもたらされました。琉球併合後の沖縄県民を教育によって，いち早く皇民化する必要があったからです。ところが，学校に最初に「御真影」が下賜されたのは沖縄ではなく，開成学校だとの指摘があります。

たしかにその通りなのですが，下賜された目的が違うのです。開成学校は，あくまでも官立の象徴として天皇の「御真影」を掲げたのであり，皇民化の目的ではありませんでした。「御真影」を「忠君愛国」教育の目的で学校に持ち込んだのは森有礼で，府県立学校で最初に下賜されたのが沖縄県尋常師範学校だったのです（P.40参照）。

ジンブン試し

Q.194

　1937年4月から使用された『尋常小学校修身書(巻4)』に，沖縄県宮古郡から提出されたある記念碑にまつわる物語が，「博愛」と題して掲載されました。

　ある記念碑とは何でしょうか。(　　)

a．英国女王感謝記念碑
b．独逸皇帝感謝記念碑
　　　ドイツ
c．阿蘭陀国王感謝記念碑
　　オランダ

b．独逸皇帝感謝記念碑

　満州事変の勃発で，日本をとりまく情勢は大きく変化しました。こうした時局に対応するために編集されたのが，第4期の教科書でした。初めての色刷り教科書で，内容も児童が理解しやすいような編集になっていましたが，国粋主義的な教材が加えられた点に特徴がありました。これによって発行されたのが，『小学国語読本』『尋常小学修身書』『尋常小学算術』などでした。

　『小学国語読本』は，「サイタ　サイタ　サクラガサイタ」ではじまる，いわゆる「サクラ読本」です。児童に主体をおいたカラー刷りの親しみやすい教科書でしたが，内容は「ススメ　ススメ　ヘイタイススメ」に見られるように軍国主義的な色合いが強くなり，『尋常小学修身書』とともに忠良な臣民の育成をめざすことに主眼が置かれました。また，教材として郷土と関連した国威発揚の公募作品を掲載するなどの工夫もこらされました。

　1937年4月から使用された『尋常小学修身書（巻四）』には，沖縄県宮古郡から提出された「独逸皇帝感謝記念碑」にまつわる人間愛の物語が，『博愛』と題して掲載されました。その内容は，「1873年7月，宮古島の宮国沖合で難破したドイツ商船の乗組員八人を地元の人びとが命懸けで救助し，34日間も看護して帰国させた。これを知ったドイツ皇帝ウィルヘルム1世は，宮古島の人びとの勇気と博愛の精神を称えて1876年に記念碑を建てさせ，両国親善のきっかけをつくった」というものでした。

　「日独防共協定」が結ばれた1936年11月，宮古島の漲水港埠頭で「独逸皇帝感謝記念碑」60周年記念祭が盛大に行われました。そのときの祝辞で，独逸国代表大使代理のトラウツ博士が，「独逸魂と大和魂が愛国と武勇，仁愛と感恩といふ共通の理想に依って緊に結び付けられている」と述べ，日独の友好関係を強調しました。

　『博愛』は時局にそった格好の教材でした。この年，沖縄の子どもたちは，「日独親善」の絵葉書をドイツに送っています。

1942年8月から翌年2月まで，西太平洋のガダルカナル島で，日米の激しい戦闘が繰り広げられました。日本軍は大敗し，戦局の主導権は完全にアメリカ軍に握られることになりました。

　この戦闘で，壮烈な戦死をとげた陸軍大尉・大舛松市^{おおますまついち}は，軍人最高の栄誉である「個人感状」を授与されました。出身校の県立第一中学校の校長は「大舛大尉の偉業は沖縄一中の最高の名誉である」と称賛し，全校生徒にあるものを配布しました。

　何が配られたのでしょうか。（　　）

a．大舛大尉の名前入りエンピツが配布された。

b．「個人感状」授与の記念饅頭^{まんじゅう}が配布された。

c．大舛大尉の写真が配布された。

c．大舛大尉の写真が配布された。

大舛松市（1917 ～ 1943）は八重山の与那国島出身で，幼いころから軍人にあこがれ，沖縄県立第一中学校，陸軍士官学校を卒業して任官し，香港やインドネシアなどの戦地を経てガナルカナルの作戦に参加。1943年1月に戦死しました。27歳でした。

「個人感状」とは，戦死した軍人で功績がとくに顕著なものに与えられた賞状のことで，これを受けることは軍人最高の栄誉とされました。

ガダルカナル島で戦死した大舛松市大尉が「個人感状」を授与されると，出身中学校の県立第一中学校では，全校あげて祝賀行事を行いました。校長は「大舛大尉の母校一中は，大舛に続く兵営であり戦陣である」と講話し，大舛大尉に続けと激励しました。生徒たちも，その言葉に感動を抑えることができなかったといいます。全校生徒には，大舛大尉の写真が配られ，校庭には胸像がたてられました。生徒たちは，机の上に写真を立てて授業を受けたということです。

『沖縄新報』は，一中の教諭が執筆した「大舛大尉伝」を136回にわたって連載しました。挿絵は，美術教師で画家の大城皓也が描きました。生徒たちは新聞を切り抜いてノートに貼り付け，勉学の励みとしました。大舛の妹・清子（16歳）は，『毎日新聞』（沖縄版）に「神去りし兄」という手記を寄せ，「私は，兄の名誉の戦死を嬉しく思っているのです」と綴りました。本音はどうかわかりませんが，軍国少女の悲痛な覚悟を見る思いがします。

1943年11月には「大舛大尉偉勲顕彰県民大会」が開催され，各新聞は「軍神大舛」キャンペーンを大々的に繰り広げました。大舛は「尽忠報国」の象徴として，演劇や紙芝居にも描かれました。そして1945年，沖縄戦がはじまると，多くの若者が「大舛精神」を実践し，戦場に散っていったのです。

戦後発行された，県立一中・首里高校の養秀同窓会誌『沖縄の教育風土記』は，当時の「軍神大舛」顕彰運動について，「あまりにも熱狂的なその顕彰ぶりは，将来有為な若者たちをいたずらに戦争に巻き込む結果とならなかっただろうか」と記しています。

宮城與徳 (1903～1943)
国際関係における反戦活動に協力した画家

　宮城與徳は名護間切東江（現・名護市東江）に生まれました。

　おとなしく，自然の景色や動植物を観察することの好きな子どもでした。小学校の担任だった比嘉景常先生は，そんな性格を絵を描く才能として引き出してくれました。

　1919年，結核で師範学校を退学して静養している與徳のもとへ，アメリカへ渡っていた父から渡米の誘いがきました。兄も県立第二中学校を退学して米国に渡っていたので，病気を治すにもそのほうが良いと考え渡米を決意しました。

　父はしばらくして沖縄へ戻りましたが，與徳は兄や叔父の世話になりながら，カリフォルニアで本格的に絵の勉強をはじめました。また，人種差別や貧富の差の激しいアメリカ社会に矛盾を感じ，屋部憲伝らが組織した社会問題を勉強する「黎明会」の活動にも参加しました。

　1925年，22歳の時に宮城県出身の女性と結婚しました。

　與徳は着実に絵の才能を開花させていきました。1930年には日系人画家の中で，與徳は「とび離れた素質を持っている」とアメリカの美術雑誌に紹介されました。27歳のことでした。ところが翌年，経済的な行き詰まりもあって，妻と離婚することになりました。

　そんな失意のなか，共産主義に共鳴し，米国共産党のカリフォルニア支部に入党したのでした。ソビエト連邦（ソ連）のような，「働く者が尊ばれる共産主義社会こそが理想の国家である」と，考えたからでした。

　1933年，そんな與徳のもとに党本部から日本へ行くようにとの指令が下りました。その役割は，国際的な共産党の諜報員ゾルゲと，中国問題に詳しい新聞記者の尾崎秀美とを再会させることでした。

　なぜ日本人の尾崎が，ゾルゲと関わっていたのでしょうか。日本は1931年の満州事変をきっかけに中国への侵略戦争をはじめ，ソ連とも緊張関係にありました。彼らは日本の政治・軍事情報をいちはやく

ソ連に伝え，外交交渉で日本とソ連の戦争を回避（かいひ）させようと考えたのです。與徳には不向きな仕事でしたが，その考えに共鳴し，諜報員として活動することにしました。

それから8年後，與徳らの活動が警察に知られ，ゾルゲや尾崎など全メンバーが逮捕されました。1943年に與徳は獄中で死亡し，翌年，ゾルゲと尾崎は死刑になりました（ゾルゲ事件）。アジア太平洋戦争も終盤にさしかかっているころでした。

與徳らの活動は共産主義に幻想（注）を抱いていたとの批判もありますが，戦後になって国際関係における反戦運動として評価されるようになりました。

（注）1932年1月，南カリフォルニアのロングビーチ市で米国共産党大会が開催されると，アメリカ警察は外国出身の参加者を検挙して国外追放にしました（ロングビーチ事件）。そのなかに，與徳の従兄弟（いとこ）を含む5人の沖縄出身青年がいました。彼らは思想統制の厳しい日本ではなく，労働者の理想国家ソビエト連邦（ソ連）に渡りました。しかし，そこに待っていたのはスパイ容疑による銃殺刑でした。ソ連も理想国家ではなかったのです。ソビエト連邦は1991年に解体し，現在のロシア連邦となりました。

宮城與徳生誕100年記念碑（名護市）

まとめクイズ（4）

次の文を読み正しいものには○，誤っているものには×
で答えてください。

1 　1872年,明治天皇は琉球からやって来た維新慶賀使に対し,尚泰久を「琉球藩王トナシ，叙シテ華族ニ列ス」の詔書を公布した。（　　　）

2 　1879年3月27日，琉球藩は廃止され，同年 4 月4日，新たに沖縄県が設置され，琉球は日本に併合された。（　　　）

3 　琉球国から沖縄県への世替わりを，人びとは，大和世（ヤマトユー）から内地世（ナイチユー）に変わったと表現した。（　　　）

4 　日清戦争には，沖縄からもたくさんの県民が動員された。（　　　）

5 　西表島には石炭が埋蔵されており，炭鉱の島として発展したことがあった。 　（　　　）

6 　沖縄出身者は本土で，アイヌ・朝鮮人・台湾人などとともに差別の対象となっていた。（　　　）

7 　沖縄では大正末期から昭和初期にかけておこった恐慌を，ソテツ地獄と呼んでいる。（　　　）

8 　沖縄からの最初の海外移民は，1899年に送り出された26人のブラジル移民であった。（　　　）

9 　戦前の学校には，神武天皇を祀った奉安殿が建立されていた。（　　　）

10 　ウチナーグチで祖父母のことを,親しみを込めてオジー,オバーと呼ぶ。（　　　）

11 　日本民芸協会の柳田国男は，沖縄県の進める「標準語励行運動」がゆきすぎであると批判し，方言論争をまきおこした。（　　　）

12 　日本は満州に多くの日本人を送り込んだが，沖縄からも約2350人の一般開拓移民と約600人の満蒙開拓青少年義勇隊が送りだされた。（　　　）

13 　1893年，沖縄で最初の新聞となる『琉球新報』が創刊された。（　　　）

14 　1914年に沖縄県営鉄道が敷設され,最初に那覇―嘉手納間が開通した。（　　　）

15 　古くからウフアガリジマとして知られていた大東諸島の開拓は，八丈島出身の玉置半右衛門によって行われた。（　　　）

1　次の近代沖縄の政治家と，関係ある事項を線でむすんでください。

上杉茂憲　　　a・　　　　・ア　最初の沖縄振興策を実施。

松田道之　　　b・　　　　・イ　初代の沖縄県令 (知事)。

鍋島直彬　　　c・　　　　・ウ　2 代目の県令。第一回県費留学生を派遣。

伊野次郎　　　d・　　　　・エ　「琉球王」の異名を持ち，旧慣を改革。

奈良原繁　　　e・　　　　・オ　琉球藩を廃止し沖縄県の設置を通達。

2　次の近代沖縄に関する人物と，関係ある事項を線でむすんでください。

太田朝敷　　　a・　　　　・ア　「海外移民の父」とよばれる。

伊波普猷　　　b・　　　　・イ　沖縄出身のエリート軍人として有名 。

漢那憲和　　　c・　　　　・ウ　ゾルゲ事件にかかわった反戦画家。

謝花　昇　　　d・　　　　・エ　近代沖縄の著名なジャーナリスト。

當山久三　　　e・　　　　・オ　「沖縄学の父」と呼ばれる。

屋部憲通　　　f・　　　　・カ　日本共産党の創立者の一人。

新垣弓太郎　　g・　　　　・キ　沖縄最初の軍人の一人。

徳田球一　　　h・　　　　・ク　中国の辛亥革命に参加して活躍。

宮城與徳　　　i・　　　　・ケ　沖縄を代表する民権運動家。

3　次の文芸・空手に関する人物と，関係ある事項を線でむすんでください。

宮良長包　　　a・　　　　・ア　県立二中の教師として若手画家を育成。

船越義珍　　　b・　　　　・イ　「滅びゆく琉球女の手記」を著す。

山之口貘　　　c・　　　　・ウ　第 2 回高村光太郎賞を受賞。

山田真山　　　d・　　　　・エ　朝鮮で王羲之の書法を学ぶ。

謝花雲石　　　e・　　　　・オ　本土に空手を紹介。

仲宗根嶹山　　f・　　　　・カ　「首里旧城之図」を描く。

比嘉景常　　　g・　　　　・キ　戦後，「平和祈念像」を制作。

久志芙沙子　　h・　　　　・ク　「なんた浜」「汗水節」などを作曲。

次の近代沖縄に影響を与えた人物と，関係ある事項を線でむすんでください。

笹森儀助　a・

・ア　事業家として宮古にやって来たが，農民を苦しめている頭懸（人頭税）廃止運動の指導者となる。

加藤三吾　b・

・イ　国権論の立場から国防としての「南島」開発を提言して『南嶋探験』を著す。

中村十作　c・

・ウ　沖縄県尋常中学校の教師として「おもろさうし」を中心に沖縄の言語・文化を研究。

田島利三郎　d・

・エ　石垣島の初代測候所長。八重山地方の歴史や民俗，動植物などの研究に貢献。

岩崎卓爾　e・

・オ　沖縄県尋常中学校の教頭で，伊波普猷ら多くの中学生に影響を与えた教育者。

下国良之助　f・

・カ　沖縄の歴史・風俗・言語・文学などの概説書『琉球の研究』を著す。

1 （×）正解は尚泰　2（○）

3 （×）正解は唐の世（トーヌユー）から大和世（ヤマトユー）

4 （×）沖縄はまだ徴兵令が敷かれていなかったので，屋部憲通らの志願
者が参加。

5 （○）　6（○）　7（○）　8（×）正解はハワイ移民

9 （×）天皇・皇后の御真影（写真）や教育勅語などがおさめられた。

10 （×）正答は，祖父はタンメー(士族)，ウシュメー(庶民)。祖母はンメー・
ハンシー(士族)，ハーメー(庶民)

11 （×）正解は，柳宗悦　12（○）　13（○）

14 （×）正解は那覇—与那原間　15（○）

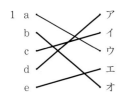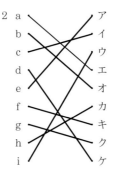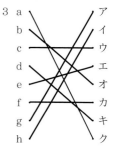

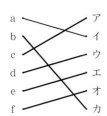

謎解きジンブン塾

第5章

近代沖縄編(2)

～沖縄戦～

[ジンブン試しマーク]

ジンブンとは, ウチナーグチで「知恵」という意味。ジンブン試しで「知恵試し」という意味になります。本書では琉球・沖縄史の知識を試すクイズの問題を, ジンブン試しと呼んでいます。

[アシャギマーク]

アシャギとは住宅の「離れ」のこと。昔の沖縄では, 大きな家にはアシャギと呼ばれる離れがあり, 客人用に使ったり, 引退した老夫婦が住んだりしていました。本書では, ジンブン試しの内容を補足したり, 関連するコラムを「アシャギ」と呼びます。

[シーブン話マーク]

シーブンとはウチナーグチで「おまけ」のこと。本書では, ジンブン試しの解答・解説やアシャギのオマケとしてついてくるこぼれ話のミニコラムを指します。

本土	沖縄	西暦	出　来　事
昭　和　期	近　代　沖　縄	1931	満州事変おこる。1937年，日中戦争おこる
		1939	第二次世界大戦はじまる
		1941	12月8日，アジア太平洋戦争始まる
		1942	6月5日，ミッドウェー海戦で日本海軍敗退
		1944	福岡で南西諸島防衛目的に第32軍創設。司令官に渡辺正夫中将，のちに牛島満中将が任命される（8月着任）
			7月7日，政府は沖縄県から本土へ8万人，台湾へ2万人の老幼婦女子の集団疎開を閣議決定
			8月22日，対馬丸，悪石島付近で撃沈される
			10月10日，南西諸島は沖縄島の那覇市を中心に5波にわたって大空襲を受ける
			10月29日，第1次防衛召集（17歳から45歳までの健全な男子を防衛隊として召集）主に飛行場建設に従事させる
		1945	2月7日，県庁，平時行政から戦時行政に切り換える
			3月6日，沖縄県の15歳から45歳までの男女を「根こそぎ」動員する
			3月17日，硫黄島の日本軍守備隊，玉砕する
			3月20日，大本営「当面の作戦計画大綱」発令，沖縄作戦に重点を置くことを決定
			3月23日，米軍が沖縄諸島に空襲を開始する
			3月26日，米軍，慶良間列島に上陸し，沖縄の地上戦が始まる
			4月1日，米軍が沖縄島西海岸の読谷・嘉手納・北谷に上陸する
			5月27日，第32軍，首里城地下の司令部壕から摩文仁への撤退はじめる。31日，米軍が首里を占拠する
			6月6日，大田少将が海軍次官あてに「沖縄県民斯く戦えり」の電報を打つ。13日，海軍部隊が壊滅
			6月19日，学徒隊に解散命令出される
			6月23日，第32軍司令官・牛島満が糸満市摩文仁で自決し，日本軍の組織的戦闘が終了する
			7月2日，米軍が琉球作戦の終了を宣言する
			8月6日，広島に原子爆弾が投下される（9日，長崎に投下）
			8月8日ソ連が日ソ中立条約を破棄（9日，侵攻開始）
			8月14日，日本は，ポツダム宣言の無条件受諾を決定
			8月15日，昭和天皇による玉音放送で敗戦を知らせる
			9月7日，南西諸島の日本軍が降伏文書に調印し，沖縄戦が公式に終了する

28　沖縄戦の実相

沖縄戦は県民にどれだけの被害をもたらしたのか

　日本の南方進出とドイツ・イタリアとの軍事同盟は，東南アジアに利権をもつアメリカ・イギリス・オランダとの対立を決定的にしました。アメリカは日本に日米通商条約の廃棄を通告し，資源の少ない日本に大きな打撃をあたえました。日本はアメリカとの関係修復をはかるため，1941年4月から日米交渉をはじめました。また，そのいっぽうで，北方からの脅威をとりのぞくため，ソ連との間に日ソ中立条約を結びました。

　しかし，日本は同年7月，南部仏印（ベトナム南部）にも進駐したため，アメリカ・イギリス・オランダはその報復として在外日本人の資産を凍結したのです。アメリカは，さらに日本への石油輸出も禁止しました。これを軍部は「ＡＢＣＤ包囲陣」の結成と報道し，国民にその脅威を印象づけました。その結果，日本の中国・仏印からの全面撤退を要求するアメリカとの対立は深まり，交渉もゆきづまってしまいました。

　近衛内閣が日米交渉の妥協点を見いだせないまま総辞職すると，対米（英・蘭）強硬策を主張する陸軍大臣の東条英機が内閣を組織しました。東条内閣は日米交渉を続けましたが，交渉の妥結は困難とみて，1941年12月初頭の開戦を決意したのです。アメリカも日本との開戦は避けられないものとして，11月に日本の中国・仏印領からの全面撤退と満州国の否認，三国軍事同盟の廃棄などを要求する強硬な最終提案（ハル・ノート）を示しました。日本はこれを受け，12月1日の御前会議で開戦の決定をしました。

　日中戦争がゆきづまりをみせ，アメリカの日米通商条約廃棄によって戦略物資が不足しだすと，日本は本格的に南方進出を企てるようになりました。これによって，一躍クローズアップされたのが，沖縄の軍事的位置と移民として南洋諸島に進出していた県人の労働力でした。裏を返せば，これら南洋移住民の存在が日本の南進政策の布石になったともいえるでしょう。

　ドイツ領だった南洋諸島は，第一次世界大戦後に日本の委任統治領となっており，沖縄から多数の県民が農業・漁業移民として進出していました。1940年末現在で，マリアナ，カロリン，マーシャル諸島などへ進出した日本人は約13万5000人で，そのうちの6割強が沖縄県出身者でした。また，フィリピンには

1万人以上，シンガポール，ボルネオ，ジャワ，スマトラなどにも，2000人近い漁業移民が進出していました。

　昭和恐慌によるソテツ地獄にあえいでいた沖縄は，南洋移民にその活路をみいだそうとして，次々と南洋諸島に移民団を送りだしていたのです。

　アジア太平洋戦争の勃発（ぼっぱつ）によって，南洋諸島の産業は農漁業から，ボーキサイトやマンガン鋼の掘り出しなどの軍需産業に転換させられました。沖縄県出身者も，日本の侵略戦争の最前線で戦争に加担させられることになったのです。

　戦局が南洋諸島に押し寄せてくると，厳しい軍政が地域住民の生活を圧迫し，いたるところで犠牲者がでました。1942年，アメリカ軍の本格的反撃によって南洋諸島は次々と陥落（かんらく）し，多数の在留邦人・軍人が激しい砲撃や「強制集団死」に追いやられるなどして死亡しました。南洋諸島における沖縄県人の戦没者は約1万2000人で，いまだに未収集の遺骨があります。また，現地の住民も日米の激しい戦闘にまきこまれ，人口の2割にあたる約1万人が死亡したといわれています。

　1941年12月8日，日本陸軍はイギリス領マレー半島北部のコタバル，タイのシンゴラに奇襲上陸し，海軍はハワイの真珠湾を奇襲攻撃しました。その直後，日本はアメリカ・イギリスに宣戦を布告し，アジア太平洋戦争を開始したのです。ドイツ・イタリアも三国同盟にもとづいてアメリカに宣戦したので，大戦はアジア・ヨーロッパにわたる世界規模に拡大していきました。

　日本軍は，短期間にマレー半島，ジャワ，スマトラ，フィリピン，ビルマなどの東南アジアから，ニューギニア，ガダルカナルなどの西太平洋にいたる広範な地域を占領下におきました。日本はこの戦争の目的を，全アジアを欧米列強の植民地支配から解放し，アジア民族の独立と共存共栄をめざす「大東亜共栄圏」を建設することにあるとしました。

　このような情勢のなか，国内では翼賛（よくさん）政治がしかれて議会は軍部を支持する機関となり，アジア諸国でも日本に協力する指導者があらわれました。しかし，日本はその目的とは裏腹に，占領地では米・砂糖・石油・ゴムなどの資源を収奪（しゅうだつ）し，厳しい軍政のもとで住民に苛酷（かこく）な労働を強いるなどして，多数の犠牲者を出したのです。

1942年6月，日本海軍はミッドウェー海戦で壊滅的な打撃を受け，制海権・制空権を奪われて次々と敗退していきました。日本軍はこれを挽回（ばんかい）するため，沖縄にも軍事基地を造ることにしました。

　次の（1）〜（3）について，答えてください。

（1）沖縄につくられた軍事基地は，主にどのようなものでしたか。（　　）

　　　a．秘密基地　　　　b．空母基地　　　　c．航空基地

（2）第32軍（南西諸島守備軍）の司令部は，どこに置かれましたか。（　　）

　　　a．首里　　　　　b．伊祖　　　　c．嘉手納

（3）第32軍（南西諸島守備軍）の司令官は，誰ですか。（　　）

　　　a．長勇　　　　　b．牛島満　　　　c．八原博通

ジンブン試し
A.198

（1）c．航空基地
（2）a．首里
（3）b．牛島満

　沖縄は島津の侵入後は，歴史的な武力紛争のない平和な島でした。「廃琉置県」によって沖縄県となってからも，「沖縄の軍備は連隊区司令官の軍馬一頭」といわれるほど無防備な島でした。しかし，この平和な島嶼群が，やがて日本本土の防波堤として，日米最後の決戦場となっていくのです。

　1942年6月，ミッドウェー海戦で壊滅的打撃をうけた日本軍は，制空権・制海権をアメリカ軍に奪われ，次々と敗退していきました。軍部はこの戦況を挽回するため，広がりすぎた戦線を縮小するとともに航空戦力の強化をはかり，制空権を奪還する作戦を構想しました。これによって，航空基地の建設地としてにわかに注目されたのが，沖縄と台湾でした。

　1943年の夏ごろから，沖縄島・伊江島・大東島・宮古島・石垣島の十数カ所で，日本軍の飛行場建設がはじまりました。飛行場用地になった村では，民家や耕作地が強制的な形で収用されました。

　1944年3月には，南西諸島方面の防備強化のため第32軍が福岡で創設されました。司令官には渡辺中将についで，1944年8月に鹿児島県出身の牛島満・陸軍中将が任命されました。第32軍の司令部壕は首里城地下につくられました。

　同年7月から9月にかけて，沖縄諸島はじめ宮古・八重山諸島へ，中国大陸や日本本土から実戦部隊が続々と送り込まれました。短期間に大部隊を迎えることになった沖縄の各地域では，学校や公民館・民家が兵舎として提供させられ，「現地物資を活用し，一木一草と雖も之を活用すべし」の軍の方針で，食糧や牛・馬・豚まで徴発されました。飛行場作りや陣地構築も，沖縄全域から住民が労務者や勤労奉仕隊として徴用されました。

ジンブン試し
Q.200

　1944 年 7 月，政府はサイパン島が陥落(かんらく)すると，沖縄県から本土へ 8 万人，台湾へ 2 万人，計 10 万人の老人・女性・子どもなどの疎開計画を緊急決定しました。戦闘の足手まといになるだけでなく，軍の食料が確保できなくなるからでした。

　次の（1）〜（3）について，答えてください。

（1）　1944年8月22日，米潜水艦に攻撃されて沈没した疎開船はどれですか。

（　　）

　　　a．波上丸　　　　　b．嘉義丸　　　　　c．対馬丸

（2）上記の船には，826人の学童が乗っていました。そのうち助かった学童は何名でしたか。（　　　）

　　　a．30人余　　　　b．50人余　　　　c．80人余

（3）　疎開先での子どもたちの生活体験は「ヤーサン，ヒーサン，シカラーサン」というものでした。その意味は何でしょうか。（　　　）

　　　a．ひもじい，寒い，さみしい
　　　b．こわい，つらい，帰りたい
　　　c．びっくり，感動，楽しい

（1）　c．対馬丸
（2）　b．50人余
（3）　a．ひもじい，寒い，さみしい

　アジア太平洋戦争も終盤にさしかかり，南西諸島が要塞化されはじめたころ，沖縄県からの移住者が多いマリアナ諸島のサイパン島が陥落し，県民に強い衝撃をあたえました。肉親をはじめ，多数の同胞を失った悲しみはもとより，「サイパンの次は沖縄が攻撃される」ことが確実視されていたからです。

　日本政府は1944年7月7日，沖縄県から本土へ8万人，台湾へ2万人，計10万人の老幼婦女子の疎開計画を緊急決定しました。長期持久戦の作戦上，戦闘の足手まといになるだけでなく，食糧確保のためにも疎開させる必要があったのです。しかし，家族と離れ見知らぬ土地で暮らすことへの不安と，すでに沖縄近海には米軍の潜水艦が出没していたことなどから，疎開業務はうまく進みませんでした。とくに，学童疎開は希望者が少なく，第一陣が出発したのは8月の中旬になってからでした。

　8月21日，三隻の疎開船が一般疎開者とともに，第二陣の学童疎開者を乗せて那覇港を出発しました。翌22日，トカラ列島の悪石島付近で，そのうちの一隻「対馬丸」が米国潜水艦ボーフィン号の魚雷攻撃をうけて沈没しました。この攻撃で，学童約800人を含む乗客約1800人のうち，およそ1500人が死亡しました。奄美諸島の海岸には，たくさんの死体が漂着したといいます。生存者は学童50人余を含む約300人といわれていますが，実数は不明です。

　この事件は，軍部によって沖縄県民には極秘にされましたが，これだけ多数の犠牲者をだした魚雷攻撃事件がいつまでも隠し通せるはずはありません。この事実を知った県民は，ますます疎開に対して消極的になりました。しかし，同年10月の米艦載機による激しい空襲（10・10空襲）は，県民に戦争の恐ろしさをみせつけ，一気に疎開希望者を増やすことになりました。

　一方，九州へ疎開した子どもたちは，「修学旅行に出かけるような気持ちで，雪や富士山も見ることができるとワクワクしていた」ということですが，実際の生活は，「ヤーサン，ヒーサン，シカラーサン（ひもじい，寒い，さみしい）」という厳しいものでした。

ジンブン試し
Q.201

　1944年10月10日，南西諸島は県都・那覇市を中心に早朝から午後4時過ぎまで，5波にわたって述べ1400機にも及ぶ米艦載機の空襲を受けました。那覇市はこの空襲で市街地の90%を焼失しました。

　次の（1）（2）について，答えてください。

（1）米軍機によるこの空襲のことを何と呼んでいますか。（　　）

　　a．10・10空襲　　　b．首里大空襲　　　c．那覇大空襲

米軍の集中爆撃にさらされる那覇港（那覇市歴史博物館提供）

（2）日本政府は，空襲による非軍事地域への無差別攻撃は国際法に違反していると，米国政府に厳重に抗議しました。
　　戦争中，どのようにして米国に抗議しましたか。（　　）

　　a．中立国の大使館を通じて抗議した。
　　b．国際連合を通して抗議した。
　　c．直接電報を打って抗議した。

（1） a．10・10空襲
（2） a．中立国の大使館を通じて抗議した。

1944年10月10日，南西諸島は沖縄島の那覇市を中心に，早朝から午後4すぎまで，五波にわたって米艦載機グラマンなどの猛烈な空襲を受けました（10・10空襲）。那覇市は，正午過ぎの第4次・第5次の攻撃対象となり，港湾に近い垣花町・上之蔵町・西新町などは2日間にわたって燃え続けました。この空襲で那覇市は，市街地の90％を焼失し，多くの人命とともに，琉球国時代の貴重な文化遺産を失いました。

この日，沖縄県下に来襲した米軍機は延べ1400機で，被害は軍民あわせて死者約600人，負傷者約900人，家屋の全壊・全焼は約1万1500戸におよび，軍の航空・船舶基地だけでなく，民間の船舶や港湾施設も大きな損害を受けました。那覇では空襲が終わると，国頭方面への疎開命令が伝達され，市民は悲しみと不安をいだいたまま，夜を徹して疎開地へ移動しました。

12日には，八重山諸島も空襲を受けました。

沖縄県民は，この空襲によって，米軍の圧倒的な強さと戦争の恐ろしさを，まざまざと見せつけられました。

米軍の目的は，レイテ上陸を円滑にすることと，航空写真で沖縄攻略作戦の地図を作成することにありました。

日本政府は米国政府に対し，米軍機が無差別空襲で多数の非戦闘員を殺傷したことは国際法に違反しているとして，駐スペイン大使館を通じて厳重に抗議し，回答を求めました。米国政府は無差別攻撃だとの認識をもっていましたが，日本には回答しませんでした。1938年，これより先に日本軍も中国の重慶で国際法違反の無差別攻撃を行っていたからです。

結局，戦時中においては，非軍事地域への無差別攻撃はほとんど問題にされることはありませんでした。

沖縄戦で戦闘に参加したのは，兵役法にもとづいて召集された正規の軍人だけではありませんでした。兵役からもれた満17歳から満45歳までの男子は，防衛隊に，中学学校・実業学校以上の男女生徒は学徒隊に編成されて戦場にかりだされました。

　次の（1）（2）について，答えてください。

75歳の防衛隊員と16歳，15歳の学徒隊員
（沖縄県平和祈念資料館提供）

（1）なぜ15歳の少年が兵士として写真に写っているのですか。（　　）

　　a．幼く見えるだけで，実際は17歳だった。

　　b．米兵が兵士の格好をさせて写真を撮った。

　　c．15歳でも志願（保護者の承諾）すれば兵士になれた。

（2）男女あわせて，どれだけの学徒が犠牲になりましたか。（　　）

　　a．984人　　　b．1984人　　　c．2984人

（1）c．15歳でも志願（保護者の承諾）すれば兵士になれた。

（2）b．1984人

14歳以上（17歳以下）の男子でも，保護者の承諾をえて志願すれば防衛召集の対象とされていました。

防衛召集は1944年10月から翌年5月までおこなわれ，実際には人数をそろえるため，13歳ぐらいから60歳以上の者にまで適用し，病人や身障者まで召集した例もありました。彼らの主な仕事は，飛行場建設や陣地構築，食糧・弾薬運搬などでしたが，戦闘が激しくなると武器をもたせて実戦に参加させられました。

防衛隊の数は，およそ2万5000人で，そのうちの6割にあたる約1万3000人が戦死しました。また，彼らのほとんどが正規に軍事教育を受けていなかったことや，家庭をもつ者が多かったこともあって，戦闘のさなか家族の安否を気遣い，部隊を離れて家族を捜し求める者もいました。日本軍はこれをスパイとみなし，殺害の対象としました。

中学校・実業学校の男子生徒と師範学校の男子生徒は，防衛召集によって学徒隊（鉄血勤皇隊・通信隊）に編成されました。女子生徒は「従軍看護隊」に編成され，男子学徒とともに1945年3月はじめごろから各部隊に入隊させられました。17歳未満の学徒隊への参加は法的根拠がなかったため，生徒の志願による義勇隊の形式がとられました。もちろん，志願とは名ばかりで，学徒隊への参加は義務づけられていたのも同然でした。男子学徒は，戦場の最前線で働く通信兵や特攻斬り込み兵として戦闘に参加させられ，多くの死傷者を出しました。

また，女子学徒は，各地の軍病院に配属され，傷病兵の看護や死体の処理，炊事や雑用まで不眠不休で働かされました。しかも，戦場を軍とともに行動していたため銃弾に倒れる女子生徒も少なくありませんでした。米軍に喜屋武半島まで追い詰められた6月半ばごろに解散が命じられ，逃げ場を失った多くの女子生徒が集団で自殺したり，敵軍に抵抗したりして悲惨な最期をとげました。

沖縄県内の学徒の内，男子1550名，女子434名の計1984名が亡くなりました。

平和を願い「ひめゆり」と生きた仲宗根政善（なかそねせいぜん）（1907～1995）
～軍国主義教育を反省～

　仲宗根政善は沖縄島北部の今帰仁間切（現・今帰仁村）に生まれました。仲宗根家は数千坪の田畑や山林を有する豊かな農家でした。政善は，まじめで働き者の父と，物静かでやさしい母の愛情をうけて，すくすくと育ちました。

　勉強のよくできた政善は，小学校を卒業すると県立第一中学校に進学し，1929年に福岡高等学校から東京帝国大学（現・東京大学）の国文科に入学しました。そのころ，のちに「沖縄学の父」とよばれる伊波普猷（いはふゆう）に出会い，沖縄文化の豊かさに気付かされて，出身地の今帰仁方言の研究にうちこむようになりました。

　1932年に大学を卒業し，翌年，県立第三中学校に迎えられました。3年後には県師範学校女子部・県立第一高等女学校の教師として赴任しました。まだ29歳の政善は，「東大出のハンサムな先生」として生徒たちから慕（した）われました。

　優秀な教師だった政善は1937年，東京に派遣されて天皇国家の国民を育てることを目的とした研究所で教育をうけました。日本が中国で本格的な侵略戦争をはじめたころで，着実に軍国教師への道を歩みはじめていました。

　1945年3月末の米軍の沖縄上陸前に，中学校・実業学校以上の男女学生は，法的根拠もないまま学徒隊に編成されて，戦場に駆（か）り立てられました。3月23日，女子師範・一高女の生徒たちは，南風原の陸軍病院へ動員され，政善は引率（いんそつ）教師として第一外科に配置されました。

　5月にはいると米軍の攻撃は激しさを増し，生徒にも犠牲者がでました。25日には南部に撤退（てったい）することになり，重症患者を毒殺したうえ，負傷して動けない生徒を壕に残して行かなければなりませんでした。みずからも傷を負った政善は，「すまない。必ず迎えに来るからそれまで頑張（がんば）ってくれ」と，心の中で何度も侘（わ）びながら南部へ向かいました。

　しかし戦況はよくならず，6月18日の深夜，日本軍は女子学徒隊に解散命令を出したのです。ガマの外は鉄の暴風が荒れ狂う戦場です。「ど

のようにして親元に帰れというのだ」。慣ってもどうにもなりません。日本兵は軍刀を手にして生徒たちを追い立てます。政善も意を決して，砲弾の嵐の中へとび出していきました。首筋に弾丸を受けましたが，運良く一命をとりとめました。

　途中で12人の今帰仁出身の生徒たちと一緒になり，行動をともにしました。しかし，周囲はすでに米兵に取り囲まれていました。アダンの陰で生徒たちが車座になって震えています。福地キヨ子が「先生いいですか」と叫び，手榴弾の栓を抜こうとしました。

　政善は，「抜くんじゃない」「死ぬんではないぞ」と厳しく制しました。

　このいたいけな生徒たちを残虐に殺してはいけない，と思ったのです。米兵を見たとき，直感的に人間に対する「信頼」が魂を揺さぶったのでした。

　1946年4月7日，第三外科壕の跡に「ひめゆりの塔」が建てられ，慰霊祭が行なわれました。政善は，

　　いわまくら　　かたくもあらん

　　　　　　やすらかに　ねむれとぞいのる　まなびのともは

（戦場に散り　岩をまくらに　無念のままたおれた友たちよ　どうかやすらかに

眠ってくださいと祈り続けます　私たち生き残った学友は）

という歌をささげました。

　1995年，戦後50年の年に仲宗根政善は87歳で亡くなりました。軍国教育を反省し，ひたすら平和を願い「ひめゆり」と生きた生涯でした。

ひめゆりの塔

　1946年1月，米軍によって南部の激戦地跡に移された旧真和志村の金城和信村長らによって遺骨が収集され，「ひめゆりの塔」が建てられました。その後，ハワイ二世の儀間真一の資金提供で土地を購入して整備されました。1989年に「ひめゆり平和祈念資料館」がオープンし，仲宗根政善が初代館長となりました。

ひめゆりの名称

　一高女と師範の併置にともなって名づけられた校友会誌の名称。「乙姫（一高女）」と「白百合（師範）」をあわせて「ひめゆり」と名付けられました。

Q.203 米軍は沖縄攻略作戦のことを，何と呼んでいましたか。

(　)

a．アイスバーグ作戦　　b．オリンピック作戦　　c．コロネット作戦

Q.204 次のグラフを見て，（1）（2）に答えてください。

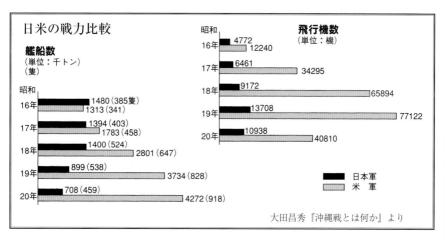

大田昌秀『沖縄戦とは何か』より

（1）沖縄戦がはじまった当時，日本軍の艦船（トン数）は米軍のおよそ何
　　分の一ですか。(　)
　　　a．四分の一　　　　b．五分の一　　　c．六分の一
（2）沖縄戦がはじまった当時，日本軍の航空機は米軍のおよそ何分の一で
　　すか。(　)
　　　a．三分の一　　　　b．四分の一　　　c．五分の一

a．アイスバーグ作戦

（1）　c．六分の一
（2）　b．四分の一

　牛島満中将率いる第32軍の司令部は，首里城の地下壕内におかれ，主力部隊は，中部の浦添丘陵部一帯と，南部の島尻沿岸に配置されました。米軍上陸前の守備軍の兵力は，第62師団，第24師団，独立混成第44旅団と海軍根拠地隊の約8万にすぎませんでした。

　はじめは，そのほかに最精鋭部隊といわれた第9師団（武部隊）も配属されていましたが，10・10空襲後に台湾へ移駐させられました。フィリピン戦線にそなえるためでした。その後，沖縄への兵力補充はなされず，穴埋めとして現地召集・防衛召集が行なわれ，満17歳以上45歳未満の男子は，根こそぎ軍にとられることになりました。しかし，それでも戦力不足は補えず，実際には人数をそろえるために13歳から60歳ぐらいまで召集されました。

　これに対し，米軍は沖縄攻略作戦をアイスバーグ作戦と称し，艦船1500隻と述べ54万人（18万人が上陸）の西太平洋の全戦力を沖縄にさしむけました。物量に圧倒的にまさる米軍をまえに，この戦争は初めから勝ち目のない無謀な戦いだったのです。

　ちなみに，九州侵攻作戦（同年11月1日）をオリンピック作戦，関東侵攻作戦（翌年3月1日）をコロネット作戦と呼んでいましたが，日本の敗戦で実行に移されることはありませんでした。

慶良間諸島を占領した米軍は，4月1日，いよいよ沖縄島への上陸をはじめました。日本軍が水際作戦を放棄したため，米軍はピクニック気分で上陸し「日本軍はエイプリルフールでわれわれをからかっているに違いない」と，冗談交じりに進軍したと言います。

この時，米軍が最初に上陸した地域はどこですか。次の図を参考に答えてください。

a．沖縄島北部の西海岸　　b．沖縄島中部の西海岸

c．沖縄島中部の東海岸　　d．沖縄島南部の東海岸

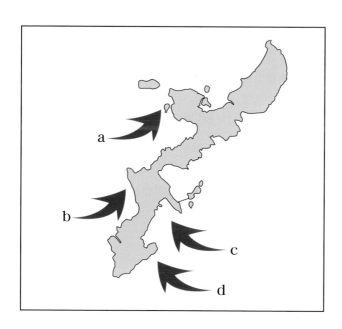

b．沖縄島中部の西海岸

　4月1日，午前8時30分，米軍は沖縄島の中部西海岸（現在の読谷村・嘉手納町・北谷町）への上陸作戦を開始しました。そこは，大軍が一挙に上陸するには最適の場所であり，日本軍の北（読谷）・中（嘉手納・北谷）の両飛行場があったからでした。

　米軍の沖縄攻略の目的は，日本の領土である沖縄を占領することによって，日本軍と南方，中国方面との連絡網を断ち切り，日本本土への出撃基地にすることでした。また，戦後のアジアにおける米軍の戦略拠点を確保するうえでも重要なことでした。アジア太平洋戦争最大の上陸作戦が展開されたゆえんです。

　ところが，米軍の大々的な上陸作戦にもかかわらず，日本軍はほとんど反撃を加えることなく上陸を許したのです。そのため，米軍はあっさりと北・中両飛行場を占拠することができました。

　第32軍（南西諸島守備軍）は，最精鋭部隊の第9師団を引き抜かれていたこともあって，水際作戦から持久戦へと作戦を切り替えていたのです。そうすることによって，米軍の本土進攻を遅らせ，本土決戦準備の時間かせぎをすることができるからです。また，南部から上陸しようと見せかけていた米軍に惑わされ（陽動作戦），中部戦線に全兵力を投入できなかったことにも原因がありました。

　いずれにせよ，大本営は南西諸島守備軍が米軍の無血上陸を許し，簡単に北・中両飛行場を明け渡したことに驚きました。第32軍の本来の任務は，南西諸島を拠点に航空作戦によって東シナ海周辺の制空権を奪還することだったからです。大本営・台湾方面両軍は，ただちに攻勢に転じ飛行場を奪還するよう第32軍にせまりました。しかし，航空機の配備もなされず，強力な一個師団を引き抜かれていた弱小兵力では，すぐには対応できませんでした。

　米軍上陸部隊は勢いにのって進撃をつづけ，翌2日には東海岸に達し，沖縄島を南北に分断しました。北部に攻勢をかけた米軍は，4月13日には辺戸まで進撃し，20日ごろには実質的に北部全域を占領したのです。

1945 年 4 月 1 日，米軍が沖縄島に上陸すると，住民はガマ（自然壕）や亀甲墓（かめこうばか）などに身を隠しました。

　読谷村波平区（なみひら）の住民の多くは，村内のチビチリガマとシムクガマなどへ避難しました。米兵に居場所を知られると，チビチリガマでは「強制集団死」がおこりました。しかし，もう一方のシムクガマではこのような惨事（さんじ）はおこりませんでした。

　次の（1），（2）について，答えてください。

チビチリガマ

シムクガマ

（1）チビチリガマでは，どれだけの人が「強制集団死」で亡くなりましたか。

　　a．73人　　　　　　b．83人　　　　　　c．93人

（2）シムクガマでは，「強制集団死」のような惨事はおこりませんでした。どうしてですか。

　　a．大人数をまかなえる十分な食糧があったから。
　　b．米軍に投降（とうこう）をすすめる日本兵がいたから。
　　c．米兵と対応できるハワイ移民帰りの住民がいたから。

A206 ジンブン試し

（1）b．83人
（2）c．米兵と対応できるハワイ移民帰りの住民がいたから。

　1945年4月1日，米軍は沖縄島中部の西海岸に上陸しました。住民はガマ（自然洞穴）や亀甲墓などに身を隠しました。

　読谷村のチビチリガマ^(注1)には，波平区の住民約140人が避難していました。翌2日，米軍はチビチリガマ一帯に迫ってきました。ガマの中から男女3人が竹槍を持って出ていき，男2人が負傷しました。米兵は，「殺しはしないから，ここを出なさい」と呼びかけましたが，応ずるものはいませんでした。日ごろから，「米兵は鬼のように残虐」だと教えられていたからです。米軍に居場所を知られたことで「強制集団死」がおこり，83人がなくなりました。そのうちの6割が18歳以下の未成年者で，母親の手によって殺された子どもも少なくありませんでした^(注2)。

　チビチリガマから約1km東方にあるシムクガマには，約1000人の波平区民が避難していました。しかし，ここでは「強制集団死」はおこりませんでした。ハワイ移民帰りの二人の住民が米兵と対応し，「アメリカ兵は，捕虜は殺さない」と避難民を説得したからでした。

　戦後，二人の住民は暗黙のうちにスパイの汚名をきせられましたが，たくさんの人命を救った勇気ある行動は，時とともに評価されるようになりました。しかし，彼らがみずからの行為を公に語ることはありませんでした。チビチリガマでなくなった犠牲者を思いやってのことでした。

(注1)　アメシガーラとよばれる川の水が，ガマの奥に流れこむとその水流が途中で消えてしまうことから，「チビチリ（尻尾が途中で切れてしまう）ガマ（洞穴）」という呼び名がついたといわれています。
(注2)　壕内では「自決派」と「反自決派」に意見がわかれていましたが，恐怖の極限のなか元・日本兵など「自決派」の行動に誘導されていったと考えられます。この惨状は戦後38年目に明らかになりました。

沖縄戦がはじまると，多くの住民が地域のガマに避難しました。各地のガマでは，生死を分ける様々な出来事がおこりました。

石川市(旧美里村の区域)嘉手苅のヌチシヌジガマには，述べ300人の住民が避難していました。そこには一時，日本兵もいたのですが，多くの住民が救助されました。ところが，隣市(旧・具志川村)の具志川城跡のガマでは，青年男女23人が手榴弾で「集団死」をはかり，13人が亡くなっています。二つのガマの，何が生死をわけたのでしょうか。

次の（1），（2）について，答えてください。

（1）石川市の嘉手苅にあるヌチシヌジガマには，延べ３００人が避難していました。一時，日本兵もいましたが，そこでは「強制集団死」はおこりませんでした。なぜでしょうか。（　　）

　　a．日本兵が米兵と応戦し，住民をまもってくれた。

　　b．日本兵が住民に投降するよう言い残して，壕を出ていった。

　　c．日本兵のなかに，ハワイ移民帰りがいた

（2）「強制集団死」をはかった具志川の青年たちは，なぜ手榴弾を持っていたのでしょうか。（　　）

　　a．日本軍から「一個は米軍を攻撃するために，もう一個は逃げられなくなった時に自決するために」と二個ずつわたされていた。

　　b．勇敢な青年が，いつでも米兵を攻撃できるようにと顔見知りの日本兵からもらっていた。

b．日本兵が住民に投降するよう言い残して，壕を出ていった。
　a．日本軍から「一個は米軍を攻撃するために，もう一個は
　　　逃げられなくなった時に自決するために」と二個ずつわた
　　　されていた。

　旧・石川市嘉手苅に，テラガマとよばれる五穀豊穣の神を祀った自然洞窟が
あります。テラガマには，メーヌテラ・ナカヌテラ・クシヌテラの三カ所あり
ます。沖縄戦がはじまると，地域の住民や読谷からきた人びとなどがここに避
難しました。昼はガマのなかで息を潜めて過ごし，夜になると外に出て食事の
準備をしました。ガマの中で生まれた子どももいましたが，外のトイレで銃弾
にあたって亡くなった女の子もいました。また，大雨の洪水で，ガマの川に落
ちて亡くなった人もいました。

　ある日，2人の日本兵がガマの中に入ってきて「もし爆弾をなげられたら，
ぬれた布を口にあててしゃがんでいなさい。私たちがここにいると攻撃される
ので出て行きます」と言い残し，ガマを出て行きました。しばらくして爆弾が
投げこまれ，ガマの中は煙でいっぱいになりました。住民は日本兵に言われた
とおりにして助かりましたが，外に出た日本兵は銃殺されました。その後，ガ
マから出て米兵に捕らえられた人びとの呼びかけで，避難民の多くが助け出さ
れました。

　戦後，テラガマはここに隠れて助かった人びとによって，ヌチシヌジガマ（命
を凌いだ洞窟）とよばれるようになりました。

　いっぽう，具志川市（現・うるま市）では，中城村へ移動していった日本軍が，
地域に残ることになった救護班の女性らに手榴弾を二個渡していました。「一
個は米軍を攻撃するために，もう一個は逃げられなくなった時に自決するため
に」ということでした。具志川城跡のガマに集まった23人の青年男女は，日本
軍の指示どおり米軍に手榴弾を投げつけたあと，二組に分かれて「集団死」を
実行しました。13人がなくなり，6人が奇跡的に命をとりとめました。

　それから50年後の1995年4月4日，具志川市と区公民館によって慰霊祭が行
われました。

米軍の無血上陸を許した第32軍(南西諸島守備軍)でしたが，その一週間後には反撃にでました。上層部からの圧力で，九州・台湾の陸海軍による神風特攻隊を含む航空作戦を円滑に進めるためでした。

次の（1），（2）について，答えてください。

（1）特攻機の米艦船への命中率はどれくらいでしたか。（　　）

　　a．約10%

　　b．約20%

　　c．約30%

（2）九州から飛び立った特攻機は，中継基地の喜界島で給油・整備を行って沖縄に向かいました。戦後，喜界島空港の滑走路周辺は，初夏から秋にかけて，一面，天人菊（テンニンギク）の花畑になったといいます。なぜでしょうか。（　　）

　　a．遺族会が犠牲者の霊を慰めるために花畑をつくった。

　　b．地元の人たちが，犠牲者の霊を慰めるために花畑をつくった。

　　c．特攻隊員たちが投げ捨てていった花束が，種子を散らして花畑となった。

ジンブン試し
A-208

（1） a．約10%
（2） c．特攻隊員たちが投げ捨てていった花束が，種子を散らして花畑となった。

　米軍の無血上陸を許した第32軍（南西諸島守備軍）でしたが，その一週間後には二度の夜間総攻撃をしかけました。上層部からの圧力で，九州・台湾の陸海軍による特攻（神風特攻隊）を含む航空作戦を円滑に進めるためでした。

　「神風特攻隊」の任務は，沖縄諸島近海に集結したアメリカ大艦艇に，体当り攻撃でダメージを与えることでした。これによって，米軍の本土上陸を遅らせようとしたのです。戦艦「大和」を主軸とした海上特攻隊も出撃しましたが，4月7日，九州の南方海上沖であえなく撃沈されてしまいました。

　特攻作戦は，4月6日から7月19日までの間に11次にわたって行われました。九州・台湾の陸・海軍合わせて1800機余の航空機が投入されましたが，大半は撃墜されてしまいました。搭乗員のほとんどが，20代前後の若い陸・海軍の飛行予備学生で，軍部でさえ特攻作戦を「外道戦法」と呼んでいたといいます。この「神風特攻隊」による戦法は，1944年10月，フィリピンではじめられましたが，特攻機の多くは沖縄戦で失われました。

　南九州を飛び立った特攻機は，奄美諸島をへて沖縄島をめざしました。ところが，沖縄島北端の伊平屋島・伊是名島あたりにさしかかると米艦隊と飛行隊によって弾丸の嵐にあい，ほとんどが撃墜されてしまいました。米軍は日本の特攻作戦を事前に察知していて，防衛対策を取っていたのです。それでも，一割余の特攻機がこの難所をかいくぐり，米艦隊に損失を与えました。しかし，戦局に影響を及ぼすまでにはいたりませんでした。

　特攻花とは天人菊（テンニンギク）のことで，喜界島から飛び立つ若き特攻隊員たちに，島の娘たちが情けを込めて贈った天人菊の花束の種子が落ち，繁殖したものといわれています。現在では，平和を願う花として島の人たちに親しまれています。

ジンブン試し
Q.209

　沖縄島西海岸に上陸した米軍は，沖縄島を南北に分断して進撃を続けました。北部に攻勢をかけた米軍は，4月17日には国頭支隊の本拠地・八重岳を制圧して，20日ごろには北部全域を占領しました。

　北部の山岳地帯には，米軍の上陸に備えて数万の住民が避難していました。

　次の（1），（2）について，答えてください。

（1）北部に避難していた住民は，米軍の攻撃以外に飢餓やマラリアにも苦しめられましたが，もう一つ，あるものからも身を守らなければなりませんでした。それは何ですか。

　　　b．地雷　　　　　b．日本兵　　　　c．ハブ

（2）北部で最も戦闘の激しかったのは「東洋一」といわれた飛行場を擁する伊江島でした。米軍は伊江島を占領すると，全住民を慶良間諸島へ移しました。なぜでしょうか。

　　a．飛行場を本土爆撃の基地として使用する計画だったので，住民を島に残すと情報が漏れる恐れがあったため。

　　b．　飛行場を広島・長崎への原爆投下の出撃基地として使用する計画だったので，住民を島に残すと情報が漏れる恐れがあったため。

　　c．伊江島を米太平洋艦隊の重要拠点にする計画だったので，住民を島に残すと情報が漏れる恐れがあったため。

（1）b．日本兵
（2）a．飛行場を本土爆撃の基地として使用する計画だったので，住民を島に残すと情報が漏れる恐れがあったため。

　沖縄島北部には，国頭支隊（遊撃隊）が配置されていましたが，米海兵隊の猛攻で敗残兵同様となり，避難民の食糧を奪いとりながら逃げのびていました。その間，彼らは軍の指示に従わない住民に拷問を加えたり，虐殺したりする忌まわしい事件をおこしました。大宜味村渡野喜屋区（現・白浜地区）で，米軍の捕虜になっていた住民を虐殺した事件や，今帰仁村での住民虐殺事件などが象徴的な事例です。殺害の理由は，「敵に投降したものはスパイとみなして処刑する」ということでしたが，実態はスパイ処刑を名目にした食糧強奪でした。北部の避難民は，飢餓とマラリアに悩まされたあげく，米軍の銃弾以外に，日本兵からも身を守らなければならなかったのです。

　北部でもっとも戦闘が激しかったのは，「東洋一」といわれた飛行場を擁する伊江島でした。米軍が上陸すると，国頭支隊の指揮の下で約2700人の守備隊が自然洞穴（ガマ）にたてこもり，多くの住民をまきこんで6日間にわたって激しく応戦しました。この戦闘における日本側の約3500人の戦死者のうち，およそ1500人が伊江島の住民でした。日本軍に死を強要され，「強制集団死」に追いやられた住民も100人を超えました。米軍も予想外の抵抗を受け，多くの死傷者をだしました。

　九死に一生を得た人びとは，西南海岸のナーラ浜に設置された収容所に保護されました。そして，ここでも敗残兵による住民斬殺事件がおこったのです。理由は住民から軍の機密が漏れないようにするための処置でした。

　5月20日ごろ，収容所に収容されていた住民は，全員，慶良間諸島（渡嘉敷島と慶留間島）に移動させられました。伊江島は，本土への攻撃基地として使用されることになったため，住民を島に残すと情報が漏れる恐れがあったからです。

　渡嘉敷島では，赤松隊が山中に立てこもっていました。米軍は伊江村民4人（若い女性3人・青年1人）と地元民2人を呼び寄せて，赤松隊に降伏勧告書を持っていくよう命じました。6人の使者は白旗を掲げて赤松隊の陣地へ赴きました。ところが，赤松戦隊長は彼らをスパイとみなして斬殺したのです。

　伊江島住民が故郷の伊江島に戻ることができたのは，1947年の3月になってからのことでした。

米軍は伊江島を占領すると，全住民を慶良間諸島へ移しました。伊江島飛行場を本土攻撃の基地にするためでした。
　ところが，二人二組の兵士が，米軍の目を盗んで島に潜んでいたのです。一組は海岸近くの洞窟（ガマ）に隠れていたのですが，もう一組の兵士二人は，集落地にいました。
　いったいどこに隠れていたのでしょうか。（　　）

ａ．民家の床下の倉庫に隠れていた。

ｂ．民家の屋根裏部屋に隠れていた。

ｃ．集落地のガジマルの上に隠れていた。

c．民家のガジマルの上に隠れていた。

　海岸近くの洞窟（ガマ）に隠れていた二人は，ともに島外の沖縄人<ruby>沖縄人<rt>ウチナーンチュ</rt></ruby>でした。二人は昼間はガマのなかでひっそりと身を隠し，夜になると米軍のゴミ捨て場から，米や豆類・缶詰などの食料品を探し出して飢えをしのぎ，陣地跡からは衣服や毛布類を持ち帰って寒さをしのぎました。生活用品はすべて米軍の廃品を利用することができたので，暮らしには困りませんでした。問題は，生きていくことの意味をどう見出すかでした。

　二人はカンカラ三線を作り，琉球民謡を歌うことで，生きる希望を持つことができたということです。

　島の集落地にあるガジマルの上に，鳥のように巣をつくって隠れていたのは，沖縄出身の防衛隊員と宮崎出身の日本兵の二人でした。昼間はガジマルの上で身をひそめ，夜になると木からおりて，食料をさがし，用便や身体をふくのを日課としていました。

　二人は，どれだけ同じおしゃべりをしたかわかりません。宮崎では結婚式にお膳が七回も出る話，沖縄の製糖期のことや豚肉を塩漬けにして保存している話など，生活や行事，祭りのことなど，何度も何度も繰り返し語り合って暮らしていました。米兵にあやうく気づかれそうになったり，ハブに出くわしたり危険な目にもあいましたが，必死に生きながらえることができました。

　もう，沖縄には二人しか生き残っていないのではないかと不安になりましたが，日本が負けることはないと信じていました。ですから，生きる希望だけは失っていませんでした。

　戦争が終わって２年後の1947年３月，ようやく伊江島の住民が村に帰ることがゆるされました。そして，二組四人の兵士も，まもなく救出されたのです。彼らが敵の陣地となった孤島で，二ヵ年余も避難生活をして生き延びることができたのは，決して絶望することなく，戦争が終わったらふるさとに戻って普通の生活がしたいという“生きる希望”を失わなかったからでした。そのために，思い出話を語り合ったり三線で心をなごませたりして互いを励まし続けてきたのです。それが生きる力になったのでした。

日本軍は米軍の猛攻に屈し，司令部のある首里一帯は，弁ケ岳，石嶺，安里の三方から包囲されてしまいました。

5月22日，第32軍は司令部壕の放棄を決め，27日夜，南部の摩文仁方面への撤退をはじめました。5月31日，首里の司令部壕は米軍に占拠されました。

米軍に三方を包囲された司令部は，なぜ総攻撃ではなく南部への撤退を選んだのでしょうか。（　　）

完全に焼野が原となった古都首里（那覇市歴史博物館提供）

a．南部の自然洞穴（ガマ）にたてこもり，本土決戦の準備が整うまでの時間稼ぎをしようと考えた。

b．米軍を首里におびき寄せることで，南部と北部から挟み撃ちにする作戦をとった。

c．南部に撤退するとみせかけて米軍を油断させ，タイミングを見て夜襲を行う考えだった。

a．南部の自然洞穴（ガマ）にたてこもり，本土決戦の準
　備が整うまでの時間稼ぎをしようと考えた。

　日本軍は首里をめぐる攻防戦で，主戦力の大半を失いました。最初から圧倒的な兵力と物量に勝る米軍に対し，第32軍は抗する術がなかったのです。もはや，南部の自然洞穴（ガマ）にたてこもり，本土決戦の準備が整うまでの時間稼ぎをする戦術しか残っていなかったのです。

　沖縄島南部には琉球石灰岩層特有の自然洞穴（ガマ）が多いうえ，第24師団の軍需品が相当数保管されていたので，時間稼ぎの戦闘にはもっとも適していました。南国の早い梅雨のなか，第32軍の大移動は難渋しましたが，雨天は米軍の追撃をも妨げてくれ，どうにか移動を完了させることができました。

　第32軍司令部が撤退してきた南部一帯の自然洞穴には，多くの一般住民が避難していました。そこへ，守備軍を頼ってきた住民が移動してきたため，この狭い地域に軍民合わせて十数万人が混在することになったのです。

　６月７日ごろから，米軍は戦車を先頭に火炎放射器などの火器で攻撃をしかけ，日本兵や住民が潜むガマには爆雷を投げ込んで破壊しました。そして，海からは艦砲射撃，空からは飛行機による爆撃・機銃掃射と，米軍の攻撃は容赦なく続き，おびただしい数の人命が奪われていきました。南部戦線は，さながら鉄の暴風が荒れ狂う阿鼻叫喚の巷と化したのです。

　実は，第32軍の南部撤退案には，摩文仁以外に知念半島への移動もありました。しかし，そこは洞窟陣地が少なく集積軍需品もわずかしかなかったため，採用されませんでした。この時点で，軍部が住民を知念半島へ避難するよう指導していたら，これほど多くの犠牲を出すことはありませんでした。

　なぜ，第32軍は県幹部らとともに，知念半島へ住民を移動させる対策をとらなかったのでしょうか。沖縄戦の目的が，住民を守ることではなく，天皇制の日本国家を護ることにあったからです。

南風原をはじめ各地の野戦病院には，約1万人の傷病兵が収容されていました。司令部の南部への撤退で，移動に加われなかった重症患者はどうなったのでしょうか。（　　）

a．女子学徒などによって，全員，南部のガマに担架で運ばれた。

b．手榴弾や青酸カリなどで自決させられたり，銃剣で刺殺された。

c．野戦病院は戦時国際法で安全が保障されていたので，治療を施したあと置き去りにされた。

負傷兵の手当をする看護兵と衛生兵の人形（沖縄県平和祈念資料館提供）

b. 手榴弾や青酸カリなどで自決させられたり，銃剣で刺殺された。

第32軍司令部の撤退にともない，各地の野戦病院に収容されていた傷病兵のうち，移動に加われない重症患者は，手榴弾や薬品で「処置（殺害）」されることが決められました。たとえ傷病兵であれ，捕虜になることを許さない決まりがあったからです。

南風原の陸軍病院では，数百人の患者が青酸カリで自決させられたといわれています。また，新城（現・八重瀬町）の野戦病院（ヌヌマチガマ）では，身動きのできない重症患者約500人に青酸カリが投与されたり，薬の飲めない患者は衛生兵に銃剣で殺害されたりしたといわれています。このように，各地の病院で「処置（殺害）」された傷病兵は，1000人を下らないとみられています。

アシャギ　アブチラガマ（糸数壕）で何がおこったのか

　沖縄島南部・玉城村（現・南城市）糸数の集落に，アブチラガマ（糸数壕）とよばれる自然洞穴があります。民家のすぐ裏側にある狭い入り口を下っていくと，中は思いのほか広く，全長は270mもあります。ヒンヤリした洞穴で明かりを消すと，天井からしたたる滴の音が，まるで75年前の惨劇を物語っているかのようです。

　アブチラガマは住民の避難壕に指定されていましたが，実際は日本軍が陣地を構え，食料や軍事物資などの倉庫に利用していました。1945年4月1日，米軍が沖縄島に上陸すると，部隊も中部戦線へ移動しました。そのあと地元の住民が避難してきましたが，すぐに追い出されてしまいました。南風原陸軍病院から軍医や看護婦，ひめゆり学徒が配属され，分院として使われることになったからです。前線から，次々と負傷兵が運び込まれ，またたくまに600人余の患者であふれかえりました。

　5月27日，首里司令部の南部への撤退にともない，アブチラガマの分院も喜屋武半島へ移動することになりました。重症兵は青酸カリなどの薬品によって殺害されました。そのあとには，一般住民や敗残兵がガマのなかに逃げ込んできましたが，米軍の攻撃で多くの犠牲者をだしました。日本兵によって殺害された住民もいました。

第32軍が撤退してきた南部一帯は，琉球石灰岩の自然洞穴が多く，一般住民がたくさん避難していました。そのため，このせまい地域に軍民あわせて十数万人が雑居することになりました。

軍隊と住民が混在した状況のなかで，日本軍は住民に対してどのような態度をとりましたか。（　　）

a．米軍の攻撃から，身を挺して守ろうとした。

b．ガマから追い出したり，スパイ容疑で殺害したりした。

c．ガマや食料を提供し，米軍に投降するようすすめた。

米軍の猛攻を受けた南部戦線では，畳一枚におよそ何発の弾丸が撃ち込まれたといわれていますか。（　　）

a．約60発

b．約80発

c．約100発

b．ガマから追い出したり，スパイ容疑で殺害したりした。

c．約100発

第32軍司令部が撤退してきた南部一帯には，多くの住民が避難していました。米軍の猛攻で，喜屋武岬に追い込まれていった住民は，ガマや海岸の岩陰に身を隠しましたが，次々と鉄の暴風の犠牲になっていきました。そのときの米軍の攻撃は，畳一枚に百発の弾丸が撃ち込まれたというほどすさまじいものでした。

そうした状況のなか，日本兵は一般住民を守るどころか，壕から追い出したり，食糧を奪ったり，スパイの疑いをかけて殺害したりしたのです。日本軍によって「集団死」（強制集団死）に追い込まれた人びとも少なくありませんでした。

シーブン話（おまけ）—— 沖縄住民を救い出した日系2世たち

米軍は日本との開戦によって，多くの日本語通訳を育成する必要に迫られました。1942年，米陸軍情報部は軍情報部語学校を設立して，日本語通訳兵を募集しました。日系移民2世たちは，米国への忠誠心を示すため，積極的に志願しました。沖縄からの移民2世もたくさんいました。米軍は彼らに日本軍の組織構造から日本の風俗・文化などを学ばせ，日本軍文書の翻訳や捕虜の尋問方法など多岐にわたる訓練を実施しました。卒業生は太平洋の各戦線へ配置され，日本軍の暗号解読などに携わりました。

沖縄では，これら通訳兵が，住民救出に重要な役割を果たしました。とくに沖縄出身の2世兵士は，ウチナーグチでガマに潜む住民に投降を促す等，いつ日本兵に銃撃されるかわからないなか，命がけで救出作業に当たりました。なかには，父が沖縄出身で米国籍となっていた通訳兵が，敵である鉄血勤皇隊の弟を探し出して，必死の説得で救い出したというエピソードもあります。

摩文仁一帯にせまった米軍は，6月17日に全軍が1時間砲撃を中止して，第32軍（南西諸島守備軍）の司令官・牛島満に無条件降伏を勧告（かんこく）しました。しかし，司令官はこれを無視し，戦闘をやめませんでした。

　18日に米軍の沖縄占領部隊総司令官・バックナー中将が戦死し，日本軍は米軍の猛烈な報復攻撃にみまわれました。

　6月19日，おいつめられた牛島司令官は，「最後まで戦うように」との軍命をだして，6月23日に長勇（ちょういさむ）参謀長とともに自決しました。

　司令官の自決によって，日本兵の行動はどうなりましたか。

（　　　）

摩文仁丘に立てられた牛島司令官，長参謀長の墓標（那覇市歴史博物館提供）

a．徹底抗戦の構えをとり，住民殺害も多発した。

b．日本の将兵による権力争いがおこった。

c．住民が日本兵の命令に従わなくなり，秩序が混乱した。

ａ．徹底抗戦の構えをとり，住民殺害も多発した。

　沖縄島の南端に撤退した第32軍は，玻名城（現・八重瀬町）—八重瀬岳（現・八重瀬町）—与座岳（現・糸満市）—国吉・真栄里（現・糸満市）の台地を結ぶ断崖上に陣地を築き，最後の一戦に臨みました。米軍は艦砲射撃・迫撃砲で日本軍陣地を攻撃し，火焔戦車などで前線を突破して６月の半ばには喜屋武岬の台地に侵入しました。米軍はガマに潜む日本軍に対して，爆雷や火炎放射器・ガス弾などで攻撃を加えました。これによって，多くの住民が巻き添えになって亡くなりました。

　米軍戦史によると，６月17日，全軍が１時間砲撃を中止して降伏を勧告しましたが，軍司令部はこれを受け入れず持久戦を続行したといいます。

　６月18日，米軍の沖縄占領部隊総司令官バックナー中将が戦死すると，日本軍は米軍の猛烈な報復攻撃にみまわれました。

　６月19日，追いつめられた牛島司令官は，「各部隊は各地における生存者中の上級者之を指揮し，最後迄敢闘し悠久の大義に生くべし」との軍命をだして，６月23日に長勇参謀長とともに自決しました。これにより，摩文仁は米軍に占拠され，第32軍（南西諸島守備軍）の司令官指揮による組織的戦闘は終了しました。しかし，最後まで戦うことを命令しての司令官の死は，戦争終結を遅らせただけでなく，いたずらに住民犠牲を増やすことになったのです。

　久米島では，６月26日に米軍が上陸したことにより，同島に配置されていた日本軍による住民虐殺事件が相ついでおこりました（久米島住民虐殺事件 p.183 ～ 184参照）。

　米軍は激しい地上戦を展開するとともに，将兵や住民に投降を促すビラを飛行機から大量にばらまきました。その数が，沖縄全体で800万枚にも及んだとされています。激戦地の南部・米須上空からは，おびただしい数のビラが「雪のように舞い落ちて来た」といいます。

　三つの鉄製の缶に入れられた牛島司令官あての降伏勧告文書もありました。その内容は，「部下将兵の幸福を保証するために直ちに交渉に移るべきだ」というものでした。しかし，牛島司令官がこれを受け入れるはずはありませんでした。「生きて虜囚の辱めを受けず，死して罪禍の汚名を残すこと勿れ」という『戦陣訓』の教えを指導する立場にあったからです。

　兵士に呼びかけたビラには，「司令官の拒否的態度は部下兵士を無益な死に附している」と記されていました。その効果は大きく，ビラ配布後は，投降兵士が約14倍にも増えたといいます。

　一方，住民むけの「生命を助けるビラ」には，「アメリカ軍が必ず助けます」と記され，別のビラには「内地人は皆さんに余計な苦労をさせます。ただ，あなたたちは内地人の手先に使われているのです」と記されていました。住民を守らない日本軍から住民を引き裂くための「心理作戦」でした。これはまた，戦後，沖縄を日本から分離させた米軍の統治政策にも利用されました。

　米軍のまいたビラを読んで，多くの住民が命を長らえましたが，ビラを手にしたためにスパイとみなされ，日本兵に殺害された人もいました。

 戦場に追いやった人，住民を守った人

　沖縄戦では，日本軍は住民を守るどころか，食料を奪ったり，壕から追い出したり，スパイ容疑で虐殺するなど，残虐な行為を行ったことがよく知られています。しかし，将兵個々の行動をみてみると，別な一面があったこともわかります。

　沖縄戦体験者の証言を聴いたり，証言集を読んでいると，「米軍は男は残虐に殺し，女は強姦して殺すといわれているが，そんなことはないから米兵のいうとおりガマから出ていきなさい」と，住民が自決しようとするのをやめさせたり，米軍の捕虜になるよう勧めたりした

将兵がいたことも事実です。日本兵そのものも投降して助かった者が
たくさんいます。

　また，そのいっぽうで，日本軍に協力して沖縄住民を積極的に戦争
に駆り立てたり，住民の行動を逐一報告して，日本兵による虐殺に加
担したりする沖縄人もいました。その多くが，政治家や学校の教師な
ど，権力者にすり寄ることで利益を受ける沖縄社会の指導的立場にい
る人びとでした。

　自らの保身のみで，命をながらえた人もいたでしょうが，人が人で
なくなる残虐な戦場にあっても，状況を冷静に判断し行動する人はい
るものです。たとえ，どんな最悪な事態に陥ろうとも，絶望ではなく，
「生きる」希望をみいだそうとする強い意思を持ち続けることが大切
ではないでしょうか。

　第32軍（南西諸島守備軍）の目的は，沖縄住民を守ることではな
く，国家体制を守ることにありました。そのため，「軍官民共生共死
の一体化」の指導方針のもとで，多くの住民が犠牲を強いられたので
す。これが沖縄戦における住民犠牲の本質だったことを忘れてはいけ
ません。

　将兵個別の行動と軍の本質（戦闘目的）とは，分けて考えなければ
ならないのです。

宮古・八重山では地上戦はありませんでしたが，米軍機の空襲や英艦船の艦砲射撃_{かんぽうしゃげき}などで，大きな被害をうけました。特に地元住民をなやませたのは，食糧難とマラリアとの戦いでした。

次の（1），（2）について，答えてください。

（1）八重山では戦争犠牲者の何％がマラリアで亡くなりましたか。（　　）

a．約85％

b．約90％

c．約95％

マラリアにかかった息子を看病する母親（那覇市歴史博物館提供）

（2）八重山でも戦争マラリアの犠牲がもっとも大きかったのが，波照間島でした。どれだけの住民がマラリアで亡くなりましたか。（　　）

　　a．二分の一　　　b．三分の一　　　c．四分の一

A216 （1）ｃ．約95％　　（2）ｂ．三分の一

　沖縄戦というと，どうしても激しい地上戦が展開された沖縄島を中心に考えてしまいがちですが，米軍の上陸しなかった宮古・八重山諸島や各諸島の住民も大きな犠牲を強いられました。

　宮古・八重山諸島の攻撃作戦には，イギリス太平洋艦隊も加わっていました。連合軍が宮古・八重山諸島に上陸することはありませんでしたが，米・英軍機による空襲や英艦船の艦砲射撃などで，大きな被害をうけました。しかし，何よりも地元住民を悩ませたのは，食糧難と戦争マラリアとの戦いでした。

　石垣島では，農耕地が日本軍に強制接収され，３つの飛行場が建設されました。飛行場建設には，八重山郡民が総動員されただけでなく，請負業者が連れてきた朝鮮人労働者（約600人といわれている)も働かされていました。彼らの主な仕事は，ダイナマイト爆破による石割り作業など危険なものでした。

　飛行場の建設とともに，石垣島を中心に各地に陣地が築かれ，約１万人の兵隊が配置されました。八重山では，地上戦がなかったため，砲弾による戦死者は多くありませんでした。しかし，ほとんどの住民が強制的にマラリアのはびこる山岳地帯に退去させられたため，半数余がマラリアに罹り，全人口の約１割にあたる3647人が死亡しました。これは，戦争犠牲者の95％にあたります。とくに波照間島の被害は大きく，住民の三分の一がマラリアで亡くなったといわれています。

　地元では長年，国に対して戦争マラリアによる犠牲者への補償を要求してきましたが，個人への補償はみのらず，1995年に慰霊碑や平和祈念館などを建立することで決着しました。

　宮古島でも農耕地が強制接収され，３つの飛行場が建設されました。人口６万人余の島に，約３万人の日本軍が駐留したことで，極度の食糧不足と戦争マラリアに悩まされました。

　また，宮古・八重山とも，学童を含む一般住民が，台湾・九州への疎開途上で米軍機や潜水艦に攻撃されて多くの犠牲者をだしました。

　石垣島では，日本軍将校の命令による米兵捕虜虐殺事件（石垣島事件）もおきています。

1945年7月，米国・英国・中国は，日本に無条件降伏を求めるポツダム宣言を通告しました。しかし，鈴木貫太郎内閣は，国体護持（天皇制存続）の確証がないことを理由に，これを黙殺しました。

8月6日，米国は広島に原子爆弾を投下しました。ソ連も8日に，日ソ中立条約を無視して宣戦布告し，翌9日，満州・朝鮮への軍事介入をはじめました。同日，米国も長崎に原子爆弾を投下。これによって日本政府はポツダム宣言の受諾を決定しました。

次の（1）〜（3）について，答えてください。

（1）1943年2月，ローズベルト(米)，チャーチル(英)，蔣介石(中)がエジプトで会談し，対日戦の処理と日本が無条件降伏するまで戦うことを決めました。この時の宣言を何と言いますか。（　　）

　　　a．カイロ宣言　　　　　b．ヤルタ宣言　　　　　c．マルタ宣言

（2）ポツダム会議にはソ連も参加していましたが，当初，署名はしませんでした（対日参戦後に参加）。なぜだと思いますか。（　　）
　　　a．アメリカ主導だったので，それに不満をもったから。
　　　b．日ソ中立条約の有効期間だったから。
　　　c．北方領土に関する規定がなかったから。

（3）広島・長崎では被爆直後から5年間に，あわあせてどれだけの被爆者が亡くなりましたか。（　　）
　　　a．14万人　　　　b．24万人　　　　c．34万人

（1）a．カイロ宣言
（2）b．日ソ中立条約の有効期間だったから
（3）c．34万人

　太平洋戦線でアメリカが有利に戦局を展開していたころ，ヨーロッパでは1943年９月にイタリアが降伏^{こうふく}し，1945年５月にはドイツも降伏^{こうふく}しました。その間，連合軍は，しばしば会談を開いて戦争終結にむけての話し合いを進めていました。1943年11月には，カイロ宣言^{（注1）}で日本が無条件降伏するまで徹底^{てってい}して戦うことを決定し，1945年２月にはヤルタ協定^{（注2）}でソ連の対日参戦が秘密協定^{ひみつきょうてい}として結ばれました。

　同年３月末，沖縄が戦場となったころには，日本の敗北は決定的になっていましたが，国体護持^{こくたいごじ}のためにできるだけ戦争を有利に終結させようとしたため，戦争被害はいたずらに広がるばかりでした。

　７月には，アメリカ・イギリス・中国の連名で，日本の無条件降伏を求めるポツダム宣言を発表しましたが，日本はこれを黙殺^{もくさつ}しました。これに対し，アメリカは戦後の講和条約を自国に有利に導くため，ソ連の参戦に先んじて８月６日，広島に原子爆弾を投下。ソ連も突如^{とつじょ}８日に，有効期限内にあった日ソ中立条約を無視して宣戦布告し，翌９日，満州・朝鮮に侵入して軍事介入をはじめました。同日，長崎にも原子爆弾が投下されました^{（注3）}。これによって日本政府もポツダム宣言の受諾^{じゅだく}を決定し，14日に連合国へ正式に通告したのです。

　日本国民は，８月15日に天皇のラジオ放送で敗戦を知らされました。９月２日，東京湾のアメリカ艦船ミズーリ号で降伏文書の調印がおこなわれ，15年におよんだ戦争は終わりを告げたのです。

（注1）エジプトのカイロで開かれたローズベルト（米）・チャーチル（英）・蒋介石（中）による三者会談で，対日戦後の処理についての宣言。日本が獲得^{かくとく}していた太平洋諸島の剥奪^{はくだつ}，満州・台湾の中国への返還と朝鮮の独立，および日本が無条件降伏するまで徹底して戦うことなどを決めました。

（注2）ソ連領クリミア半島のヤルタで，ローズベルト・チャーチル・スターリン（ソ連）の三者が会談。戦後，ソ連が南樺太・千島を領有することを条件に，ドイツ降伏後２～３か月後に日本に参戦することなどを秘密協定で決めました。

（注3）被爆直後から５年間に，広島では約20万人，長崎では約14万人が死亡したと推定^{すいてい}されています。現在でもなお，多くの被爆者が原爆後遺症に苦しんでいます。

Q.218 ジンブン試し

沖縄の日本軍が公式に降伏文書に調印したのは，1945年の何月何日でしょうか。（　　）

降伏調印式（沖縄県公文書館提供）

a．6月23日　　　　b．8月15日　　　　c．9月7日

c. 9月7日

　米軍は7月2日に琉球作戦の終了を宣言しましたが，日本が敗戦を迎えた8月15日以後も戦いつづける部隊がありました。6月23日以降も沖縄は戦場でありつづけ，多くの住民が犠牲になっていたのです。

　沖縄の日本軍が正式に降伏文書に調印したのは，9月7日のことでした。

　1974年，沖縄県は世界の恒久平和と全沖縄戦没者の霊を慰める事を目的に「慰霊の日」を制定しました。県内の小・中・高校ではこの日に向けた特設授業が行われ，二度と同じ過ちを犯さないよう悲惨な沖縄戦の継承に努めています。

　1980年代末には，地方自治法の改正で「慰霊の日」の存続があやぶまれましたが，住民運動によって1991年にあらためて県条例で継続されることになりました。その成果は，沖縄の教師にとって戦争を知らない世代へ平和の理念と行動について正しく伝え，平和の尊さを指導する義務を担うことを意味していました。

　ところで，「慰霊の日」となった6月23日は，沖縄戦が終結した日ではありません。第32軍（南西諸島守備軍）の牛島司令官が自決し，日本軍の司令官指揮による組織的戦闘が終了した日なのです。

　この史実をふまえ，6月23日を沖縄戦終結日とすれば，久米島でおこった日本軍による住民虐殺事件や八重山の戦争マラリアによる犠牲など，沖縄戦の重要な側面が説明できなくなります。そのため，元・沖縄県知事の大田昌秀をはじめ，ほとんどの研究者が6月23日終戦説をとっていません。

　しいていえば，沖縄戦は軍司令官自決の6月23日を経て，米軍が琉球作戦終了を宣言した7月2日で一応の終幕となり，降伏調印式が行われた9月7日に公式に終結した，ということになります。このことから，司令官自決の日を「慰霊の日」としていることに異論を唱える県民も少なくありません。

アシャギ COLUMN 「集団自決」と「強制集団死」

　自決とはみずからの意思で死ぬことをいいます。沖縄戦おける住民の「自決」は，軍事機密（日本軍の編制・動向や陣地など）を知っているため，軍によって強制・誘導されておこったものです。

　沖縄の住民は，日ごろから「アメリカ兵に捕まえられたら，女は強姦され男は残虐に殺される」「敵の捕虜になる前に自決せよ」と教えられていました。このように，米軍の上陸で死より他に選択肢のない状況においこまれた住民は，日本軍の命令・誘導などで集団的な殺し合いや自殺で死んでいったのです。したがって，この実態を「集団自決」ということばで説明することは不適切と考え，近年は「強制集団死」という用語が使用されるようになっています。県内のマスコミでは，「集団自決（強制集団死）」と併記しています。また，集団自決を使用する場合も，カッコをつけて「集団自決」と記述するのが一般的です。

　教科書検定意見問題(日本軍の強制による集団自決の記述削除)以後，高校日本史教科書でも，「『強制集団死』とする見方が出されている」「これを『強制集団死』」と呼ぶことがある」，などの記述が見られるようになりました。その原因についても，「日本軍が住民の投降を許さなかった」ことや「教育・指導や訓練の影響」があったことなどを記す教科書も出てきています。

　「強制集団死」にはもう一点問題があります。犠牲となったものの多くが，女性と子どもだということです。青壮年の男性は兵隊にとられていたためと考えられていますが，その原因を天皇を頂点とした家父長制に求める意見もあります。

　軍命を受けて住民の「自決」の決断を下したのは，家長である父親だったり，地域のリーダーたちである男性たちでした。彼らにとって女性や子どもは守るべき存在で，米兵に辱めをうけて殺されるよりは，家長としての責任で清い体のまま死なせたほうが良いと考えたからでした。

　座間味島で，兄とともに母親と・弟を殺害した金城重明さんも，「当

時の精神状況からして，愛する者を生かしておくということは，彼ら
を敵の手に委ねて惨殺させることを意味したのである。従って自らの
手で愛する者の命を断つ事は，狂った形に於いてではあるが，唯一残
された愛情の表現だったのである」と，第三次家永教科書裁判で証言
しています。男性中心の家族制度が，女性やこどもの犠牲をふやした
原因の一つだったというのです。それは戦場において，男たちが国家
の最小単位である家族を守るために命を投げ打って戦った，という理
由にも通じるというのです。

シーブン話 おまけ —— 沖縄戦は日本国内で唯一の地上戦なのか？

　沖縄戦の特徴として「日本国内で行なわれた唯一の地上戦」であった，という表現が
常套句のように使われます。沖縄戦関係の書物にも記されており，平和ガイドの説明で
もよく耳にします。しかし，これは史実に反しており，沖縄戦研究者からも批判されて
いる言葉です。沖縄戦が展開される前に，硫黄島の戦いが行われているからです。有名
な，すり鉢山に星条旗を立てかけている写真は，米軍がはじめて日本の国土を占領した
ものとしてよく知られています。また，日本のポツダム宣言受諾後に行われた，ソ連の
北方領土への侵攻・占領も地上戦であったという見方もできます。にもかかわらず，言
葉だけが独り歩きしてしまっているのです。

　この事実から，決して沖縄戦が「国内唯一の地上戦」ではなかったことがわかります。
そのことを受け，近年では「住民をまきこんだ国内唯一の地上戦」とか「唯一の県民を
総動員した地上戦」いう言葉が使われるようになっています。それでも，沖縄戦のみに
「唯一」「地上戦」を使うのは違和感があります。なぜなら，満州事変から始まる十五年
戦争そのものが地上戦であり，この戦争で犠牲になった2000万人もの多くは地上戦で
亡くなっているからです。では，どうして沖縄はこの二つの言葉にこだわるのでしょう
か。

　沖縄は本土防衛のため「捨て石」となり，地上戦によって県民の四人に一人の人命を
失うという悲惨な経験をしました。これは本土の戦争犠牲とは全く異なるものでした。
にもかかわらず，本土では沖縄戦への関心が薄く，戦後は米軍支配に追いやるという差
別的な扱いをしてきました。現在も米軍専用施設の約70％が沖縄に押し付けられてお
り，沖縄に犠牲を強いる日本政府の政策に不満を持っているからです。そのため，同じ
国内で起こった戦争でも，本土とは異なる「地上戦」の悲惨さを強調するため，「唯一」
という排他的な言葉が使われてきたと思われるのです。

29　沖縄戦の教訓

沖縄戦から何を学ぶか

　沖縄戦は，1931年の満州事変からはじまった十五年戦争末期の日米最大の戦闘でした。そのため，住民をまきこんだ戦闘は，悲惨な戦史のなかでも "醜さの極致" として特筆されるほど凄まじいものでした。この悲惨な沖縄戦の特徴と問題点をまとめると，次のようになります。

1　日本軍にとって勝ち目のない沖縄戦は，本土防衛・国体（天皇制）護持のための時間かせぎの戦いで，捨石作戦と呼ばれた。

2　米英軍による無差別攻撃で多くの住民（非戦闘員）が犠牲となった。

3　住民をまきこんだ激しい地上戦が展開された。

4　疎開等の住民保護対策が不十分なうえ，住民が根こそぎ戦場に動員され，軍官民共生共死の一体化の指導方針のもとで多くの住民が犠牲となった。

5　正規軍人よりも，沖縄住民の犠牲の方が多かった。

6　朝鮮半島出身の女性や地元遊郭の女性などが日本軍「慰安婦」にされたり，米兵による性暴力などで女性の人権が蹂躙された。

7　日本兵による住民殺害事件（住民虐殺）が多発した。

　・直接手を下した例…スパイ容疑による虐殺，乳幼児殺害など。

　・死に追いやった例…日本軍の命令・指導による「集団死」の強要（「強制集団死」）。食料強奪，壕追いだし等が原因となった死亡。

【戦争責任の問題点】

1　国の戦争責任があいまいにされたまま解決していった問題が多い。

2　戦時船舶の遭難者や日本軍による軍用地の強制接収による補償など，未解決の問題が残っている。

【沖縄人としての問題点】

1　沖縄住民を積極的に戦場へ駆り立てていった，沖縄の指導層や軍部に協力した一般住民の責任が問われていない。

2　「琉球併合」以後の，本土への同化政策・皇民化政策を受け入れていった，沖縄人の内面の検証が十分にはなされていない。

3　日本本土の戦争被害（広島・長崎の原爆犠牲や東京大空襲の犠牲など）に

ついて，理解を深める必要がある。

4　十五年戦争の全体像のなかで，沖縄戦の実相（じっそう）をとらえる必要がある。

　沖縄人としての問題については，「沖縄人はすべて戦争被害者」だとの認識で，一般住民はもとより，指導層にも本土における公職追放などの罰則は適用されませんでした。地上戦を経験した沖縄にあっては，当然，加害の問題よりも大きな被害に対する責任と補償の問題を先に解決する必要があったのです。しかし，あれから75年，この戦争を招いた日本人としてその責任をどのように認識し，アジア諸国の人びとの戦後補償などをどのように解決していくか，真剣に考えなければならない立場にもあります。

　また，「琉球併合」以後の本土への同化政策・皇民化政策を受け入れていった沖縄人の内面にも鋭いメス（するど）を入れ，きちんと検証する必要があります。さらに，日本本土の戦争被害についても理解を深め，アジア・本土の人びととの連携（れんけい）による平和活動の輪を広げていくべきでしょう。

平和の礎（糸満市）

ジンブン試し

Q.219

次の写真を見て，（1）（2）について，答えてください。

（沖縄県平和祈念資料館提供）

（1）教科書への「集団自決」の記述方法について，裁判で争われました（第三次家永教科書裁判）。文部省（当時）は，どのように表現するよう指示したのですか。（　　）

a．日本軍による住民虐殺について書くなら，それより犠牲の大きかった住民の「集団自決」についても書くように。

b．日本軍による住民虐殺も，住民の「集団自決」についても書いてはいけない。

c．日本軍による住民虐殺については書いてもよいが，住民の「集団自決」については書いてはいけない。

（2）沖縄戦では，およそどれくらいの住民が「強制集団死」で亡くなったといわれていますか。（　　）

　　　a．約500人　　　b．約700%　　　c．約1000人

（1）a．日本軍による住民虐殺について書くなら，それ
　　　より犠牲の大きかった住民の「集団自決」についても書
　　　くように。

（2）c．約1000人

　1982年の教科書検定で，日本のアジア「侵略」を「進出」に書き換えさせる
意見が出され，国際問題化しました。その際，沖縄戦における「日本軍による
住民殺害」についても，削除意見がつきました。その理由は，「住民殺害」の
根拠となった『沖縄県史』は体験談に基づくもので，一級資料ではないからと
いうものでした。

　これに対し，沖縄では「日本軍による住民虐殺は厳然たる事実である」とし
て，「同記述の回復」を求める県民運動がわきおこりました。その結果，「侵略」
の記述とともに「日本軍による住民虐殺」が教科書に記述されることになった
のです。

　ところが，翌83年度の検定で，文部省は家永三郎が著した日本史教科書に対
し，「日本軍のために殺された人も少なくなかった」の前に，「集団自決」の記
述を加えるよう求めたのです。沖縄県民が国家のために殉じたことを強調した
かったのでしょう。

　家永氏は「集団自決」も日本軍による犠牲であり，それを記述すると住民の
自発的な行為と誤解されるとして，検定の違憲・違法性を裁判で争いました（第
三次家永教科書裁判）。

　1997年に最高裁は家永氏の訴えを退けましたが，「集団自決」の原因につい
ては日本軍の関与を認めました。以後，「日本軍の強制による集団自決」等の
記述が教科書に定着したのです。

　「集団自決（強制集団死）」は慶良間諸島をはじめ伊江村や恩納村，読谷村，
沖縄市，うるま市，八重瀬町，糸満市などでおこっており，その数は推計で
1000人前後といわれています。

1944 年 12 月, 沖縄県知事・泉守紀(いずみしゅき)は, 上京したまま帰らず, 翌年, 香川県知事に転任となりました。どうしてでしょうか。

a. 沖縄諸島は米軍に包囲され, 帰ることができなくなった。

b. 軍に非協力的だったため, 更迭(こうてつ)された。

c. 政府官僚の書類上のミスで, 通常転勤が早まった。

泉知事に代わり, 第 27 代知事として沖縄に赴任し, 戦時行政をしいた人物は誰ですか。(　　)

a. 島田叡(しまだあきら)

b. 早川元(はやかわはじめ)

c. 蔵重久(くらしげひさし)

(那覇市歴史博物館提供)

b．軍に非協力的だったため，更迭された。

1944年12月，泉守紀知事は上京したまま帰らず翌年，香川県知事に転任となりました。一般に「戦争が怖くて逃げた」といわれていますが，泉知事が上京したのは県民の疎開対策や戦争災害対策などを政府と協議するためでした。

泉知事が転任となったのは，「軍に対する宿舎提供や慰安所問題で，泉知事から拒否された現地軍幹部が軍に非協力的な知事では戦争できないと判断」したことによって更迭された，というのが真相のようです。しかし，泉が沖縄からの移動工作を図っていたのも事実でした。他にも多くの県幹部が，出張などを名目に沖縄を離れていました。

a．島田叡

1945年1月末，第27代知事として島田叡が着任しました。島田知事は10・10空襲後，中部に移動していた県庁を那覇にもどし，戦時行政に切り替えて県民の北部疎開と食糧確保に奔走しました。

米軍上陸が迫ると県庁を首里に移し，軍司令部と行動をともにして戦時行政をしきました。5月には県庁を「沖縄県後方指導挺身隊」に編成し直し，避難民の安全指導にあたりました。また，いっぽうでは県民の戦意をたかめ「軍官民の一体化」を推し進める役割も担いました。5月末に首里から南部の轟壕に移動し，6月上旬に挺身隊は解散しました。島田叡知事は，7月5日の目撃情報を最後に消息を絶ちました。

島田知事は人格者として知られ，周辺の者には常々「命を粗末にしないように」と言葉をかけていたといいます。しかし，島田は，法的根拠のない17歳未満の男子の防衛召集や女子学徒の戦場への動員を容認するなど，軍部としては組みやすい相手だったといわれています。沖縄戦においては，軍部とともに戦争を推進する立場にあったことを忘れてはいけないでしょう。

日米最後の決戦といわれる沖縄戦は，米軍にとっても厳しい戦いでした。わずか数か月の間に，4万9000人の死傷者と1万数千人の戦闘疲労者を出しています。日本軍の抵抗が予想以上に強かったことに加え，亜熱帯地域の複雑な地形が大きな犠牲を生み出す要因になったと思われます。

　米兵の中には，戦果と称して沖縄の文化財を米国へ持ち帰る者がいました。

　でも，どうしたことかほとんどの兵士たちは，およそ金銭的価値があると思えない，印鑑・写真・万年筆・はがき・手紙などを持ち帰っていました。

　なぜ，このようなものを選んだのでしょうか。（　　）

a．アメリカ兵にとっては珍しいものだったから。

b．金目の物を取ると，住民が困ると思ったから。

c．アメリカ兵にとっては縁起物と考えられていたから。

ジンブン試し
A.222

c．アメリカ兵にとっては縁起物と考えられていたから。

　1995年・戦後50年の節目の年，北中城村では「元米兵が返還した資料展」を開催しました。そこにあるものは，ほとんどが写真やはがき・印鑑などで，とても価値のあるものとは思えない品々ばかりでした。

　報道によると，北中城村長が元米兵たちに「なぜ，どこにでもあるようなものばかりをわざわざ持っていったのか」と聞いたところ，「われわれが戦地から持ち帰ったのは，珍しいからでも自分のためでもない。無事帰国したら次に戦地に向かう兵士にこれを渡すと，彼も無事に帰国できると信じられている。だから持ち帰ったのだ」と，話していたとのことです。

　米兵にとっても「命どぅ宝」で，沖縄からもち帰ったこれらの品々は，命をつなぐ縁起物だったのです。もちろん，彼らが戦果として貴重な文化財や金目の物を持ち帰っていたことも事実でした。

写真でもわかるように，アメリカ軍は多くの住民を戦場から救い出してくれました。沖縄戦記録フィルムなどを見ていると，そのことがよくわかります。では，米兵による住民被害はどうだったのでしょうか，次の文を読み正しいものを選んでください。（　　）

米軍に保護される母と子（沖縄県平和祈念資料館提供）

a．米軍は住民対策を徹底しており，戦中・戦後を通して，米兵による略奪や強姦などの犯罪はなかった。

b．米軍は住民対策をとってはいたが，戦中・戦後を通して，米兵による強姦事件は住民を震撼させた。

c．米軍は住民対策を徹底しており，米兵による民間地域への攻撃は行われなかった。

b．米軍は住民対策をとってはいたが，戦中・戦後を通して，米兵による強姦事件は住民を震撼させた。

　沖縄戦記録フィルム^{（注）}は米軍側からとらえた戦争記録であり，それを何の注釈もなしに利用すると，誤解を生じさせる恐れがあります。たしかに米軍より日本軍の方が怖かったという証言もあり，このフィルムのように米軍によって助けられた命も多かったでしょう。しかし，およそ15万にものぼる沖縄県民戦没者の多くは，米軍による無差別攻撃で亡くなっているのです。戦争において敵軍がやさしかろうはずはありません。

　米軍は，住民保護策をとってはいましたが，戦中・戦後を通して，米兵による婦女強姦，捕虜に対する不当な強制労働も行われていたのです。中には戦果と称して，死体の金歯を抜き取ったり，金目の物を盗み取ったりする者もいたのです。

　沖縄戦記録フィルムは，沖縄戦を視覚でとらえることのできる貴重な歴史資料です。しかし，このフィルムが米軍の視点で撮られていることには十分に配慮しなければなりません。

（注）1983年12月「子どもたちにフィルムを通して沖縄戦を伝える会」（通称・沖縄戦記録フィルム１フィート運動の会）が設立されました。その目的は，アメリカ国立公文書館などに所蔵されている沖縄戦の記録フィルムを一人１フィート当て購入し，映像を通して「戦争を知らない子どもたち」に沖縄戦の実相を伝え，平和を希求する運動を啓発することでした。
　　購入されたフィルムは，「沖縄戦　未来への証言」「ドキュメント沖縄戦」などに編集され，全県各地で上映されました。特に戦場のこどもに焦点をあてて編集した「戦場の童（イクサバヌワラビ）」は，多くの学校で「慰霊の日」の平和学習等で上映されました。
　　2013年３月15日，沖縄戦記録フィルム１フィート運動の会は，役割を終え解散しました。これまでの寄付総額は8889万1870円，収集したフィルムは約11万フィート（約50時間）。解散に伴い，フィルムは県公文書館へ，ガマの調査で見つかった遺品は県平和祈念資料館などに譲渡されました。

ジンブン試し
Q.224

　那覇市おもろまちの安里配水池のある丘陵地（きゅうりょうち）を米軍はシュガーローフヒル（地元名は慶良間チージ）と呼んでいました。米軍はここで日本兵の狂信的（きょうしんてき）な肉弾戦（にくだんせん）で，わずか6日間に2662人の死傷者と1289人の戦闘神経症患者（戦争PTSD）を出しています。

シュガーローフの碑（那覇市）

　次の，（1）（2）の設問に答えてください。

（1）米軍の従軍記者は，沖縄戦の悲惨さを様々な言葉で表現しています。つぎのなかで，誤っているものを選んでください。（　　）

　　a．ありったけの地獄を一か所にまとめた戦場

　　b．醜さの極地

　　c．乱暴者がはびこる無法地帯

（2）沖縄戦を経験した米海兵隊員のあいだには，次のようなブラックジョークがあります。兵士Cの言葉がオチになります。下記のa・b・cのなかから，空欄に入る言葉を選んでください。（　　）

　　兵士A：「俺の友人ジョニーは，沖縄で戦死して地獄に落ちたんだ。だけど，やつは平気な顔してたんだよ。」

　　兵士B：「どうしたってんだ？」

　　兵士A：「やつは，二週間ものあいだ，そこが地獄だってことを知らなかったんだ」

　　兵士C：「＿＿＿＿＿＿＿＿＿＿＿＿＿＿＿＿＿＿＿＿＿＿＿＿＿」

　　a．沖縄戦は地獄より恐ろしかったってわけか。

　　b．ジョニーは死んでまでボケていたってわけか。

　　c．アメリカと沖縄では地獄の世界が異なるってわけか。

（1）　ｃ．乱暴者がはびこる無法地帯
（2）　ａ．沖縄戦は地獄より恐ろしかったってわけか。

　米軍の従軍記者は，沖縄戦の悲惨さを「醜さの極致」と表現しています。世界一の臆病者を英雄として描いた，メル・ギブソン監督作品の映画『ハクソー・リッジ』（アカデミー賞２部門受賞：編集賞・録音賞）は，浦添市前田高地の激戦を舞台にした実話で，米兵たちから「ありったけの地獄を一箇所にまとめた戦場」と呼ばれました。

　安里配水池のある丘陵地はシュガーローフと呼ばれ，米軍はここで日本兵の狂信的な肉弾戦で，わずか６日間に2662人の死傷者と1289人の戦闘神経症患者を出しています。戦闘神経症とは，疲労と極度な死の恐怖がもたらす戦場特有の心神耗弱症のことです。米軍は沖縄戦で異常に多くの戦闘神経症患者をだしています。ところが米軍の記録には，不思議と沖縄の子どもたちには戦争による精神障害者は少ないと記されています。悲惨な経験を目の当たりにした，子どもたちのトラウマは大きかったはずなのに，どうしてなのでしょうか。

　米国のフリージャーナリストのジョージ・ファイファーは，その著書『天王山　上―沖縄戦と原子爆弾―』で，「沖縄では，幼い子供たちが両親の豊かな愛情だけでなく，地域社会の優しさという乳房にはぐくまれている。・・・心理学者たちは，血液検査のために指に注射器を指された幼い子供たち1500名のうち，泣いた者が一人もいなかったのは，情緒的な安定のおかげで恐怖を感じなかったからではないかと考えている」と記しています。

　また，別の資料では，沖縄住民の精神障害者は思ったより少なく，生命の危険が少なくなった戦後に急速に増えたと記しています。その理由は，沖縄人の精神的な支えである先祖のお墓や位牌が壊されたことを知ったショックによるものではないかと分析しています。確かにそうした一面もあったでしょうが，あれほど悲惨な戦争を体験した人たちです。とても正常な精神状態で戦後を迎えることはできなかった，というのが真相ではないでしょうか。実際には，子どもを含め多くの沖縄住民が精神障害を患っており，現在でも戦争ＰＴＳＤに苦しんでいる人は少なくありません。

沖縄には南西諸島防衛のために創設された陸軍の第32軍のほかに，大田実司令官の率いる海軍部隊が配置されていました。海軍部隊は，米軍の上陸とともに陸海軍の現地協定で第32軍の指揮下で陸戦隊として戦闘に参加しました。

　5月22日，第32軍は司令部壕の放棄と南部・摩文仁方面への撤退を決めました。海軍部隊は26日に南部に移動しましたが，旧陣地にもどされてしまいました。海軍の役割は第32軍の後退を援護することにあったのです。

　6月4日，米軍が小禄海岸に上陸し，激しい戦闘が繰り広げられました。海軍部隊には，これを押し返す力はありませんでした。6月6日，大田司令官は沖縄県民に関する電文を海軍次官あてに送りました。

　どのような内容でしたか。（　　　）

a．沖縄県民は軍に非協力的であった，戦後はその責任を追求すべきである。

b．沖縄県民は軍に協力してよく戦った，戦後は特別な配慮をお願いしたい。

c．沖縄県民は軍を敵視して米軍に協力しているので，その対策を急ぐべきである。

b．沖縄県民は軍に協力してよく戦った，戦後は特別な配
　慮をお願いしたい。

　米軍の猛攻に屈した第32軍は，5月22日，司令部壕の放棄と南部・摩文仁方面への撤退を決めました。それは，多数の県民を戦禍に巻き込むことを意味していました。海軍部隊は26日に南部に移動しました。だが，この移動は第32軍の命令を誤解したものとされ，旧陣地にもどされてしまいました。海軍の役割は第32軍の後退を援護することにあったのです

　6月4日，米軍が小禄海岸に上陸し，激しい戦闘が繰り広げられました。5日，大田司令官は第32軍から南部への移動命令を受けましたが，これに従いませんでした。なぜでしょうか。定かではありませんが，海軍は精鋭部隊の陸戦隊への投入や移動命令の誤解問題など，第32軍の指揮や作戦に不満をもっていたからではないかといわれています。そのため，陸軍と最期を共にすることを潔しとせず，海軍の意志で「玉砕」を選択したというのです。

　そして6日，大田司令官は海軍次官あてに次のような電文を発信しました。

　「本来なら沖縄の現状は県知事より報告するべきであるが，県も第32軍も通信することができない状況なので，かわって申し上げるものである」と断った上で，沖縄県民が軍の作戦に献身的に協力したことや悲惨な状況におかれていることを細かく述べ，最後に「沖縄県民かく戦えり，県民に対し後世特別のご高配を賜らんことを」と結びました。

　この電文は，本土の新聞にも掲載され，次のように紹介されました。「沖縄県民は，やすやすと敵の軍門にくだり，日本軍に非協力的であったと言われてきたが，この報告により，それは単なる噂で，県民あげて軍に協力していることがわかった。本土でも沖縄県民にならって戦い，その仇を討とうではないか」というものでした。第32軍が「沖縄人をスパイ視」していたことはよく知られています。この電文から，第32軍首脳部と大田の沖縄戦に対する認識の違いが読み取れます。しかし，沖縄県民の献身的な協力の実態は，日本軍による住民の利用にほかならないことはいうまでもないでしょう。

　6月13日，大田司令官は豊見城の海軍司令部壕で自決しました。

写真の日本兵と思われる男性たちは，なぜフンドシ姿で投降（とうこう）してきたのでしょうか。（　　）

a．米軍のビラに「男は褌（ふんどし）もしくは猿股（さるまた）だけを着け」て投降するようにと書いてあったから。

b．ガマのなかはとても蒸し暑く，ずっと褌一丁で生活していたから。

c．着ているものを脱いで，褌一丁で洗濯しているときに見つかったから。

（沖縄県平和祈念資料館提供）

a．米軍のビラに「男は褌もしくは猿股だけを着け」て投
　降するようにと書いてあったから。

　米軍は住民や兵隊に投降を呼びかける心理作戦をとりました。日本軍捕虜や
沖縄人防衛隊員から得た情報をもとに投降ビラがつくられ，飛行機から投下さ
れました。当初，ほとんど効果はありませんでしたが，日本軍が劣勢になると，
日本兵捕虜による放送戦術と膨大な投降ビラの配布で，ぞくぞくと投降するも
のが増えていきました。

　写真のように，フンドシ姿になっているのは，投降ビラに「男は褌もしくは
猿股だけを着け，女は自分の着て居る着物で宜しい。直ぐ必要な着物をあげま
す」と，書いてあったからです。それに，放送で投降を呼びかけるときにも，
そのような指示をしていました。武器をかくしもたないようにさせることと，
長い間の洞窟暮らしで身につけているものが不衛生だったからだと思われま
す。

　米軍の上陸で，第32軍はその圧倒的な物量と破壊力によって壊滅させられま
した。そのため「生きて虜囚の辱めを受けず」の教えのもとに，戦場で亡くな
るものも少なくありませんでした。捕虜になると「非国民」のレッテルがはら
れ，家族にも迷惑がかかるからです。それでも，戦うのがいやになったり，日
本軍の作戦に矛盾を感じて「負ける戦で死ぬのは馬鹿らしい」と投降して捕虜
となる兵士もいたのです。

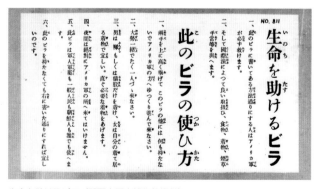

生命を助けるビラ（那覇市歴史博物館提供）

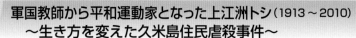

軍国教師から平和運動家となった上江洲トシ(1913〜2010)
〜生き方を変えた久米島住民虐殺事件〜

　上江洲トシは，1913年久米島に生まれました。幼いころは虚弱体質（きょじゃく）でしたが，物心つくころには男の子に負けないほど活発な子に成長していました。時代は皇民化教育の全盛時でした。

　1928年，トシは沖縄県女子師範（しはん）学校に進学し，皇国乙女（こうこくおとめ）に育てあげられていました。教職に就（つ）いたのは21歳の時です。沖縄島南部の小学校で2年間勤めた後，同郷の教師・上江洲智篤（ちとく）との結婚を機に久米島尋常高等小学校へ転勤になりました。日中戦争のはじまる前年のことです。当時の学校の一日は，登校すると奉安殿（ほうあんでん）に最敬礼し，大麻礼拝（たいまれいはい）と宮城遥拝（きゅうじょうようはい）で授業がはじまりました。トシも率先（そっせん）して子どもたちの指導にあたりました。

　沖縄戦が間近になると，久米島にも30人ほどの通信部隊が配置されました。1945年3月末，米軍の慶良間諸島上陸で沖縄の地上戦がはじまりましたが，久米島はそれほど被害は受けませんでした。久米島の悲劇は，日本軍の組織的戦闘が終結した6月23日以降，住民をスパイ視していた「友軍」によってもたらされました。米軍が上陸した翌日の6月27日，降伏勧告状（こうふくかんこくじょう）を届けに行った郵便局技師の安里正二郎（あさとせいじろう）を，鹿山隊長（かやま）は敵のスパイとして射殺したのです。これを皮切りに，次々と島の住民をスパイとして惨殺（ざんさつ）したのです。鹿山隊による蛮行（ばんこう）は，敗戦決定後の8月20日まで続き，その数は20人にもおよびました。トシもまた家族ともども虐殺（ぎゃくさつ）リストに上っていました。九死に一生をえたのです。

　日本復帰の直前，トシは新たな衝撃（しょうげき）に見舞われました。鹿山元・兵曹長（そうちょう）の居場所が確かめられ，テレビで被害者の遺族と対談することになりました。トシも久米島出身者として同席しました。鹿山隊長は「日本軍人として当然のことをしたまで」と発言し，沖縄の人びとの怒りを買いました。鹿山を決して許すことはできませんでしたが，「悪いのはそういう私をつくった教育だ」という言葉に，軍国主義教育の一翼（いちよく）を担ったトシはショックを受けました。退職後も「償（つぐな）いきれない思いを残したままだった」と著書に記しています。

　1976年，上江洲トシは家族の反対を押し切って県会議員に立候補し，

復帰後初の女性県議となりました。口癖（くちぐせ）であった「いなぐ（女）は平和のさちばい（先駆け）」を実践するためでした。2期8年，女性の地位向上と平和活動に全精力を傾け（かたむ），6歳未満戦災障害者補償を実現させるなど多くの成果を残しました。

久米島

本島

慶良間諸島

宮古島

石垣島

西表島

小浜島

1944年10月10日，米艦載機による激しい空襲は，沖縄の全住民に米軍の沖縄上陸が必至であることを強く感じさせました。県当局はもとより各学校では，天皇の分身とされた「御真影」を米軍から守ることが大問題となりました。

1945年1月，県当局は沖縄島中南部を主とした学校の「御真影」を，国頭郡羽地村源河山（現・名護市）の大湿帯にある沖縄県有林事務所に集めて警護することにしました。

敗戦によって，大湿帯に集められた「御真影」はどうなりましたか。（　　）

a．米軍に没収されたあと，嘉手納基地で焼却された。

b．警護担当者によって，焼却された。

c．警護担当者が自決したため，行方知らずになった。

奉護壕（名護市）
（名護市教育委員会提供）

b．警護担当者によって，焼却された。

　「御真影」を警護する奉護隊には，教育関係者があてられました。隊長に那覇国民学校長の渡嘉敷真睦，副隊長に瀬底国民学校長の新里清篤が命じられ，奉護員として7人の教師が任命されました。

　4月1日，米軍の沖縄島上陸によって本格的な地上戦が展開され，4月7日には名護にも上陸し，本部半島や羽地方面へ進撃を開始しました。隊長の渡嘉敷は，「米軍の上陸の確報を得たら，『御真影』を適当に処置するよう」県から指示を受けており，緊急会議を開いて対策を講ずることにしました。奉護していた「御真影」は，今上天皇（昭和天皇のこと）・皇后のほかに，明治天皇・皇后，大正天皇・皇后も含まれており，搬送しやすくするためひとまず台紙をはぎとって軽量化することにしました。ところが，作業なかばで米軍が迫ってきているとの知らせが入り，急遽，今上天皇・皇后の写真以外はすべて焼却することになりました。

　避難民の数は日をおって増え，奉護所周辺にまで入り込んできたため，4月10日，東村有銘国民学校の勅語謄本等奉安所に移動しました。その後，3回も奉護小屋を移動しながら80日間，戦勝を信じ困難な状況のなかで「御真影」の警護にあたりました。

　6月23日，牛島司令官の自決で日本軍の司令官指揮による組織的戦闘は終了しましたが，奉護隊がその事実を知ったのは6月29日のことでした。翌30日早朝，渡嘉敷は「御真影」の焼却を決意しました。副隊長だった新里清篤はそのときの様子を次のように述懐しています。

　「皇居遙拝，国歌奉唱の後，渡嘉敷隊長の手によって『御真影』の一葉に火が点ぜられた。全ご真影を焼却し終えるまでの嗚咽の声と頬を伝って流れる熱涙の思い出は，いまだに鮮烈である」（『傷魂を刻む』龍潭同窓会編）

　宮古では1944年11月，島内の「御真影」が集められて野原岳の奉安所に安置され，敗戦後の8月31日に日本軍将校の立会いのもとで焼却されました。八重山でも戦時中，於茂登岳の白山に集められていた「御真影」が戦後になって石垣国民学校に移され，1945年11月15日，宮鳥御嶽の境内で焼却されました。

　こうして皇民化教育の象徴だった「御真影」は焼却され，沖縄は天皇ファシズムの呪縛から開放されたのです。

ジンブン試し
Q.228

　2012年3月，沖縄県は「第32軍司令部壕説明板」に記された文面から，ある文言を削除して問題になりました。
　削除された文言とは何でしょうか。（　　）

第32軍司令部壕説明板（那覇市首里）

a．本土防衛のための捨石作戦。

b．慰安婦と住民虐殺。

c．日本国内唯一の地上戦。

b．慰安婦と住民虐殺。

　2012年３月，沖縄県は第32軍司令部壕を沖縄戦の実相を語る重要な戦跡や平和教育・学習の場として活用するために説明板を設置しました。

　説明板の文案は，県から委嘱された５人の有識者（説明板設置検討委員会）によって作成されました。説明板には，沖縄戦の実相を語る上で欠かせない事実として，壕に「慰安婦」が存在したこと，壕周辺で日本軍にスパイ視された住民が虐殺されたことが記載されていました。

　ところが，検討委員会がまとめた説明文から，「慰安婦」と「住民虐殺」に関する記述が削除されたのです。担当部署への抗議を受けてのものでした。検討委員会は記述回復を求めましたが，県は「慰安婦がいた事実を証明する文献，書類がない。虐殺についても，あった，なかった両方の証言がある」と，削除の方針を変えませんでした。

　第32軍壕に慰安婦がいたことは，様々な資料から確認されているうえ，2017年に亡くなった正子・R・サマーズさんの証言でも裏付けられています。住民虐殺があったことも様々な資料や証言で明確になっています。県は早急に説明板の記述回復に努めるべきでしょう。

沖縄戦では，日米あわせて20万人余の尊い生命が失われました。戦後すぐに県や地域住民の手で組織的な遺骨収集がはじめられましたが，2018年現在でも2868柱が未収骨になっています。（　　）

次の（1），（2）について，答えてください。

（1）現在でも遺骨収集は行われていますが，収集された遺骨のうち米兵のものと思われるのは何％でしょうか。（　　）

　a．ほとんどない　　b．5％　　　c．10%　　　d．15%

（2）科学技術の発達した現在では，ある方法で収骨された遺骨を遺族のもとへ返す努力がなされています。その方法とは何でしょうか。

（　　　　　　　　　　　　）

国内最大の激戦地となった沖縄では，日米あわせて20万トンもの爆弾・砲弾・地雷（じらい）などが使用されたといわれています。当時の技術水準から推定して，そのうちの5％にあたる1万トンが不発だったと想定（すいてい）されています。

激戦地として知られる那覇市の真嘉比でも，土地整理事業の際にたくさんの銃弾（じゅうだん）が収集されました。

日米の比率は何対何だったでしょうか。（　　）

　a．1対10　　　　b．1対50　　　　c．1対100

（1）　a．ほとんどない
（2）　ＤＮＡ鑑定

　　沖縄県平和記念財団によると，収骨対象遺骨は188,136柱で，2018年3月末までの収骨累計数は185,268柱，未収骨数が2,868柱となっています。収集された遺骨は遺族へ引き渡されることになっていますが，身元が判明しない遺骨については，糸満市の国立沖縄戦没者墓苑に納骨されています。2003年度からは，ＤＮＡ鑑定によって身元を確定し，遺族のもとへかえす制度も始められました。しかし，「名前のある遺品」が見つかっていることが条件となっているため，2018年度現在，身元特定に結びついた沖縄戦犠牲者は5件にとどまっています。

　　2019年3月，厚生労働省は沖縄戦遺骨収集ボランティア「ガマフヤー」の要請で，遺族が希望すれば県が保管している700柱や，県内各地の慰霊塔に納められた遺骨とのＤＮＡ照合を実施する方針を決めており，今後，戦没者の身元確認が進むことが期待されています。

c．　1対100

　　2017年度の沖縄県消防防災年報によると，復帰までに処理された不発弾は，住民などによって約3,000トン，米軍によって約2,500トンで，復帰後は自衛隊によって2017年度までに約2,037トンが処理されています。永久不明弾500トンが見込まれるとしても，なお1,963トン余の不発弾が埋没していると推定されています。

　　ガマフヤーの具志堅隆松さんは，激戦地だった那覇市真嘉比で「およそ20日間で，アメリカ軍の小銃弾が511発も出てきたのに対し，日本軍のものはたった5発，その割合は100対1でした」とその著書に記しています。いかに米軍が物量に勝っていたかを物語る資料といえましょう。

戦後世代が沖縄戦について学ぶ意義

　若い人たちと沖縄戦について話をしていると，よく次のような質問をされます。一つは，戦後生まれの若い世代にも戦争責任はあるのか，二つ目に，現代に生きる若者が75年も前の戦争にこだわるより，山積する今日の沖縄問題にこそエネルギーをそそぐべきではないか，ということです。平和教育にたずさわる者として，彼らの疑問に答えることによって，戦後世代が沖縄戦の実相を継承することの意義と責任について考えてみたいと思います。

　最初の戦争責任の疑問については，戦争をおこした責任は戦後世代にはないといえるでしょう。しかし，戦争がもたらしたことに対する責任が全くないとはいいきれません。旧西ドイツの元大統領リヒャルト・フォン・ヴァイツゼッカーは，戦争責任について「罪の有無，老幼いずれを問わず，われわれ全員が過去を引き受けねばなりません。全員が過去からの帰結にかかわりあっており，過去に対する責任を負わされているのです」と述べています。人間としての道義的な責任はもちろん，われわれは歴史の連続性で生きているのであり，先行世代の社会遺産を相続して現代社会を形成しているからです。その社会遺産には当然，負の遺産としての戦争責任も含まれています。したがって，いまだ解決してない日本軍「慰安婦」の補償問題をはじめ，アジア諸国の人びとから要求されている戦争中の被害に対する補償問題なども，われわれ戦後世代とは無関係ではありません。それどころか，これらの人びとに対し，どのような形で罪を償わなければならないか，その方法を模索し，解決していくことの責任をも担っています。そして，そのことを後世に伝える義務もあるのです。

　二つ目に，戦後世代が75年前の沖縄戦にこだわることの意味について考えてみましょう。歴史を一本の線にたとえると，わたしたちは日々刻々と進んでいる線の最前線にいることになります。その線は，時には屈折しながら，過去は現在を規定し，現在もまた未来を規定しながら進んでいます。わたしたちが過去をふりかえり，ある出来事について語ることは，現在の歴史観でその過去の歴史事実に評価を下していることになります。すなわち，現代に生きる若者は，過去の歴史事実に正しい評価を下す大き

な役割を担っているのです。この過去を見すえる目こそが現代を見つめる目であり，未来を見すえる目にほかなりません。もし，現代を生きる若者が，過去の歴史をどうでもいい出来事として関心をしめさなかったら，この若者が生きる現代と未来は，真実をどうでもいいと見た過去という鏡がそのいびつな姿をしっかりと映しだすでしょう。そこに，戦後世代が沖縄戦を学ぶことの大きな意義がみいだされるのではないでしょうか。

　沖縄戦についていえば，戦後50年ごろから堅く口を閉ざしていた戦争体験者が，重い口を開きはじめるようになりました。いまこそ，戦争体験者から沖縄戦の証言を聞きだす最後の重要な局面にさしかかっているといえましょう。また，この証言をどの視点から掘り起こし，どう意義づけるかも戦後世代にあたえられた課題の一つなのです。

　たとえば，日本軍「慰安婦」については，古くから知られていたことですが，これが社会問題となったのは戦後40年目くらいからでした。戦後の民主主義社会のもとで女性の地位が向上し，社会的・文化的に形成された性差別を問題とするジェンダーの視点が芽生えたことで，当時は問題にならなかった日本軍「慰安婦」に対する犯罪性を暴き出すことができたのです。と同時に，「慰安婦」としての辛い過去を引きずってきた彼女たちに，人間としての尊厳をとりもどすべく社会的発言権をもたらすことができたのです。戦争責任を客観的に見すえようとする戦後世代の視点が，大きな役割を果たした事例といえるでしょう。

　沖縄戦についていえば，戦争責任を含む沖縄人自身の戦争に対する問題意識が十分に検証されていない，という問題もあります。たとえば，近代日本の軍国主義政策を忠実に受け入れ，県民を積極的に戦場へ駆り立て，捕虜になることよりも自決を強要した指導層の責任。このような政策のもとで，戦闘に参加・協力した一般の人びとの戦争に対する認識。また，「琉球併合」以後の，本土への同化政策・皇民化政策を受け入れていった沖縄人の内面。そういったことが，十分に検証されていないのではないか，ということです。

　これらの問題を追究することも，戦後世代の仕事と言えるのではないでしょうか。

まとめクイズ（5）

次の文を読み正しいものには○，誤っているものには×
で答えてください。

1　1945年3月26日，米軍が慶良間諸島に上陸し，沖縄の地上戦がはじまった。（　　）

2　米軍は沖縄攻略作戦のことを，オレンジ・プランと呼んだ。（　　）

3　日本軍は南西諸島におしよせる米艦隊を撃滅させるため，「天一号航空作戦」という陸海軍の航空機による体当たり攻撃をおこなった。（　　）

4　1945年4月1日，米軍は沖縄島中部の西海岸に上陸した。（　　）

5　伊江島は米軍に占領されたあと，住民は慶良間諸島に移動させられたため，島は米兵だけになり，日本人は一人も残っていなかった。（　　）

6　沖縄戦は，本土防衛のための捨石作戦であった。（　　）

7　沖縄戦は日本国内唯一の地上戦であった。（　　）

8　沖縄戦は，軍官民共生共死の一体化で行われた。（　　）

9　沖縄戦は1945年6月23日に終わった。（　　）

10　日本軍は沖縄住民をスパイ視していた。（　　）

11　日本軍の中には，沖縄出身兵士はいなかった。（　　）

12　沖縄戦では，正規の軍人よりも一般住民の犠牲者のほうが多かった。

（　　）

13　米兵は紳士的であり，住民を虐殺したり女性を強姦したりする者はいなかった。（　　）

14　沖縄にも朝鮮半島出身の日本軍「慰安婦」や「軍夫」が連れてこられたが，沖縄の人たちは彼らを差別することなく，親切にしてあげた。（　　）

15　宮古・八重山では，米軍による地上戦はなかったが，艦砲射撃や空襲が激しく，戦争マラリアの数倍の犠牲をだした。（　　）

16　学童疎開で引率者として九州へ行った教師が一番おどろいたのは，校長や教師が方言で話しをしていたことであった。（　　）

17　日本兵のいなかった地域では，米軍が上陸しても「強制集団死」は起こ

らなかった。（　　）

18　沖縄戦では日系二世の兵士が命がけで日本兵・住民へ投降（とうこう）をよびかけ，多くの命を救った。（　　）

19　米兵は住民を救助したが，日本兵には住民の自決をやめさせたり，投降をすすめたりする者はいなかった。（　　）

20　米軍は沖縄戦で非常に多くの戦闘神経症患者をだした。（　　）

21　戦場では戦果と称して，死体から金歯・銀歯を抜き取る兵士もいた。

（　　）

22　米軍は沖縄戦を「乱暴者のはびこる無法地帯」とか「太平洋の地獄」などと表現した。（　　）

23　遺骨収集は現在も続いているが，米兵の遺骨はほとんど発見されていない。（　　）

24　現在のところ，ＤＮＡ鑑定で身元が判明し，遺族の元へ返された遺骨は一件もない。（　　）

25　激戦地だった那覇市真嘉比地区では，再開発工事の際にたくさん銃弾がでてきた。その比率は，日米で１対100であった。（　　）

26　十五年戦争の全体で，沖縄県民の二人に一人が亡くなった。（　　）

27　「平和の礎」に刻銘された県外戦没者は，北海道が一番多い。（　　）

28　「平和の礎」には，沖縄戦の最高責任者であった，牛島満中将の名前は刻銘されていない。（　　）

29　「平和の礎」には，沖縄戦で亡くなったすべての人の氏名が刻銘（こくめい）されることになっているが，沖縄県出身者については，1931年９月18日から1945年９月７日までの間に，県内外において戦争が原因で亡くなった人と，終戦後おおむね１年以内に亡くなった人なども刻銘の対象にしている。

（　　）

30　「平和の礎」には，2020年現在で約20万人の戦没者・犠牲者の名前が刻銘されている。（　　）

31　沖縄の指導的立場にあった人びとは，戦後その責任を問われて一切の公職から追放された。（　　）

32　不発弾を処理するのに，あと50年以上はかかるといわれている。（　　）

次の慰霊塔に関する説明として，正しいものを語群から選んでください。

①魂魄の塔（　　　）

②南北の塔（　　　）

③京都の塔（　　　）

④南冥の塔（　　　）

〔語群〕

a．日系2世の元・米兵が建てたといわれている塔。

b．碑文に沖縄住民の被害と戦争の反省が刻まれている。

c．糸満市真栄平集落の人びとが建てた塔で，北海道のアイヌの犠牲者も祀られている。

d．戦後まもなく建てられて塔で，沖縄県民の慰霊塔ともいわれている。

A231

1 (◯)	2 (×)	3 (◯)	4 (◯)	5 (×)
6 (◯)	7 (×)	8 (◯)	9 (×)	10 (◯)
11 (×)	12 (◯)	13 (×)	14 (×)	15 (×)
16 (◯)	17 (◯)	18 (◯)	19 (×)	20 (◯)
21 (◯)	22 (×)	23 (◯)	24 (×)	25 (◯)
26 (×)	27 (◯)	28 (×)	29 (◯)	30 (×)
31 (×)	32 (◯)			

A232

①魂魄の塔 (d)　　②南北の塔 (c)

③京都の塔 (b)　　④南冥の塔 (a)

魂魄の塔：沖縄戦が終結した直後，米軍によって南部の激戦地あとに移された旧・真和志村の人々が遺骨を収集して建てた塔。沖縄県民の慰霊の塔といわれています。

南北の塔：沖縄島南部の真栄平集落に建てられた慰霊塔。真栄平集落周辺は，軍司令部が摩文仁へ撤退したとき，戦闘の最前線になった地域で多くの住民が亡くなりました。戦後，真栄平集落の人びとが建てた塔で，アイヌの犠牲者も多く祀られていることから，アイヌと沖縄の友好のシンボルとも言われています。

京都の塔：激しい地上戦が展開された沖縄には，さまざまな「慰霊塔」が建てられています。しかし，ほとんどの塔の碑文が殉国美談でつづられ，戦争の反省が記されていません。そのなかで，京都の塔には「多くの沖縄住民も運命を倶にされたことは誠に愛惜にたえない」と，沖縄県民の被害にふれ「再び戦争の悲しみが繰り返されることがないように」という反省が刻みこまれています。

南冥の塔：1945 年 9 月 14 日，沖縄戦に参加したタツオ・ヤマモトという日系二世の米兵が，退役後に沖縄を訪れて建てたといわれている慰霊の塔。ヤマモトは，南部戦線で母親の死体にすがりついて泣きじゃくっている 2, 3 歳の幼女をみつけました。しかし，助けることはできませんでした。そのことが彼を悩ませ，戦後，遺骨を収集して塔を建てさせることになったということです。

謎解きジンブン塾

第6章

戦後沖縄編(1)

〜米軍支配下の沖縄〜

本土	沖縄	西暦	出　来　事
昭		1946	マッカーサー，日本と南西諸島の行政分離宣言
		1947	天皇メッセージ，米国務省へ通達
		1949	米国，沖縄の長期保有を決定。本格的な米軍基地建設はじまる
		1950	群島政府の知事および群島議会議員選挙
		1951	沖縄群島議会，日本復帰要請決議。琉球臨時中央政府発足，主席に比嘉秀平。日本復帰促進期成会（沖縄群島有権者の72%の署名集める）
	戦	1952	琉球政府発足（主席・比嘉秀平）
		1953	第一回祖国復帰県民総決起大会。土地収用令公布，土地の強制収用行われる。奄美群島日本復帰
		1954	アイゼンハウアー米国大統領，「沖縄を無期限に管理する」と言明。米民政府，地代一括払いの方針発表。立法院で「土地四原則」を打ちだす
	後	1955	伊江島・伊佐浜の土地強制収用（武装米兵出動）アジア諸国会議，沖縄の即時日本返還要求を決議。米兵による幼女殺害事件おこる。プライス調査団来沖，軍用地問題を調査
和		1956	プライス勧告発表，土地問題四原則をほとんど否定。プライス勧告に反対する"島ぐるみ闘争"おこる
	沖	1957	高等弁務官制度実施
		1958	通貨B円からドルへ切り替え
		1859	石川市宮森小学校に米軍機墜落（死者17人，負傷者121人）
		1960	沖縄県祖国復帰協議会結成。アイゼンハウアー米大統領沖縄訪問
	縄	1963	キャラウェイ高等弁務官，沖縄の「自治神話」演説
		1965	佐藤首相来沖，「沖縄の祖国復帰が実現しないかぎり，日本の戦後はおわらない」と声明
		1967	教公二法案審議をデモ隊が実力で阻止
期		1968	アンガー高等弁務官「基地撤去はイモとはだしにもどること」と演説。初の公選主席に屋良朝苗（革新）当選。嘉手納基地でB52墜落炎上
		1969	佐藤・ニクソン会談で沖縄の72年返還決まる
		1970	戦後初の国会議員選挙実施コザで反米騒動発生。人口94万5465人
		1972	施政権が日本に返還され，新生沖縄県誕生。通貨交換はじまる。新知事に屋良朝苗当選

30　米軍支配のはじまり

戦後の焼け跡から沖縄はどのように立ち上がったのか

　沖縄島中部の西海岸に上陸した米軍は，読谷村比謝に軍政府を設置し，南部の知念地区をはじめ中部地区の石川，北部地区の辺土名など12地域の各区に収容所を設置しました。沖縄戦によって難民となった人びとは，これらの収容所に送りこまれました。沖縄戦の末期になると，収容所は山中や壕（ガマ）のなかに身を隠していた人びとが続々と投降してきてあふれ返りました。

　その間，米軍は広大な軍事基地を囲い込んでいました。

　荒れ狂う "鉄の暴風" に打ちひしがれた沖縄の人びとにとって，収容所生活も平穏なものではありませんでした。雨露を凌（しの）ぐだけのテントのなかに押し込められ，わずかな食糧で毎日を暮らさなければならず，マラリアや傷病（しょうびょう）が原因で亡くなる人もいました。また，しばしばおこった米兵による殺傷事件や女性への暴行事件は人びとを苦しめました。

　収容所に収容されていた人びとは，1945年10月ごろから，それぞれの居住地へ帰ることが許されました。敗戦のショックから覚めやらぬまま住宅を建て，焼け野原となった田畑を耕（たがや）す者，漁に出る者，軍作業員となって働く者と，心を癒（いや）すまもなく荒廃（こうはい）したふるさとの復興にとりくみました。なかでも教育には力をいれ，村人の共同作業で，馬小屋教室（うまごやきょうしつ）とよばれた茅葺（かやぶ）きの校舎が建てられました。「二度と子供たちを戦場に送らない」ために，ガリ版刷りの教科書で民主主義の精神は，次代を担う子どもたちの心にしっかりと植えられていきました。

　また，こうした厳しい状況のなかで，激戦地だった沖縄島の中・南部の人たちは，肉親や同胞（どうほう）の遺骨を収集し，そまつながらも慰霊碑を建ててその霊をなぐさめることも忘れませんでした。

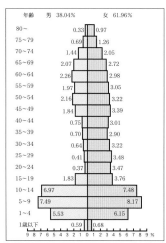

沖縄戦直後の人口ピラミッド
（米海軍軍政府厚生部調べ）
（1945年8月）

村々には，戦地や疎開先から人びとがもどり，島にもようやく活気にみちた笑い声が聞こえるようになりました。しかし，戦争で深く傷つけられた沖縄の人びとの精神と肉体が完全に癒されるには，それから長い年月が必要でした。いまだにその後遺症に苦しめられている人も少なくありません。

── 復興の象徴・首里城外苑のアカギ ──

沖縄戦で焼かれた大アカギ
（那覇市歴史博物館提供）

「沖縄戦復興のシンボル」といわれる枯木を支えるアコウ

　沖縄戦で首里城一帯は焼け野原となりました。園比屋武御嶽の裏手から円鑑池にかけての傾斜地は，通称・ハンタン山とよばれ，戦前はアカギの大木が生い茂る鬱蒼とした林でした。左の写真は，沖縄戦で焼かれた大アカギです。この大アカギは沖縄戦復興のシンボルといわれ，戦後発行された『読方本』八年生の教科書でも，次のように記されています。

　「焼け焦げた赤木の根からは，みづみづしい芽が勢いよくのびた。陽光を浴び清水を吸うて，新しく大木の芽はあの大きな根から萌え出てきた。天空に聳えんとする若々しい意気がその一葉一葉に燃えている。」

　実は，この大木はアカギではありません。木の横に掲げられた説明板には，「歴史を語るアカギの大木」と題して，次のように記されています。

　「このアカギはトウダイグサ科の常緑広葉樹で，戦前まで約1メートルもの太い枝を首里城の城壁までのばし，道行く人びとに涼しい木陰を提供していましたが，去る沖縄戦によって焼かれてしまい，枯れた幹だけが残りました。戦後，幹も台風で途中から折れてしまいましたが，その後，アコウ（クワ科）が寄生し，昔の面影をとどめています。」

　枯木をしっかりと抱きかかえるようにそびえ立つ，この木こそ「戦後復興のシンボル」ではないでしょうか。

ジンブン試し

Q.233

　1944年10月，米軍は沖縄を占領するにあたって，『琉球列島に関する民事ハンドブック』を作成しました。その際，彼らが参考にしたのは沖縄に関する日本の文献資料でした。

　沖縄人は日本国内でどのように扱われていると記しているでしょうか。（　　）

a．田舎から出てきた貧乏な親戚として扱われ，差別されている。

b．琉球人と日本人の祖先は同じであり，同等の仲間として扱われている。

c．琉球人は中国人の血を引いており，同等とはみなされていない。

ジーブン話 おまけ ── もう一つの焼けたアカギ ──

　2004年8月13日，普天間飛行場所属の大型輸送ヘリコプターが，訓練中にコントロールを失い，沖縄国際大学本館に衝突し墜落炎上しました。搭乗者3名の兵士は負傷しましたが，大学の職員や学生に負傷者いませんでした。

　この事故によって本館ビルは使用できなくなり，学術情報ネットワークが切断されましたが，米軍や日本政府関係者からの謝罪はありませんでした。

　米軍は事故直後から一方的に現場一帯を占拠し，大学関係者や警察，消防などを排除して事故処理にあたりました。これは日本の施政権や大学の自治を侵害するものだとして抗議しましたが，日米地位協定に阻まれてしまいました。

沖国大の焼けたアカギ

事故の原因は整備ミスとされていますが，機体の燃焼による放射能汚染の疑いも指摘されるなど全容解明とはいきませんでした。

　沖縄国際大学は，普天間基地の返還を要求するとともに，事件を記憶として残していくために，焼けたアカギの周辺を整備してモニュメントを設置しました。

a．田舎から出てきた貧乏な親戚として扱われ，差別され
ている。

　1944年10月，米海軍は沖縄を占領するにあたって，人類学者ジョージ・P・マードック(注)ほか，それぞれの専門知識をもった将校に命じ，沖縄の歴史・地誌・政治・経済等に関する『琉球列島に関する民事ハンドブック』を作成させました。軍政・民政による沖縄統治の基礎資料にするためでした。彼らが参考にした資料は，1934年から1940年にかけて刊行された沖縄に関する日本の文献資料（数百冊）でした。

　米軍はアジアにおける沖縄の戦略的位置を重視しており，沖縄を日本本土から切り離して統治しようと考えていました。その決定を後押ししたのが，『琉球列島に関する民事ハンドブック』でした。沖縄は日本に併合された県であり，沖縄人は「田舎から出てきた貧乏な親戚として扱われ，いろいろな方法で差別さている」ことが記されていました。これによってマッカーサーも，「沖縄人は日本人ではない」とみなし，日本から切り離しても大きな反対はなく，沖縄住民の抵抗も強くはないと確信したのです。

（注）戦後アメリカの民俗学会，人類学会の会長を歴任。家族構成の形態としてはじめて「核家族」の概念を用いたことで知られています。

《史料》　　米軍の沖縄人観

日本人と琉球島民との密着した民族関係や近似している言語にもかかわらず，島民は日本人から民族的に平等だとはみなさていない。琉球人は，その粗野な振る舞いから，いわば「田舎から出てきた貧乏な親戚」として扱われ，いろいろな方法で差別されている。一方，島民は劣等感など全く感じておらず，むしろ島の伝統と中国との積年にわたる文化的なつながりに誇りを持っている。よって，琉球人と日本人との関係に固有の性質は潜在的な不和の種であり，この中から政治的に利用できる要素をつくることが出来るかも知れない。島民の間で軍国主義や熱狂的な愛国主義はたとえあったとしても，わずかしか育っていない。

沖縄県史　資料1『民事ハンドブック』沖縄戦1(和訳編)より

次の図は，戦後はじめて作られた初等学校1年生の教科書「ヨミカタ」の第1ページに描かれたものです。

　空欄には文字（カタカナ）が入りますが，何と書いてあるでしょうか。

ガリ版刷りの教科書

a．アヲイ　ソラ　ヘイワナ　シマ

b．ヒロイ　ウミ　ノドカナ　シマ

c．アヲイ　ソラ　ヒロイ　ウミ

A.234 c. アヲイ　ソラ　ヒロイ　ウミ

　1945年年8月1日，米軍のハンナ少佐が中心となって石川市東恩納の軍政府内に，沖縄教科書編集所が設置されました。そこから沖縄独自の教科書作りがはじまりました。

　軍政府は，軍国主義的内容や日本的な内容の教科書は認めませんでした。また，日本と沖縄の分断政策もあって，「国語」という表現も許さず「読み方」に統一されました。『おもろさうし』の「あけもどろ」という表現さえ，日本の国旗「日の丸」をイメージさせるとして拒絶したのです。

　沖縄県師範学校女子部の教師だった仲宗根政善は，軍国主義教育を反省し，沖縄の未来を担う子どもたちのために，新しい教科書作りに取り組みました。

　戦争が終わり，壕（ガマ）の闇から開放された人びとの目に，青い空と広い海のまぶしさが強烈に焼きつきました。鉄の暴風が去り，ようやく平和がおとずれたのです。仲宗根は，初めて文字を習う初等学校一年生「ヨミカタ」の第一ページに，「アヲイ　ソラ　ヒロイ　ウミ」と記しました。焼け野原となった首里で見た青い空と広い海に，平和の尊さを感じたのでした。

　仲宗根らが書いた教科書は米軍の検閲をうけ，ガリ版刷りで作られました。しかし，すべての子ども達に教科書やノートがゆきわたるはずはなく，青空のもと，子どもたちは大きな声で字を読み，砂地に書いて覚えていったのです。

「致和」と書かれた写真の扁額に，丸い穴があいています。どうしてこのような穴があけられたのでしょうか。考えてみてください。（　　）

※　扁額のサイズは，縦40ギン，横116ギン（沖縄県立博物館・美術館提供）

a．「致」のつくりの部分が気に入らなかった。

b．アメリカ兵がトイレの便器に使った。

c．虫食いが偶然に丸い形になった。

205

b．アメリカ兵がトイレの便器に使った。

　この扁額は，西原町にある内間御殿（うちまうどぅん）に掲げ（かか）られていたものです。内間御殿は，尚円王ゆかりの旧宅で，しばしば改装されました。1738年に尚敬王（第二尚氏王統・13代国王）が改修工事の完工を記念して「先王旧宅碑記」を建立し，王直筆による「致和」の扁額を掲げたといわれています。

　沖縄戦で木造建築物は破壊されましたが，さいわい扁額は消失を免れました。しかし，このように「致」のつくりの部分が丸くきりぬかれてしまいました。米兵たちがトイレの便器に利用したためだといわれています。

　ちなみに，「致和」とは中国の古典「大学」からの引用で，世の中が穏やかで平和なようすという意味です。

　博物館ではあえて無造作に展示されています。「それは貴重な文化財も，戦争においてはいとも簡単に破壊されるというメッセージを込め，二度と戦争が起こらない世の中を願う意思を表した」ものだということです。

西原の内間御殿

日本が敗戦をむかえた1945年8月15日，沖縄島中部にお
かれた石川の民間人収容所で，戦後沖縄の行政組織を設立す
るための機関として，沖縄諮詢会が設けられました。
その委員長となった人物は誰でしょうか。（　　）

沖縄諮詢会の結成（沖縄県立博物館・美術館提供）

a．志喜屋孝信　　　b．比嘉秀平　　　c．当間重剛

a. 志喜屋孝信

　日本が敗戦をむかえた1945年8月15日，沖縄島中部におかれた石川の民間人収容所では，米軍政府の招集（128人）による戦後はじめての全島住民代表者会議がひらかれました。海軍軍政府による「新沖縄建設」の基本方針を伝えるためでした。

　会議の結果，中央政府を設立するための準備機関として，沖縄諮詢会（おきなわしじゅんかい）が設置されることになりました。20日には第2回の会議が開かれ，志喜屋孝信（しきやこうしん）を委員長とする15人の委員が選出されました。

　その後，志喜屋は初代・沖縄民政府知事となり，1950年に沖縄最初の大学である琉球大学の初代学長に迎えられました（p.219 ～ 220参照）。

志喜屋孝信先生之像（うるま市役所）

沖縄諮詢会の委員のほとんどが教職出身者・県会議員経験者・報道関係者でした。なぜ沖縄県庁の職員や経済界の人たちがいなかったのでしょうか。（　　）

a．公務員や経済人は，戦争責任者とみなされていたから。

b．米軍に処罰されると考え，希望者がいなかったから。

c．公職者や実業家の多くが，本土へ引き上げていたから。

ｃ．公職者や実業家の多くが，本土へ引き上げていたから。

　沖縄戦がはじまる前に，本土出身者の多くが本土へ引き揚げていたため，委員のほとんどが県出身の教職関係者・県会議員経験者・報道関係者でした。戦争で多くの人材が失われたこともありますが，戦前の沖縄県庁は他府県人で占められ，経済界でも鹿児島商人が主導権を握っていたので，政治・経済面の有識者が少なかったためでした。

　沖縄諮詢会は，わずか半年の間に，配給機構の整備，財政計画，戸籍法の整備，住民の居住地への移動，警察学校・文教学校・英語学校の設立，教科書の編集など，戦後行政の基本的な事業を集中的にこなしました。軍政府も，このような沖縄人の行政能力を高く評価しました。

 **なかなか校名が出てこない校歌が伝えたいことは？**

　「世紀の嵐吹きすさみ　故山（そうもくかたちか）の草木貌変え　千歳（ちとせ）の伝統うつろいて　ふりぬる跡も今はなし」（沖縄戦による鉄の暴風で，故郷の姿は変わりはて，長年の伝統も色あせて面影すらない）。沖縄県立那覇高等学校の校歌の最初の歌詞です。作詞者は初代校長・真栄田義見先生です。

　1番の歌詞で，沖縄戦で焦土と化した故郷を描いた後，2番，3番の歌詞で復興する沖縄の姿をうたっていますが，校名は出てきません。4番の歌詞で「雨にも風にも嵐さへ　たゆまず進む学の道　結ぶ心のゆたかにも　励まし励む那覇高校」と初めて校名がうたわれ，最後（5番）に「世界に伍する高き道」へ進め，と締めくくっているのです。

　戦後，旧制中学校（二中）から新生那覇高校をスタートさせる際，真栄田校長は次世代へのメッセージとして，沖縄戦の悲惨な実相と，そこから這（は）い上がる人びとの姿を記憶として校歌に刻むとともに，「しっかりと学問を修め，臆することなく世界へ羽ばたけ」と，新しい時代の若者像を示したのではないでしょうか。

1945年9月には，各収容所(12市)で市長と市会議員の選挙が実施されました。その際，満25歳以上の女性にも選挙権が与えられましたが，それはどのようにして決められたのでしょうか。（　　）

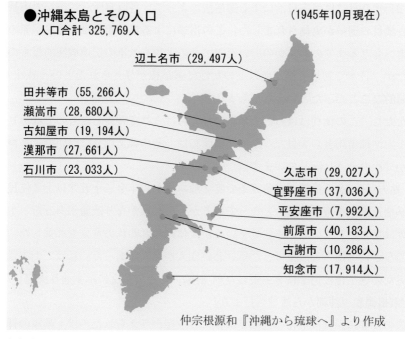

●沖縄本島とその人口 　　　　　　　　　　（1945年10月現在）
人口合計　325,769人

辺土名市（29,497人）

田井等市（55,266人）
瀬嵩市（28,680人）
古知屋市（19,194人）
漢那市（27,661人）
石川市（23,033人）

久志市（29,027人）
宜野座市（37,036人）
平安座市（7,992人）
前原市（40,183人）
古謝市（10,286人）
知念市（17,914人）

仲宗根源和『沖縄から琉球へ』より作成

収容所の地図

a．米軍の押し付けによって決められた。

b．沖縄諮詢会の議論によって決められた。

c．日米両政府の話し合いによって決められた。

b．沖縄諮詢会の議論によって決められた。

　1945年9月には地方自治による選挙法によって，各収容所（12市）で市長と市会議員の選挙が実施されました。この選挙による自治組織は，住民が元の居住地へもどるまでのわずかのあいだで，その役割も米軍の伝達機関的なものでしたが，日本で初めて満25歳以上の女性に選挙権が与えられたという意味で，画期的なことだったといえるでしょう。

　ただし，この権利はけっして米軍に押し付けられて獲得したものではありません。沖縄諮詢会の委員だった仲宗根源和は，その条文成立について，著書のなかで次のように記しています。

　「地方行政緊急措置要綱第五条で其ノ地ニ於ケル年令二十五才以上ノ住民ハ選挙権及被選挙権ヲ有ス，となっているが，これはかなり議論があった。アメリカは参考としていろいろ意見をいうが大体はわれわれの意見を尊重した。委員のなかには婦人参政権はまだ早いという人が幾人かあった。私は二十才以上の男女の選挙権被選挙権を主張したが，討論のあとで条文に示す通り決定した」（仲宗根源和『沖縄から琉球へ』より）

　このように，戦後最初の選挙で女性に参政権が与えられたのは，米軍の押し付けではなく，沖縄人による諮詢会での議論によって決められていたのです。

1946年4月，沖縄諮詢会は沖縄民政府となり，沖縄議会も設置されました。しかし，知事と議員は沖縄住民が選挙で選ぶ公選制ではなく，米軍による任命制でした。

　米軍は沖縄に民主主義をもたらす約束をしていたのですが，それはあくまでも軍政下における制限された自治権にすぎませんでした。

　次のなかで，そのことを象徴する米軍政府の高官の言葉を選んでください。（　　）

沖縄民政議会（那覇市歴史博物館提供）

a．軍政府はネコで沖縄はネズミである。ネズミはネコの許す範囲内でしか遊べない。

b．軍政府は主人で沖縄人は奴隷である。奴隷は主人の許す範囲内の発言しかできない。

c．軍政府は王で沖縄は臣下である。臣下は王の許す範囲内でしか行動できない。

A 239

　　　a．軍政府はネコで沖縄はネズミである。ネズミはネコの
　　　　許す範囲内でしか遊べない。

　1946年４月，沖縄諮詢会は沖縄民政府となり，沖縄議会も設置されました。民政府の知事には志喜屋孝信が任命され，議会議員も軍政府から任命されました。７月には軍政が海軍から陸軍に移管されることになっていたので，海軍はその前に自らの手で沖縄の行政機構を整備しておきたかったのです。

　沖縄住民の願いであった，知事と議員の公選制が実現できなかったことにより，米軍が標榜していた民主政治の理想は遠のき，沖縄の政治は戦前同様の体制に逆戻りすることになりました。

　米軍政府のＪ・Ｔ・ワトキンス少佐は，1946年４月「米国では民衆の声を重要視しているが，沖縄は敵国であるので民衆の声はない。米軍政府は猫で沖縄は鼠である。猫の許す範囲内でしか鼠は遊べない。講和条約が結ばれるまでは，民衆の声を認めるわけにはいかない」と述べ，占領意識まるだしの発言をしたのです。

　しかし，講和条約が締結されても，米軍による沖縄への圧政が変わることはありませんでした。

 **沖縄戦で消滅した泡盛は，
どのように復興したのか**

　沖縄戦は，沖縄島内に約70軒あった酒造所も破壊しました。戦後，酒造関係者たちは泡盛を復興させようとしましたが，肝心の黒麹菌がありません。黒麹菌は沖縄だけに分布する麹菌で，澱粉の分解力が強くクエン酸をたくさん作りだして雑菌を抑えるため，温暖な沖縄の泡盛づくりにはもっとも適していました。

　1946年，首里の佐久本酒造(現・咲元酒造) ２代目の佐久本政良さんは，廃墟となった酒造場で，蒸し米に黒麹菌をまぶすときに使うニクブク（むしろ）を発見しました。幸いにも黒麹菌が生きたまま付着していました。「これで泡盛がつくれる」。佐久本さんは男泣きしました。こうして，戦後の泡盛づくりが始まったのです。さらに1998年には東京大学分子細胞生物学研究所に戦前の黒麹菌が保存されていることがわかり，戦前の味も復活させることができたのです。

ジンブン試し
Q.238

　1949年5月，アメリカ大統領は沖縄を日本から切り離し，長期的に保有して基地の拡大強化を図るという政策を決定しました。これには日本側からのあるメッセージが大きく影響したといわれています。
　そのメッセージとは何でしょうか。（　　）

（沖縄県公文書館提供）

a．日本国民が，日本の社会主義化を防ぐために琉球諸島の占領を長期にわたって継続するよう希望しているという「国民メッセージ」。

b．沖縄県民が，琉球政府設立のために琉球諸島の占領を長期にわたって継続するよう希望しているという「琉球メッセージ」。

c．昭和天皇が，アメリカによる琉球諸島の占領を長期にわたって継続するよう希望しているという「天皇メッセージ」。

c．昭和天皇が，アメリカによる琉球諸島の占領を長期
にわたって継続するよう希望しているという「天皇メッ
セージ」。

1949年5月，アメリカ大統領は沖縄を日本本土から切り離し，長期的に保有
して基地の拡大強化をはかるという政策を採用しました。これによって沖縄は，
「太平洋の要石」に変貌させられることになったのです。

この米国の沖縄支配を決定づけた日本側の考えとして，宮内庁の御用掛だっ
た寺崎英成がＧＨＱの政治顧問シーボルトに伝えた天皇メッセージ（1947年9
月20日）があります。その内容は，次のとおりです。

「寺崎氏は，米国が沖縄その他の琉球諸島の軍事占領を継続するよう天皇が
希望していると，言明した。天皇の見解では，そのような占領は，米国に役立
ち，また，日本に保護をあたえることになる。天皇はそのような措置は，ロシ
アの脅威ばかりでなく，占領終結後に，右翼および左翼勢力が増大して，ロシ
アが日本に内政干渉する根拠にできるような"事件"をひきおこすことをおそ
れている日本国民のあいだで広く賛同をうるだろうと思っている。

さらに天皇は，沖縄（および必要とされる他の島々）に対する米国の軍事占
領は，日本に主権を残したままでの長期租借―25年ないし50年あるいはそれ以
上―の擬制にもとづくべきであると考えている。天皇によると，このような占
領方法は，米国が琉球諸島に対して永続的野心をもたないことを日本国民に納
得させ，また，これにより他の諸国，とくにソ連と中国が同様の権利を要求す
るのを阻止するだろう。」

このメッセージの意図については，（1）沖縄を米軍に提供することで，天
皇制の維持と日本の独立をはかろうとした，（2）アメリカの沖縄占領に対し，
その主権だけは日本に残そうとした，（3）ソ連と中国による沖縄獲得を阻止
しようとした，ことなどが考えられています。いずれにせよ，そのことが，ア
メリカの沖縄の長期保有決定に影響をあたえたことは間違いないと思われま
す。

1948年，戦後の沖縄の惨状を聞いたハワイの県系人が，故郷のために寄付金を集めてあるものを買い求め，沖縄に送ってくれました。

あるものとは何でしょうか。（　　）

a．550頭余のブタ。

b．500トン余の米。

c．50万本余のエンピツ。

a．５５０頭余のブタ。

1945年，沖縄は米軍の猛攻によって灰塵（かいじん）に帰しました。ウチナーンチュ移民の多いハワイでは，荒廃した故郷を救おうと多くの団体が設立されて募金活動が行われました。その中の一つ，ハワイ連合沖縄救済会は"種豚を沖縄に送る"という計画を立てました。

彼らは精力的に募金活動を展開し，５万ドルを集めました。このお金で米国本土の養豚業者から550頭の種豚（１頭当たり60ドル）を購入し，1948年夏，７人の会員が沖縄に向かいました。途中，嵐に襲われたりして何度も危険な目にあいましたが，３週間後に無事，勝連のホワイトビーチに入港することができました。陸揚げされた豚は，人口に応じて各市町村に配分されました。

うるま市に建立された『海から豚がやってきた』記念碑に，「ハワイのウチナーンチュが決死の覚悟で送り届けたブタは，沖縄の養豚業を復活させ食糧難を解消するなど，戦後復興に大きく貢献するとともに，沖縄の豚食文化を絶やすことなく今に継承するという大きな役割を担いました（部分）」と記し，彼らへの感謝と功績をたたえています。

「海から豚がやってきた」記念碑（うるま市）

志喜屋孝信(1884～1955)：教育熱心な「ライオン」先生，戦後の初代知事となる

　志喜屋孝信は沖縄島中部の具志川に生まれました。

　志喜屋家はもと首里の士族でしたが，曽祖父の代に農地を求めて具志川に移住していたのでした。

　両親は教育熱心で，孝信も学校の成績は優秀でした。1904年に県立中学校から難関の広島高等師範学校に進学しました。在学中にキリスト教徒の内村鑑三の著書にふれ，人間愛の尊さを学びました。これが教育者としての孝信の生き方に大きな影響を与えたのです。

　1908年に広島高師を卒業すると，本土の旧制中学校に三年間勤め，1911年に沖縄県立第二中学の創設にともなって赴任しました。ところが，政治的な駆け引きで二中（現在の那覇高校の前身）が嘉手納に設置されると，中途退学者の増加と入学志願者の減少で学校経営はたちまち窮地に陥りました。県は1916年に，二中を縮小してその構内に県立農学校を併置する措置をとりました。

　これに不満をもった生徒達は，このままでは廃校になるとストライキで対抗し，孝信ら学校関係者も県に二中存続を強く働きかけました。その結果，二中は那覇に移転することになったのです(P.66参照)。

　このような問題もあって，孝信は二中を発展させるためには上級学校にたくさんの生徒を送りこまなければならないと考え，徹底した英才教育を行いました。その指導があまりに厳しかったため，生徒たちは「ライオン」とあだ名しました。勿論，深い人間愛に基づいた指導であり，誰からも慕われていました。1924年，孝信は校長となり，多くの優秀な人材を世に送りだし「二中の黄金時代」を築きました。

　1936年，二中を退職すると，私財をなげうって私立開南中学校を創設しました。秀才を育てることだけが教育ではない，生徒一人ひとりの個性を伸ばすことこそが真の教育だと考えていたからです。いまでいう，オンリーワンの育成をめざしたのです。

　資金がなく経営は困難をきわめましたが，職員・生徒とも良い学校を作ろうという意欲に満ちていて，県立中学にまけないくらいの隆盛

をみせました。しかし，その歴史はわずか9年で終わりました。沖縄戦で校舎もろとも焼け出されたのです。

「戦争で多くの教え子と学校を失った。私の教育は何だったのだろう…」

軍国教師だった孝信は，呆然として何をする気にもなりませんでした。そんな状態のとき，米軍政府から呼び出されたのです。沖縄を復興させる組織の委員長になるようにとの要請でした。迷いましたが，今こそ「逆境は試練である。これに耐えれば必ず幸福が訪れる」という教えを実践すべきだと考え，引き受けることにしました（p.208参照）。

1946年4月には沖縄民政府の知事に就任しました。米軍にいいように利用されたという意見もありますが，孝信は戦後沖縄の復興のため一生懸命に尽くしました。そして1950年には琉球大学の初代学長となり，晩年は再び教育者としての道を歩みました。

 **シーブン話 おまけ** ─── 開南は地名ではない

旧制・開南中学校は，現在の那覇市樋川に建てられていました。戦後は，その名残で中学校のあった地域を「開南」と呼ぶようになったのです。開南という地名があったのではないのです。開南バス停留所や開南通りあたりがそうです。

でも，現在の開南小学校は那覇市の泉崎にあります。なぜ，離れた場所にあるのでしょうか。実は戦後，開南小学校が建てられた場所が，開南中学校の跡地だったのです。1952年に現在地に移転し，校名もそのままになっているためなのです。

31 米軍による土地の強制収用

島ぐるみ闘争はなぜおこったのか

　1951年9月，アメリカの提案で，サンフランシスコに52カ国の代表が集められて講和会議が開かれました。しかし，この会議には日本の主要対戦国で，もっとも犠牲の大きかった中国は参加していませんでした。中華民国（台湾）を支持するアメリカと，革命によって誕生した中華人民共和国を支持する英国との意見が対立したため，中国代表はこの会議に招請されなかったのです。

　また，この条約案には，南西諸島・小笠原諸島をアメリカが管理する条文が含まれていたことなどから，インド・ミャンマー（ビルマ）・ユーゴスラビアはこれに抗議し，会議に参加しませんでした。ソ連も，中華人民共和国を会議に参加させることや，日本がいずれの交戦国とも軍事同盟を結ばないなどの修正案を出しましたが拒否されたため，ポーランド・チェコスロバキアとともに条約に調印しませんでした。

　日本国内では，中国・ソ連を含む全交戦国との講和を要求する運動が高まっていましたが，吉田茂首相は，これらの意見をおしきって講和会議に参加し，48か国とのあいだに平和条約を結びました（サンフランシスコ平和条約）。

　米軍の占領下にあった奄美や沖縄では，琉球列島を日本から分離するアメリカの方針が明らかになると，公然と復帰運動に立ち上がりました。沖縄戦の体験は日本人と日本への不信感を顕在化させ，戦後はアメリカを後ろ盾とした沖縄独立論を唱える人もでてきました。しかし，米占領軍の圧政は沖縄住民を失望させ，大勢は「平和憲法」をもった日本への復帰を望むようになったのです。沖縄では1951年に日本復帰期成会を結成し，わずか3か月のあいだに，有権者の7割の署名（約20万）を集めました。奄美では14歳以上の99.8％が日本復帰の請願書に署名しました。沖縄群島議会も復帰要請を決議して日米両政府に沖縄住民の意志を伝えましたが，まったく相手にしてもらえませんでした。琉球列島の分離は，日米両政府による既定の方針だったからです。

　日本はまた，同じ日にアメリカと日米安全保障条約を結びました。日本が独立したあと，極東の平和と安全を守るという名目で，アメリカ軍が日本に駐留できるようにするためでした。もちろん，ソ連や中国，そして北朝鮮などの社会主義勢力の動向を警戒してのことでした。

1952年４月28日，サンフランシスコ平和条約と日米安全保障条約が発効して日本は独立し，同時にアメリカのアジアにおける戦略基地としての役割を強めることになりました。そして，沖縄は日本から切り離され，米軍の施政権下におかれることになったのです。

サンフランシスコ平和条約

第三条

　日本国は、北緯二十九度以南の南西諸島（琉球諸島及び大東諸島を含む。）孀婦岩の南の南方諸島（小笠原群島、西之島及び火山列島を含む。）並びに沖の鳥島及び南鳥島を合衆国を唯一の施政権者とする信託統治制度の下におくこととする国際連合に対する合衆国のいかなる提案にも同意する。このような提案が行われ且つ可決されるまで、合衆国は、領水を含むこれらの諸島の領域及び住民に対して、行政、立法及び司法上の権力の全部及び一部を行使する権利を有するものとする。

監修　家永三郎『日本史資料　下』東京法令出版より（抜粋）

戦時中および敗戦によって難民となった沖縄住民が収容所に収容されているあいだ，米軍は広大な軍用地を囲い込んでいました。これは国際法にもとづいて行われたとされていますが，実際は明らかな法規違反でした。

米軍のいう国際法とは何でしょうか。（　　）

占領地における住民の権利を定めた国際法（一部）

第四十四条　交戦者ハ占領地ノ人民ヲ強制シテ他方ノ交戦者ノ軍又ハ其ノ防禦手段ニ付情報ヲ供与セシムルコトヲ得ス

第四十五条　占領地ノ人民ハ之ヲ強制シテ其ノ敵国ニ対シ忠誠ノ誓ヲ為サシムルコトヲ得ス

第四十六条　家ノ名誉及権利、個人ノ生命、私有財産並宗教ノ信仰及其ノ遵行ハ之ヲ尊重スヘシ

私有財産ハ之ヲ没収スルコトヲ得ス

第四十七条　掠奪ハ之ヲ厳禁ス

『現行法規総覧』より抜粋

a．ロンドン軍縮条約

b．ハーグ陸戦法規

c．国際人権規約

b．ハーグ陸戦法規

　戦時中および敗戦によって難民となった沖縄住民が収容所に収容されている
あいだ，米軍は広大な軍用地を囲いこんでいました。土地を奪われた地域の農
民は，収容所から解放されても帰る故郷がなく，山間地や荒れ地を切り開いて
生活せざるを得ませんでした。琉球政府による八重山やボリビアなどへの，政
策的な移民に応じた人びとも少なくありませんでした。

　この広大な軍用地接収は，ハーグ陸戦法規にもとづいて行われたとされてい
ますが，何の補償もせずに私有地を没収した米軍の行為は，明らかな国際法違
反でした。

　ハーグ陸戦法規46条は「私有財産は，これを没収してはならない」，第47条は
「略奪はこれを厳禁とする」と規定しているからです。ましてや，日本の敗戦
が決定した８月15日以降の土地接収については，何の国際法的な根拠もありま
せんでした。

　1950年になると，住民側からも軍用地料支払いの要請がなされるようになり
ました。

　1952年４月，アメリカ政府は講和条約が発効すると，国際法上の戦時占領も
終わることから，土地使用の合法化と地代支払いの検討をはじめたのです。

 ハーグ陸戦法規とは何だろうか

　ハーグ陸戦法規とは，陸上の戦争についての国際法の規則の総称です。1899年にオ
ランダのハーグで開かれた第1回万国平和会議において採択された「陸戦ノ法規慣例ニ
関スル条約」のことをいいます。1907年第2回万国平和会議で改定されて現在に至っ
ています。
　内容は交戦者，宣戦布告，戦闘員・非戦闘員の区別，捕虜・傷病者の扱い，使用して
はならない戦術・兵器などが規定されています。
　日本は，1911年11月6日に批准しています。

1952年4月1日，米国民政府は琉球列島を統括する行政機関として，琉球政府を設立しました。

当初，行政主席は住民の選挙によって選ぶことになっていましたが，米国民政府はこの約束を反故(ほご)にし，親米派の比嘉秀平を行政主席に任命しました。

なぜ，米国民政府は行政主席を公選ではなく，任命制にしたのでしょうか。（　　）

a．米軍支配に反対し，日本復帰を主張する革新的な行政主席が誕生しそうだったから。

b．琉球列島を支配するにあたって，米軍の絶対的な権力を住民に見せつける必要があったから。

c．民主主義が未発達な状況では，住民による公平な選挙ができないと判断したから。

a．米軍支配に反対する，革新的な行政主席が誕生しそう
だったから。

　アメリカ政府は，1950年12月に琉球列島の統括機関を軍政府から琉球列島米国民政府（略称・USCAR）に変更しました。

　米国民政府は琉球列島の行政単位を，奄美群島，沖縄群島，宮古群島，八重山群島の４地域分け，それぞれに群島政府を設置し，その上に中央政府を設立するという方針を打ちだしました。沖縄の行政方式を，中央政府・群島政府・市町村という３段階による連邦制的な組織にするためでしたが，確定したものではありませんでした。

　各群島では，すでに知事および議員の選挙が実施され，群島政府が設立されていました。沖縄群島政府の知事には，日本復帰をとなえる平良辰雄が選出され，群島議員もそれを支持する議員が多数当選していました。他の三地域でも，ほぼ同様の主張をもった知事と議員が選ばれました。しかし，こうした革新的な知事と議会の誕生は，アメリカにとっては好ましいものではありませんでした。

　1951年４月，米国民政府は暫定的に臨時中央政府を設置し，行政主席に親米派の比嘉秀平を任命しました。臨時中央政府の任務は，全琉球をまとめる中央政府（琉球政府）創設のための諸制度を整備することでしたが，各群島政府の意見は反映されませんでした。

　翌1952年３月，琉球政府の創設にさきだって立法院議員選挙が実施されると，日本復帰促進派が多数を占めました。その結果に危機感をもった米国民政府は，同年４月１日，琉球政府を設立すると主席公選の公約を反古にし，臨時中央政府の比嘉秀平をそのまま初代の行政主席に任命したのです。公選にすると，日本復帰を主張する革新的な行政主席が誕生する可能性が高かったからです。さらに，経費節減と効率的な行政運用を理由に各群島政府は廃止され，4地域には地方庁が置かれることになったのです（p.245 〜 246参照）。

1952年11月，米国民政府は強制的に取得した土地の賃借契約を結ぶため，契約権という布令を公布しました。しかし，契約期間が20年と長期に及び，年間借地料もあまりに安かったため，契約を結ぶ地主はほとんどいませんでした。

1坪の年間借地料は，どの程度だったのでしょうか。（　　）

ａ．コーラ1本分にもならない。

ｂ．ハンバーグ1個分程度。

ｃ．ステーキ200ｇ程度。

a．コーラ1本分にもならない。

　米国民政府は，強制的に接収した土地の賃借契約を結ぶため，1952年11月，「契約権」という布令を公布しました。しかし，契約期間が20年と長期におよび，1坪の年間借地料も平均2円16銭（B円）という安さでした。当時，コカ・コーラの値段が1本10円でしたから，このような条件で契約を結ぶ地主はほとんどいませんでした。

　それに対し，米国民政府は布令・布告を発して，契約が成立しなくても土地使用が可能であることを一方的に認め，土地を使用し続けたのです。

 ── 秘密基地（CSG）・知念キャンプの設置 ──

　米軍は知念半島を占領すると，収容所地域に指定して知念市を発足させました。南部東海岸沿いには米軍施設は置かれていませんでしたが，1946年に米軍は仲村渠・垣花の一部を収用し，知念補給部隊を配置しました。土地を奪われた住民の多くは，親慶原への移転を余儀なくされました。この施設は米海軍司令部として使用されましたが，のちに陸軍部隊の管轄となり，米軍人・軍属の住宅地として使用されました。

　朝鮮戦争の最中に，CSG（混成サービス・グループ）＝知念キャンプとよばれる部隊が設置されました。当初から秘密部隊といわれ，基地の機能やその目的は全く不明で，従業員の採用も厳重な思想調査のうえで行われていたといわれています。CSGは知念半島最大の職場となり，地域経済を潤すドル箱でもありました。

　基地内の奥に隔離されたエリアがあり，そこでスパイ訓練や捕虜の尋問などが行われていたと噂されていました。朝鮮戦争やベトナム戦争では，秘密工作員らが使用する特殊用具が梱包されていたといわれています。復帰直前に米国のマスコミによってその実態が暴露され，CIA（米国中央情報局）の基地であることが明らかになりました。

　1972年5月14日，知念キャンプは閉鎖され，従業員600人も全員解雇されました。その後，跡地には琉球ゴルフ場が建設され，基地経済からの脱却がはかられました。

ジンブン試し Q.245

　　1953年4月，米国民政府は新たな土地を収用するために「土地収用令」を公布し，無理やり土地を奪うという非情な手段を取りました。

　　そのときの暴力的な土地接収のことを，何と表現しているでしょうか。（　　）

a．金網と脅しによる土地接収。

b．買収と暴力による土地接収。

c．銃剣とブルドーザーによる土地接収。

宜野湾伊佐浜土地接収（『大琉球写真帳』関連資料　宜志政光氏蔵　那覇市歴史博物館提供）

c．銃剣とブルドーザーによる土地接収。

　1953年4月，米軍は新たな土地を収用するために「土地収用令」(注)を公布し，無理やり土地を奪うという非常な手段をとりました。ある村では，立ち退きを拒否する農民の目前で，家ごとブルドーザーで敷きならすという暴力的な土地接収も行いました。「銃剣とブルドーザー」によって沖縄は「要塞の島」と化し，基地のなかに沖縄があるとまでいわれるようになりました。

　沖縄住民の代表からなる立法院は「土地収用令」の撤廃を決議しましたが，米国民政府はまったく相手にしませんでした。これが，「ネズミ（沖縄）はネコ（米軍）のゆるす範囲内でしか遊べない」といった，米軍の沖縄統治のやり方でした。

　巨大な軍事基地は，土地をうばわれた住民の雇用の場ともなりました。基地は沖縄最大の産業といわれ，戦後沖縄の経済は基地に依存して成長するようになりました。もちろん基地が物を生みだすわけはなく，沖縄経済は産業基盤の弱い，消費中心のいびつな構造になっていきました。

　沖縄の広大な軍事基地の建設に携わったのは，日本本土の業者を中心に，アメリカ・香港・台湾そして地元の建設会社でした。とくに本土の建設業者は政府が積極的に資金融資をしたこともあり，業者全体の半数以上を占め膨大な利益をあげていました。朝鮮戦争による特需で日本経済は大きく発展しましたが，沖縄における米軍基地建設の事業もその一環だったのです。

（注）この布令を根拠に，真和志村（現・那覇市）安謝・銘苅，小禄村（現・那覇市）具志，伊江村真謝・西崎，宜野湾村（現・宜野湾市）伊佐浜などで，武装兵を動員して暴力的な土地接収が行われました。

Q.246 ジンブン試し

　1954 年，米国民政府が軍用地の使用料を一括払いにするという新たな方針をうちだすと，ついに沖縄の民衆は一丸となって立ち上がり，「土地を守る四原則」を掲げて反対運動を展開しました。

　次のなかで，四原則でないのはどれでしょうか。（　　）

a．アメリカ合衆国政府による軍用地の買い上げ，または永久使用，借地料の一括払いは行わないこと（一括払い反対）。

b．現在使用中の軍用地は，住民の要求する相応の金額で一年ごとに支払うこと（適正補償）。

c．アメリカ合衆国軍隊が加えたいっさいの損害は，住民の要求する適正な賠償額で支払うこと（損害賠償）。

d．アメリカ合衆国軍隊が収用している土地で使用していない土地は，有効に軍事利用すること（有効利用)。

久志村（現・名護市）はなぜ軍用地の契約に応じたのか

　1955年，米国民政府は久志村の辺野古区に対して土地収用を通告しました。米国民政府は，土地収用に反対する地域に対して，「これ以上反対を続行するならば，集落地域も強制接収し一切の補償も拒否する」と勧告してきたのです。実際，宜野湾市伊佐浜集落は，銃剣とブルドーザーで強制立ち退きされました。これを知った久志村の人びとは驚き，土地委員会を設置して対策を検討しました。その結果，地元に有利になるよう直接，米国民政府と交渉すべきとの結論に至りました。

　久志村の代表は，農耕地はできる限り使用しないこと，労務者を優先雇用すること，損害は適正補償すること，不用地の黙認耕作を認めること，などを申し入れました。米軍側がこれを了承したことで，久志村は軍用地契約に応じたのでした。生活権を守るための苦渋の選択でした。こうして建設されたのが，キャンプ・シュワブだったのです。

d．アメリカ合衆国軍隊が収用している土地で使用していない土地は，有効に軍事利用すること（有効利用）。

　1954年，米国民政府はさらに軍用地の使用料を一括払いにするという新たな方針を打ち出しました。土地の使用料を一度にまとめて支払い，あとは無期限に使用しようと考えたのです。

　このような沖縄住民の生活権を無視した米国民政府の不当な仕打ちに対し，ついに沖縄の民衆は一丸となって立ち上がりました。立法院で議決した「土地を守る四原則」を掲げ，地主以外の人びとも加わって反対運動を展開したのです。

　「土地を守る四原則」は，a．b．cに加え，「アメリカ合衆国軍隊が収用している土地で，使用していない土地はできるだけ早く返還し，新たな土地の収用は絶対にしないこと（新規接収反対）」をいいます。

　米国民政府は，沖縄住民のこのような要求を無視し，強制接収をやめませんでした。土地を奪われた人びとのなかには，活路をもとめて八重山や南米へ移住する者も少なくありませんでした。

　沖縄住民の激しい抵抗を背景に，琉球政府は1955年5月，ワシントンに代表団を送って，沖縄住民の強い意志である「土地を守る四原則」を直接，米国政府に訴えました。この要請にもとづいて，米下院軍事委員会は一括払い方式をいったん棚上げにし，プライス議員を団長とする調査団を沖縄へ派遣しました。その報告に基づいて，新たな土地政策がとられることになりました。

ジンブン試し

Q.247

　米国政府は，沖縄からの「土地を守る四原則」の要請を受けて，プライス議員を団長とする調査団を沖縄へ派遣しました。ところが，翌年米国議会に報告されたプライス勧告は，沖縄住民の期待を完全に裏切るものでした。

　この結果を受け，沖縄では各地で怒りに満ちた「四原則貫徹」の集会が開かれました。この闘争のことを何といいますか。（　　）

四原則貫徹の県民総決起大会（沖縄タイムス社提供）

a．オール沖縄闘争　　　b．島ぐるみ闘争　　　c．全琉反米闘争

b. 島ぐるみ闘争

1956年，アメリカ議会に報告されたプライス勧告は，「米軍にとって沖縄は，極東の軍事基地としてもっとも重要な地域である。住民の国家主義的な運動もみられず，長期の基地保有も可能で，核兵器を貯蔵し，使用する権利を外国政府から制限されることもない。米国は軍事基地の絶対的所有権を確保するためにも，借地料を一括して支払い，特定地域については新規接収もやむをえない」というものでした。

沖縄住民がうけたショックは大きく，沖縄各地で怒りにみちた四原則貫徹のための集会が開かれました。これを"島ぐるみ闘争"といいます。これによって，沖縄の状況が本土のマスコミでもとりあげられ，国際問題にまで発展しました。

島ぐるみ闘争の結果，米国は一括払いを撤廃するとともに適正地代を支払うことで譲歩し，沖縄住民に軍事基地の使用を認めさせることで土地問題を決着させたのでした。

 「島ぐるみ闘争」に参加して大学を退学に!

「島ぐるみ闘争」には，沖縄の将来をになう琉球大学（琉大）の学生会も積極的に参加していました。米国民政府は，共産主義に同調する学生たちが「反米行動をおこなっている」として，琉球大学への援助打ち切りを通告しました。これに驚いた大学当局は，学生会のリーダーなど6人を退学，1人を謹慎処分にしました。

琉大学生会は，「大学の自治を否定し，島ぐるみ闘争を踏みにじるものである」と，激しく抗議しました。世論もその不当性を厳しく批判しましたが，大学の決定を覆がえすことはできませんでした。1953年にも，学内の民主化運動などで学生が処分されており，これを第2次琉大事件とよんでいます。

2007年，琉球大学は，第2次琉大事件が「不当処分」であったことを認め，謝罪とともに「特別修了証書」の授与などを決めました。51年ぶりの名誉回復でした。しかし，先に処分された第1次琉大事件の学生については，まだ処分は撤回されていません。

伊江島で非暴力の抵抗で平和運動に生涯をささげた阿波根<ruby>阿波根<rt>あはごん</rt></ruby><ruby>昌鴻<rt>しょうこう</rt></ruby>さんは，米兵と話し合いをするとき，絶対に耳より上に手を挙げることはしませんでした。

なぜでしょうか。（　　）

a．両手を上げると，暴力をふるっている証拠とされるから。

b．両手を上げると，ギブアップを意味することになるから。

c．両手を上げると，バンザイで喜びを表現していると思われるから。

a．両手を上げると，暴力をふるっている証拠とされるから。

　沖縄戦が終わると，阿波根昌鴻の住んでいた伊江島は，米軍に占領されました。

　「農民が土地を失っては生活ができない」。昌鴻は先頭に立って，米軍に土地を返してくれるよう要求しました。彼らとの話し合いでは，どんなに興奮しても，絶対に耳より上に手はあげませんでした。米軍は，耳より上に手をあげると，暴力をふるっている証拠として写真を撮り，自分たちに都合のいいように利用するからです。たとえ米兵が横暴な態度をとっても，怒ったり悪口を言ったりせず，「人間性では農民の方が勝っているのだ」と，無抵抗の抵抗で立ち向かいました。しかし，米軍は強制収用をやめませんでした。

　伊江島の農民は，危険な演習地のなかで畑を耕し，薬莢をひろって売って生活するしかありませんでした。米軍はそんな農民を，カービン銃で撃ちまくって追い散らし，重軽傷を負わしたり逮捕したりしたのです。殺害された人もいました。

　このような悲惨な状況を，必死になって琉球政府に訴えましたが埒があきません。「そうだ，沖縄の全住民に知らせよう」。住民からカンパを貰いながら，約7か月間，沖縄島をくまなく回って伊江島の実情を訴えました。これを「乞食行進」と呼びました。やがて土地問題は沖縄全体の問題となり，「祖国復帰運動」の原動力となりました。

　1972年5月，沖縄は日本に復帰しました。伊江島の米軍基地は32％に減っていました。ところが，復帰によって軍用地料が上昇し，今度は米軍基地に頼って生活する人が増えてきました。そのため，伊江島の基地は強化され，ますます危険な演習が行われるようになりました。事件・事故もあいつぎました。

　「武力によって平和は生まれない」ことを信条とする昌鴻は，反戦地主として基地の返還運動を続けました。1984年には反戦平和の炎を燃やし続けるための資料館「ヌチドゥタカラの家」と，すべての人が語りあえる宿泊施設「やすらぎの家」を建てました。81歳になっていました。昌鴻はここを拠点に，語り部として百歳で亡くなるまで非暴力による反戦平和を訴え続けました。

32　米軍支配下での住民の暮らし

米軍支配下で住民はどのような被害を受けたのか

　日本の無条件降伏によって，ようやく"鉄の暴風"の恐怖から解放された沖縄の人びとでしたが，ほっとしたのもつかのま，そのあとに待っていたのは，昔ながらの"平和な島沖縄"ではありませんでした。米軍支配という屈辱的な異民族支配でした。

　米軍支配のもとではすべてが軍事優先で，トレーラー落下による小学生圧死事故，不発弾の爆発，毒ガス漏れ，アメリカ軍人・軍属による交通事故や犯罪などで人権は侵害され，住民の生活は危険と隣り合わせでした。ここに，一つの事件を紹介し，米軍支配下での沖縄住民の人権が，米軍及び米軍関係者らによっていかに踏みにじられてきたかを見てみましょう。

　1963年2月28日におこった事件です。那覇市泉崎橋前の1号線（現・国道58号）の横断歩道前で，帰宅途中の中学生たちが信号待ちで立っていました。那覇航空隊方面から米軍の大型トラックが走って来るのが見えます。ほどなく横断歩道側の信号が青に変わったので，中学生のグループは横断歩道を渡りはじめました。ところが，米軍のトラックは停止せず，そのまま横断中の中学生の列に突っ込んできたのです。

　「あぶない」と，だれかが叫んだとたん，一人の少年が撥ね飛ばされました。

　少年は救急車で病院に運ばれる途中，死亡しました。

　当時の沖縄では，どんな凶悪犯であれ米人に対する逮捕権・裁判権はなかったので，加害者の米兵は軍警察に逮捕され，軍法会議で裁かれることになりました。

　3か月後，加害者の米兵に「ノット，ギルティー（無罪）」の判決が下されました。「夕陽の反射で，信号機がよく見えなかった」という，言い分が通ったのです。

　現在の私たち法感覚からすれば，信じられない判決ですが，これはけっして例外的な事件ではありませんでした。米軍支配下の沖縄では，何の罪もない善良な住民が，米軍人・軍属の無謀な行為によって尊い命を奪われたり，傷つけられたりしたのです。とくに女性への性犯罪が多発し，人びとの暮らしを脅かしていました。

さらに犯罪摘発率が低いうえ加害者に対する処罰にも問題がありました。事件・事故を起こした米軍人・軍属が無罪になったり，有罪になっても刑が執行されたかどうかはわかりませんでした。また，被害を受けた沖縄住民の多くが，満足な補償を得ることができず，泣き寝入りさせられてきたのが実情でした。

　沖縄住民が，平和で豊かな島を築くために，基地の撤去と平和憲法をもった日本への復帰を願うようになったのは，当然のなりゆきでした。

日本復帰で,沖縄の法曹資格(裁判官・検事・弁護士)はどうなったのか

　日本の国家試験で最も難易度の高いのは，司法試験といわれています。戦後，日本から切り離された沖縄では，琉球政府が独自の試験を課して，司法資格を与えていました。本土の司法資格をもった人もいましたが，わずかでした。

　沖縄の日本復帰が間近に迫ると，その資格で働いている沖縄法曹人の身分が問題になりました。日本法曹界では，彼らに日本の司法に関する筆記試験を課すことを検討していました。しかし，それではあまりにハードルが高すぎます。何よりも，27年間も米軍支配下に追いやったのは日本政府であり，歴史や文化も本土とは大きく異なります。当然，沖縄の法曹会からは，筆記試験免除の要望が出されました。その結果，実務経験3年以上の者は面接だけを行うことになりました。その内容も，これまでの職歴や今後も法曹人として働く意思があるかどうかといった程度のものでした。

　1971年2月に最初の面接が実施され，192人が受験し183人が合格しました。でも，どうして簡単な面接で9人も不合格者が出たのでしょうか。七尾和晃『琉球検事』によると，元検事の話として「大和語(日本語)が全くダメな人がいたんですよ」「日本政府を露骨に批判した人もいたらしい」ということが記されています。

　ときおり，「日本語が話せなくて落とされた」という話を聞くこともありますが，復帰前とはいえ，法曹人が日本語をまったく話せなかったというのは考えられません。おそらく，沖縄の日本復帰に対する政府の方針に不満を持っていた人たちが，ウチナーグチで政府批判をまくしたて，潔く法曹界から身を引いたというのが真相ではないでしょうか。

1958年，夏の甲子園大会(全国高等学校野球選手権大会)に，沖縄からはじめて首里高校が参加しました。福井県代表の敦賀高校に破れはしたものの，県民に大きな感動をあたえてくれました。

　ところが，選手たちが思い出としてもちかえったあるものが，法律に触れるとして没収されてしまいました。

　彼らが持ち帰ったあるものとは，何だったでしょうか。

（　　）

a．日の丸の旗

b．甲子園の土

c．彼らの活躍を報じる新聞

b．甲子園の土

　1958年，夏の甲子園大会に，沖縄からはじめて首里高校が参加しました。福井県代表の敦賀高校に０対３で敗れはしましたが，県民に大きな感動をあたえてくれました。

　ところが，選手たちが「思い出」にともちかえった甲子園の土が，植物防疫法にふれるとして没収され，那覇港で廃棄処分にされたのです。異民族支配を象徴する事件として，全国的な話題となりました。

　これを知った日本航空の客室乗務員たちが，せめて甲子園の小石でもと野球部員たちに贈ってあげました。首里高校の生徒会では，これを記念して碑を建て，小石で甲子園のダイヤモンドを模って，その上に「友愛」の文字を刻みました。これが現在，首里高校の校庭にたてられている「友愛」の碑なのです。

「友愛」の碑（首里高校）

米軍支配下の沖縄では，沖縄住民の人権を踏みにじるさまざまな事件や事故がおこりました。

　　1963年2月のことです。那覇市泉崎橋前の1号線(現58号線)で，那覇航空隊方面から走ってきた米軍の大型トラックが，赤信号にもかかわらず横断歩道に突っ込み，男子中学生をひき殺してしまいました。

　　ところが三カ月後，加害者の米兵に下された判決は，「ノット，ギルティー」(無罪)でした。アメリカの軍法会議は，米兵の言い分を受けいれたのです。

　　この米兵は，軍法会議で何を主張したのでしょうか。(　　)

a．ブレーキが故障していて，車が急には止まらなかった。

b．わたしは，沖縄戦で勇敢に戦った兵士である。

c．夕日がまわりの建物に反射し，信号がよく見えなかった。

c．夕日がまわりの建物に反射し，信号がよく見えなかった。

　米軍支配下の沖縄ではすべてが軍事優先で，人権は侵害され，住民の生活は危険と隣り合わせでした。

　現在の私たちの法感覚からすれば，信じられない判決ですが，これはけっして例外的な事件ではありませんでした。米軍支配下の沖縄では，何の罪もない善良な住民が，アメリカ軍人の無謀（むぼう）な行為によって尊い命をうばわれたり，傷つけられたりしたのです。また，加害者の米兵に対する処遇にも問題がありました。事件・事故をおこした米兵の多くが無罪になり，有罪になっても刑の執行が行われたかどうかは不明でした。被害をうけた沖縄住民の多くが，満足な補償を得ることができず，泣き寝入りさせられてきたのです。

　2011年に公開された外務省文書によると，1964年〜1968年の5年間の米軍人・軍属による犯罪発生件数は5367件にも及んでいました。そのうち，殺人や強盗，強姦などの凶悪犯罪は504件で，摘発率は33.6％しかありませんでした。

　そのほか，米軍基地がもたらした被害をあげると，実弾演習による自然破壊，原子力潜水艦による放射能汚染，航空機の騒音，基地からの廃油や薬品による海，河川，土壌（どじょう）の汚染（おせん）など，数えあげれば枚挙（まいきょ）にいとまがありません。

　こうしておこった事件や事故は，米軍が占領者として沖縄住民を見下し，住民の生活よりも，すべてに軍事を優先させてきたことに大きな原因がありました。しかし，1995年に米軍基地の整理縮小や日米地位協定の見直しなどをもとめた「県民総決起大会」が行われたように，このような状況は，復帰後もそう大きくかわったとはいえません。

1962年，ソ連（現・ロシア）がキューバにミサイル基地を建設すると，アメリカのケネディ大統領はその撤去を求めて，キューバ周囲の海上を封鎖しました。これによって米ソが激しく対立し，核戦争寸前まで高まりました（キューバ危機）。そのさなか，沖縄の米軍基地にある「命令」が出されました。幸い，これは「誤命令」だったことがわかり，事なきを得ました。

　いったいどのような「命令」が出されていたのでしょうか。

ケネディ

キューバ危機

フルシチョフ

ａ．核ミサイルの発射命令。

ｂ．ソ連機の撃墜命令。

ｃ．ソ連艦船の撃退命令。

ジンブン試し A251

a．核ミサイルの発射命令。

　1962年，アメリカの裏庭といわれるキューバに，ソ連のミサイル基地が建設されていることが発覚しました。アメリカのケネディ大統領は，その撤去を求めてキューバ周囲の海上を軍事封鎖し，ソ連と激しく対立しました。これをキューバ危機といいます。第三次世界大戦勃発かと世界を震撼させましたが，米国がキューバを攻撃しないことなどを条件に，ソ連がミサイル撤去に同意して，核戦争の危機は回避されました。

　実はキューバ危機のさなか，核戦争寸前の出来事が沖縄でおこっていました(以下，『琉球新報』2015年3月5日版参考)。

　米公文書によると，1950年代なかばに沖縄に核兵器が大量に配備・貯蔵されていました。代表的なのが射程2200㌔超の核巡航ミサイル「メースB」で，読谷村など四か所に配備されていました。

　1962年10月28日未明，嘉手納基地ミサイル運用センターから読谷村のメースB発射基地に，ミサイル四基の発射命令が無線で届きました。当時の担当技師・ジョン・ボードン氏の証言によると，ソ連向けは1基だけ（他の三基は中国向けか）だったこと，デフコン（防衛準備態勢）が1（戦争突入）ではなく2（準戦時）のままだったことから現場に疑問の声が上がりました。不審に思った発射指揮官はすぐさま作業を停止させ，ミサイル運用センターに確認をとったところ「誤命令」だったことが分かったということです。もしあの時，現場の指揮官が核ミサイルを発射していたらと思うと，ぞっとします。

1959年,米軍那覇飛行場で核ミサイル誤発射!

　1959年6月，米軍那覇飛行場に配備されていた地対空ミサイルが，核弾頭を搭載したまま誤発射して海に落下するという事故をおこしました。幸いミサイルは爆発せず，米軍によって回収されました。当時，地元新聞もこの事故を報道していましたが，核搭載の情報はありませんでした。

　2017年，元・米兵の証言で，誤発射されたミサイルに核弾頭が搭載されていたことが明らかになりました。彼は，もし爆発していたら「那覇は吹き飛んだ」と述べています。

33　琉球政府の設立

　1946年10月，奄美大島に臨時北部南西諸島政府が設置され，1947年に宮古・八重山諸島にも民政府がおかれました。さらに1950年には，奄美群島，沖縄群島，宮古群島，八重山群島の４地域の政府が群島政府にあらためられ，公選による知事と議会議員が選ばれました。しかし，公選制が取り入れられたとはいえ，民衆の意志はあくまでも軍政の範囲内でしか反映できませんでした。

　沖縄群島政府の知事には，日本復帰を唱える平良辰雄が選出され，群島議員もそれを支持する議員が多数当選しました。他の３地域でも，ほぼ同様の主張を持った知事と議員が選ばれました。平良知事は，社会大衆党を結成して公然と日本復帰促進を政策綱領に掲げました。

　アメリカ政府は，同年12月に沖縄を支配する機関を軍政府から琉球列島米国民政府（略称・ＵＳＣＡＲ）に変更し，４地域の群島政府をまとめる中央政府を設立する方針を打ち出しました。沖縄の統治方式を，中央政府・群島政府・市町村という，三段階による連邦制度的な組織にするためでした。

　1951年には，アメリカがサンフランシスコ講和条約にむけて琉球列島を統治する方針を明らかにすると，平良知事は日本復帰促進期成会を組織して署名運動を展開し，議会でも復帰要請を決議して沖縄住民の意志を日米両政府に伝えました。こうした革新的な知事と議会の誕生は，アメリカにとっては好ましいものではありませんでした。

　同年４月，米国民政府は臨時中央政府を設置し，行政主席に親米派の比嘉秀平を任命しました。臨時政府の任務は，全琉球をまとめる中央政府（琉球政府）の設立を進めることでしたが，住民を代表する群島政府の意向はほとんど反映されませんでした。それどころか，「経費を節約し政府を能率的に運用するため」に，連邦制的な統治方針を撤回して群島政府を解消する措置を取ったのです。

　翌1952年３月，中央政府の創設に先立って立法院議員選挙が実施され，日本復帰促進派が多数を占めました。その結果に危機感をもった米国民政府は，同年４月１日，琉球政府を設立すると沖縄住民の選挙で知事を選ぶという主席公選の約束を反古にし，臨時中央政府の比嘉秀平をそのまま初代の行政主席に任命したのです。

行政主席の公選を求める沖縄住民の要求は強く，1960年代前半には，住民自治拡大運動の一環として激しい主席公選闘争を展開しました。1962年２月，米国民政府もついに行政主席を公選にすることを発表しました。しかし，真の住民自治は，1972年の日本復帰まで待たなければなりませんでした。

　琉球政府の機構は，米国の三権分立制をモデルに，立法（立法院）・行政（行政主席）・司法（裁判所）の三権をそなえた沖縄における全権機関として位置づけられましたが，その上には琉球列島米国民政府が，重くのしかかっていました。

アメリカの沖縄統治図

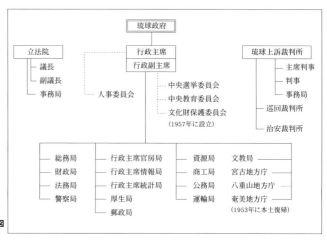

琉球政府発足当初の機構図

米軍による沖縄の統治機構の変遷

1952年4月1日,「琉球政府」創立の式典が,首里城跡に建てられていた琉球大学^(注)のキャンパスで行われました。

次の写真は,式典の最後に行われた立法院議員による「宣誓文」朗読の場面ですが,一人だけ帽子をかぶったまま座っている人物がいます。誰でしょうか。(　　)

「不屈館」提供

a. 安里積千代
　　あさとつみちよ

b. 瀬長亀次郎
　　せながかめじろう

c. 平良辰雄
　　たいらたつお

(注)1972年,沖縄の日本復帰により文部省に移管されて国立大学となり,1977年(〜84年)から現キャンパスに移転。

b．瀬長亀次郎（せながかめじろう）

　1952年４月１日，「琉球政府」創立の式典が，首里城跡に建てられていた琉球大学のキャンパスで行われました。

　式場は，首里城正殿のあったところで，周囲より一段高くなっていました。前庭には一般参加者の席が設けられていました。立法院議員（31人）の席は，一般参加者からみて左側で，その向かいに米軍政府関係者の席がありました。

　式場には星条旗がはためき，中央の席には沖縄の絶対的権力者・ビートラー副長官が座っていました。司会はルイス主席民政官で，米陸軍楽隊の演奏で式典がはじまりました。沖縄の行政機関である「琉球政府」創立の式典にもかかわらず，会式は米軍主導で粛々（しゅくしゅく）と進められたのです。

　最後に立法院議員による宣誓文が読み上げられ，その文書はビートラー副長官に手渡されました。そのとき，立法院議員は直立不動の姿勢を取っていました。ところが，最後尾に座っていた瀬長亀次郎だけは，帽子をかぶったまま着席していたのです。

　宣誓文には「琉球住民のために職務を遂行」することが記されていたのですが，それを米軍にさしだすことは，米軍に忠誠を誓うことを意味していたからでした。

宣誓

吾々は，茲（ここ）に自由にして且（か）つ民主的な選挙に基いて琉球住民の経済的　政治的　社会的福祉の増進という崇高（すうこう）な使命を達成すべく設立された琉球政府の名誉ある立法権の行使者として選任せられるに當（あた）り琉球住民の信頼に應（こた）えるべく誠實（せいじつ）且つ公正に其の職務を遂（すい）行することを厳粛（げんしゅく）に誓います。

一九五二年四月一日

琉球政府立法院議員

立法院議員の宣誓で，亀次郎が起立しなかった根拠は何だったのだろうか

　琉球政府創立式典で，瀬長亀次郎は宣誓を拒否しました。そのことについて，批判的な意見もあります。宣誓書には米軍に関する文言はなく「琉球住民のために職務を遂行する」ことしか書かれていないからです。仲宗根源和は「此の宣誓文を読めば，誰のための宣誓かすぐにわかるのに，それを拒否するのは子供らしい反抗に過ぎない，子供らしい見え坊だとの世評が高かった」と，その著書『沖縄から琉球へ』に記しています。

　瀬長亀次郎は，なぜ「住民のために職務を遂行する」ことを記した宣誓書への捺印を，「軍政府のために宣誓する必要はない」と拒否したのでしょうか。そのときのいきさつが，次の「宣誓拒否の楽屋裏」に記されているので見てみましょう。

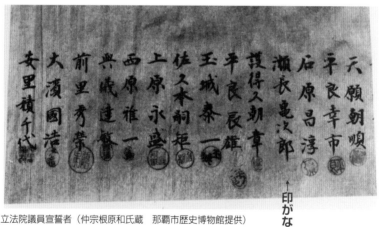

立法院議員宣誓者（仲宗根源和氏蔵　那覇市歴史博物館提供）

瀬　長　午前式典で朗読された宣誓文には私は捺印せず忠誠の誓いを拒否した。それは人民代表の当然取らなければならぬ基本的態度である。従って議長は次の諸点に答えて貰い度い。

　①あの宣誓文は議長が発案したのか

　②議員の誰からか提案されたのか

　③軍から強制でもされて起草し全議員の捺印を求めたのであるか

泉議長　軍から強制されて書いたものでもなければ議員から提案され
　　　　たのでもない，しかしゼンキンス中佐ができ上ったら見せてくれ
　　　　と言っていたので見て貰ったが, 別に訂正された箇所はなかった。
　　　　私が責任をもって書いたのである。

<略>

瀬　長　宣誓文を琉大で朗読したが何びとに対して誓ったか。

泉議長　住民に対して誓ったのである。

瀬　長　住民に対しての誓いをなぜビートラー副長官に向かって朗読
　　　　したのか，それだけでなく，朗読後直ちに彼にそれを差しあげた
　　　　のはどういう意味か。

泉議長　個人的にプレゼントとして差し上げたのである。

<略>

瀬　長　議長は住民に誓ったのだといっているがあの原文は最初「米
　　　　国政府並びに」となっており，私が言わなければその通り書いて
　　　　署名させ国際法を自らおかすことになったとは思わないか。

泉議長　あとで気がついたので「米国政府並に」の文句は削除した。

瀬　長　朗読の代表は何者が決めたのか，又どうして院にはからずに
　　　　自分勝手で決めて午前中のような失態をし出かしたのか。

泉議長　代表者の選定とあの式場で朗読したことについては自分の落
　　　　度であるのでお詫びします。〈以下略〉

　　　　　　『沖縄人民党の歴史』（沖縄人民党史編集刊行委員会）より

　このように，宣誓書は議員が提案したものではなく，議会で承認さ
れたものもありませんでした。何よりも，原文には「米国政府並びに」
との文言がはいっており，削除されたとはいえ朗読はビートラー副長
官に向かって行われています。かつ，その文書を同官に差し上げたこ
とは，「琉球住民のための職務遂行」を米軍に誓うことになり，納得
のいかないことでした。ですから亀次郎は宣誓書への捺印を拒否し，
式典の際にも起立しなかったのです。

1956年12月，瀬長亀次郎は那覇市長選挙に立候補し，当選しました。米国政府は，反米主義者の亀次郎が那覇市長に当選したことにショックを受けました。

米軍は亀次郎を失脚させるために，那覇市への補助金を打ち切ったり銀行の取引を凍結させたりするなど，さまざまな方法で瀬長市政を妨害しました。そのため，いくつもの公共事業がストップしてしまいましたが，この難局（なんきょく）はあることで解決することになりました。

それは，どのような方法だったのでしょうか。（　　）

a．日本政府がひそかに融資（ゆうし）してくれた。

b．他市町村が予算を分けてくれた。

c．市民が率先（そっせん）して税金を納めてくれた。

c．市民が率先して税金を納めてくれた。

　米軍支配のもとで，戦後沖縄の復興は行われました。そのため，政財界の多くが親米的な人たちでした。那覇市議会も親米的な保守派が多数を占めていました。そんななか，なぜ反米派の瀬長亀次郎が那覇市長に当選することができたのでしょうか。

　沖縄住民の人権を踏みにじる米軍支配が，どうしても許せなかったのです。そのため，「祖国復帰」実現の促進を訴え，軍事優先ではなく市政の民主化や市民の利益第一を訴える瀬長亀次郎を首長に選んだのです。

　那覇市民は，「瀬長さんを守るには税金を納めることだ」と，自主的な納税運動をおこしたのです。その時の様子を，瀬長市長の秘書を務めていた伊波広貞はつぎのように語っています。

　「税金を納めにきた市民の列が，市役所や首里支所の建物まで五百メートル続き，みんなでワイワイおしゃべりしながら順番を待っていました。あの光景はいまでも忘れられません。ほんとに感動的でした」（佐次田勉『沖縄の青春』より）

　この時の那覇市の納税率は，過去最高の97％にまで達したといいます。これによって，止まっていた架橋工事や区画整理事業などが，一斉に再開されたのでした。

ジーブン話おまけ── 納められた税金の管理

　市民が列をなして納めた税金は，どのように保管されたのでしょうか。本来なら，銀行に預けるのですが，各金融機関は那覇市との取引を凍結していたため，市は金庫を増やして役所で保管しなければなりませんでした。

　しかし，市役所は今のように警備体制は十分ではありません。市職員が当番で金庫番をすることになりましたが，何と，豊見城出身の運天という人物が「金庫番は俺に任せろ」と，愛犬のシェパードとともに毎晩，金庫番をつとめて貴重な税収を守り抜いたのです。

ジンブン試し
Q.254

　沖縄を支配している米軍は，いつまでも反米軍を唱える瀬長亀次郎を那覇市長の椅子に座らせ続けるわけにはいきませんでした。
　では，どのような方法で亀次郎を那覇市長の座から引きずり下ろしたのでしょうか。（　　）

a．「布令」という法律で，亀次郎が那覇市長になれないよう仕組みを変えた。

b．「暗殺」をほのめかして，命の保障と那覇市長の座を引き換えにした。

c．「退職金」の名目で莫大な金額を支払い，那覇市長を辞任させた。

a.「布令」という法律で，亀次郎が那覇市長になれない
　　よう仕組みを変えた。

　沖縄を軍事支配している米軍にとって，反米軍で日本復帰を唱える瀬長亀次郎を，いつまでも那覇市長の座にいさせるわけにはいきません。市議会の親米的な保守派と協力して，市長不信任の工作を推し進めていきました。

　1957年6月，那覇市議会に市長の不信任案が提出され，24対6で可決されました。翌日，亀次郎は議会を解散しました。反瀬長派は結束を強めて市議会議員選挙に臨みましたが，再度市長を不信任するために必要な三分の二の議席を獲得することはできませんでした。

　同年11月，業を煮やした米国民政府は市町村自治法や選挙法を改正して，2回目の市長不信任を三分の二から過半数とし，犯罪歴（シーブン話参照）のある者の被選挙権をはく奪して，亀次郎を無理やり市長の座から引きずり下ろしたのです。

 沖縄刑務所暴動の首謀者は亀次郎?

　1954年7月，米国民政府は人民党の奄美大島出身二人に対し，沖縄から退去するよう命じました。人民党を共産主義者とみなしていたからです。ところが，そのうちの一人が本島内に潜入していたことがわかり，書記長だった亀次郎も逮捕されて裁かれ2か年の懲役刑を受けることになったのです。

　戦後初期の沖縄では，「戦果」と称して米軍物資を盗む行為が横行していたこともあり，刑務所は過密状態になっていました。そのため，受刑者の生活は最悪な状態になっていました。そんなおり，「民族的な英雄」瀬長亀次郎が入所したことに勇気を得て，待遇改善を求めて暴動を起こしたのです。刑務所側は，亀次郎に暴動の収拾を依頼しました。受刑者たちも，「亀さんの話なら聞こう」と，拍手でもってその説得に応じたのです。そして「私的制裁や裸検査の撤廃」など，彼らの要求の大半は受け入れられたのでした。

　米軍はこの事件を亀次郎らの計画的な扇動だと宣伝し，瀬長亀次郎を宮古の刑務所へ転獄させたのでした。

　1956年4月に出獄し，同年12月に行われた那覇市長選に出馬して，当選しました。

沖縄は米国に支配されていたため，日本の国旗を掲げることは禁じられていました。ところが，国際法では公海を航行する船舶は常時，国旗を掲げることになっています。そのため，米国民政府は琉球船舶旗を制定して国旗に代わるものとして船舶に掲げることを義務付けました。

次のなかで，琉球船舶旗はどれでしょうか。（　　）

a.

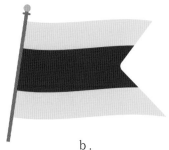

b.

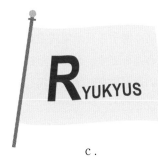

c.

 b.

新琉球船舶旗

沖縄は米軍の統治下におかれはしましたが，潜在主権は日本にありました。ところが，その身分は不安定で，米国憲法の保障も得られなければ日本国憲法も適用されませんでした。そのため，国際社会で大きな不利益をこうむっていました。

1962年4月，インドネシア近海の公海を航行中だった沖縄の漁船・第一球陽丸が国籍不明船とみなされ，インドネシア軍の容赦ない攻撃にあいました。国籍を示す船舶旗を掲げていなかったからです。これによって，乗組員一人が死亡，三人が重軽傷を負いました[注]。

国際法では，公海を航行する船舶は常時，国旗を掲げることになっています。しかし，当時の沖縄の船舶は，星条旗はもちろん，日の丸すら掲げることができませんでした。そのため，米国民政府は1950年1月，国際信号機のD旗の端を三角に切り落とした旗を琉球船舶旗に決定し，1955年の布令で国旗に代わるものとして船舶に掲げることを義務付けていました。米国は，琉球船舶旗を国際水路広報に搭載して各国に周知徹底をはかったとしていましたが，それはほとんど意味をなしていませんでした。第一球陽丸の銃撃事件以後も，琉球船舶旗を掲げた沖縄船舶が国籍不明船として扱われる事件が多発したのです。琉球政府は，沖縄船舶に日の丸が掲揚できるよう日米両政府に要請しましたが，解決には時間がかかりました。

1967年，米国は日本政府の沖縄援助に関する日米協議委員会で，ようやく沖縄の船舶に日の丸を掲げることを認めたのです。ただし，白地の三角旗に赤で「琉球・RYUKYUS」（上の図）と書いたものを一緒に掲揚しなければなりませんでした。これを新琉球船舶旗とよびました。

（注）1962年7月，琉球政府は球陽水産の要請をうけ，約4万6600ドルの賠償をインドネシア政府に請求しました。1970年に球陽水産に対し，インドネシア政府から1万ドルの賠償金が米国民政府を通して交付されました。

256

1957年，アメリカ政府は新たな沖縄統治の基本法を発表し，琉球列島米国民政府の長官を琉球列島高等弁務官としました。

次のなかで，第3代高等弁務官・キャラウェイの言葉として有名なのはどれでしょうか。（　　）

a．沖縄が独立しない限り，沖縄住民による自治政治は神話である。

b．基地が撤去されたら，沖縄はたちどころにイモとはだしの経済にもどるだろう。

c．民主的な政府は必然的に親米的となり，米軍に協調するであろう。

1968年2月，米国民政府は琉球政府の最高責任者である行政主席を，沖縄住民が選挙で選ぶことを認めました。

沖縄初の公選主席となった人物は誰でしょうか。（　　）

a．西銘順治
にしめじゅんじ

b．稲嶺一郎
いなみねいちろう

c．屋良朝苗
やらちょうびょう

沖縄県公文書館提供

a．沖縄が独立しない限り，沖縄住民による自治政治は神話である。

　琉球列島高等弁務官の権限は，法令を制定する権限から公務員の任免権にいたるまで絶大なものでした。

　たとえば，立法院で決められた法律でも，アメリカ側に都合の悪いものはそれを認めなかったり，反米思想をもった那覇市長が誕生すると，その座を奪うために布令をあらためたり（p.254参照），米国の主権に関わる事件では，裁判権さえも奪ったりしました。米国民政府のもとに組織された琉球政府は，一応，行政・立法・司法の三権分立を建前としていましたが，実際の権限は米国民政府に握られていたのです。キャラウェイ高等弁務官の「沖縄が独立しないかぎり，沖縄住民による自治政治は神話である（自治神話論）」といった言葉に，米軍による沖縄統治の姿勢が如実にあらわれていました。

c．屋良朝苗

　琉球政府の創立以来，沖縄住民は行政主席の公選を求めて，激しい主席公選闘争を展開していました。米国民政府にとっても，いつまでも沖縄住民の意思を踏みにじったまま，統治を続けることはできませんでした。1960年代に入ると，沖縄の施政権返還運動が国際的にも注目されるようになり，1968年２月，米国民政府もついに行政主席を公選にすることを発表したのです。

　そして同年12月，復帰に先がけて実施された沖縄初の主席選挙では，革新共闘の屋良朝苗が基地の「即時・無条件・全面返還」を主張し，「本土との一体化政策」をかかげた保守の西銘順治を破り，「核も基地もない平和で豊かな沖縄県」の実現を，沖縄住民の最大公約数の意見としてまとめました。また，革新側は行政主席選挙とあわせて行われた立法院議員選挙・那覇市長選挙でも圧勝しました（三大選挙）。

34　日本復帰運動

沖縄住民は，なぜ日本復帰を望んだのか

　1950年代後半にわきおこった“島ぐるみ闘争”は，結果的には妥協(だきょう)によって決着をみることになりましたが，米国民政府の政策を多少なりとも変更させたことで，沖縄住民に大きな自信をあたえました。これによって，労働組合の結束もすすみ，米軍の強い圧力で立ち消えになっていた「祖国復帰」運動もよみがえり，1960年4月28日には「沖縄県祖国復帰協議会」が結成されました。軍事基地にたよって生活している人や，保守的な人たちのなかには復帰に積極的ではない人もいましたが，沖縄の「祖国復帰」は大多数の住民意志の集約でした。

　1962年2月，琉球立法院も国連の植民地解放宣言を根拠に，日本への施政権返還の要請決議を全会一致で採択(さいたく)し，日米両国と国連全加盟国に送りました。その間，日本政府も手をこまねいていたのではありません。1957年，岸信介首相は米国のアイゼンハウアー大統領に，沖縄の施政権返還を求める日本国民の強い要望を伝えました。沖縄では島ぐるみ闘争で反米感情が高まっており，米国は将来の基地使用に障害が出ることを恐れました。1960年代に入ると，ケネディ大統領は，将来の沖縄返還の可能性を示し，日本政府の沖縄への経済援助も承認しました。これにより，日本政府による援助は拡大していきました。

　ところが，1960年代半ばになると，そうした沖縄の強い要求とは別に，日本の高度経済成長とアメリカのベトナムへの軍事介入の失敗などから，沖縄返還が日米間の緊急外交問題として浮上してきました。アメリカ政府は，自由主義陣営の一国として豊かな経済成長をとげていた日本に，いままでアメリカ一国で担ってきたアジアの平和と安全のための軍事・経済援助の役割を，一部かたがわりさせ，日米共同でアジアを社会主義化から守る方が合理的だと考えるようになりました。また，日本政府にとっても，これだけ国内で盛り上がってきた沖縄返還運動をそのまま放置しておくことはできなくなっていました。

　1965年8月，佐藤栄作首相が来沖し，「沖縄が復帰しない限り，日本の戦後は終わらない」と表明して，沖縄返還にかける強い熱意を示しました。

　しかし，日米両政府が考えていた沖縄返還と沖縄住民が思い描いていた「祖国復帰」とのあいだには，おのずから大きな違いがありました。

　沖縄住民が「即時・無条件・全面返還」を掲げ“基地のない平和な島”を望ん

でいたのに対し，日米両政府は従来どおり沖縄を"太平洋の要石"として位置づけ，基地の安定保持を原則とした施政権返還を考えていたからです。しかし，沖縄返還が現実のものとなりはじめると，復帰のありかたについては沖縄でもさまざまな議論が行われるようになりました。

仲吉良光（なかよしりょうこう）（1887～1974）知念半島で芽生えた「祖国復帰」への道

仲吉良光は首里の生まれで，本土で大学を出たあと，東京やロサンゼルスでジャーナリストとして活動しました。

1942年，沖縄にもどって首里市長となり，泡盛産業の復興や首里の文化都市づくりにつとめました。沖縄戦では九死に一生をえて，米軍の捕虜となりました。知念の収容所にいた良光は，ある日，東海上の沖合に浮かぶ久高島（くだかじま）を眺めながら，琉球の有名な政治家・羽地朝秀の言葉を思いおこしました。

「この国の人は，疑いもなく日本より渡ってきたものである。後世の今にいたるまで，自然や鳥獣・草木の名前まで皆同じである」という日琉同祖論でした。本来の主旨は，古琉球の改革を目的としたものでしたが，伊波普猷をはじめ近代期の思想家は，これを「日琉同祖論」と規定して日本への同化思想の根拠としたのです。良光もこの考えに基づき，「沖縄のとるべき道は，独立や米国への帰属ではなく，日本に復帰することである」と考えたのです。

米軍司令部に対し「沖縄人は日本人である。沖縄を日本に返してもらいたい」と陳情書を出し，発足したばかりの沖縄諮詢会にも「日本復帰」を提案しましたが，受け入れられませんでした。

良光は，米軍将校の「マッカーサー司令部に提出すべし」のアドバイスを受け，1946年8月，直接GHQに訴えるため上京しました。東京で沖縄出身の有力者を動かして「沖縄諸島日本復帰期成会」をつくり，外務省やGHQに日本復帰の要請をはじめました。それ以後，日米政府の首脳や国連など，各関係機関に沖縄の日本復帰を訴え続けました。また，機会あるごとに新聞や雑誌にも投稿しました。

独自の思想をもっていた良光は，大衆運動や政治団体とは行動をともにしませんでしたが，各方面に影響を与え，いつしか復帰男とよばれるようになっていました。

仲吉良光は，復帰後の1973年に帰郷し，翌年86歳で亡くなりました。

ジンブン試し

Q.258

　アメリカは沖縄の長期保有を決定すると，多額の財政資金を投入して沖縄の社会資本を整備しました。ところが1950年代の後半になると，米国民政府はあるカラクリで安上がりに沖縄統治の資金援助をしました。

　それはどういう方法だったのでしょうか。（　　）

a．軍事基地建設費用の一部を援助金にまわした。

b．石油会社や電力会社・水道公社などから得た利益を援助金にまわした。

c．日本政府に援助金の半分を支払わせた。

ｂ．石油会社や電力公社・水道公社などから得た利益を援
　助金にまわした。

　アメリカ政府は沖縄の長期保有を決定すると，多額の財政資金を投入して沖
縄の社会資本を整備しました。

　ところが沖縄を統治する米国民政府は，これによって生まれた独占的な石油
販売事業や電力・水道・金融などの公社事業を管理し，そこから上がる利益を
沖縄支配の資金に当てたのです。高等弁務官資金として各市町村から感謝され
た公民館建設や漁港整備・水道施設などに使われた資金もそこから出ていたの
です。

　アメリカ政府が沖縄に投入したお金の多くは，住民のためではなく軍事基地
の建設に使われていたのです。

　我部政明『沖縄返還は何だったのか』によりますと，「米国民政府は，沖縄
の人びとに石油・電力・水を売り，その利益を沖縄支配の費用に回していた」
ことがわかります。しかもアメリカ政府は沖縄返還に際し，これらの公社はも
とより琉球政府庁舎・琉米文化センター・那覇空港施設・軍用道路・埋立地など，
アメリカが築いた資産を3億2000万ドルで日本政府に買い取らせ，沖縄に投入
した資金を回収したのです。そのなかには，核兵器の撤去費用や基地従業員の
給与及び退職金なども含まれていました。また，基地改善費などとして7500万
ドルが秘密扱いとして支払われていました。

　アメリカはそれ以外にも様々な利権を手にし，総額で6億ドル余の利益を得
たといわれています。これは，アメリカが27年の間に沖縄に投入した総費用に
匹敵する額でした。

Q.259 1960年4月28日，復帰運動の母体となる協議会が結成され，本格的な日本復帰運動がはじまりました。この協議会のことを何といいますか。（　　）

a．沖縄県日本復帰協議会

b．沖縄県日本返還協議会

c．沖縄県祖国復帰協議会

Q.260 1962年，琉球立法院は国連の植民地解放宣言を根拠として，日本への施政権返還の要請決議を全会一致で採択し，日米両国と国連全加盟国に送りました。

この決議のことを何と呼んでいますか。（　　）

a．2.1決議

b．5.15決議

c．6.23決議

一九六〇年十二月第十五回国連総会において「あらゆる形の植民地主義を速かに，かつ，無条件に終止させることの必要を厳かに宣言する」旨の「植民地諸国，諸人民に対する独立許容に関する宣言」が採択された今日，日本領土内で住民の意志に反して不当な支配がなされていることに対し，国連加盟国諸国が注意を喚起されることを要望し，沖縄に対する日本の主権が速かに完全に回復されるよう尽力されんことを強く要請する。

『沖縄県議会史』第20巻資料編17

c. 沖縄県祖国復帰協議会

1950年代後半にわきおこった"島ぐるみ闘争"は，結果的には妥協によって決着をみることになりましたが，米国民政府の政策を多少なりとも変更させたことは，沖縄住民に大きな自信をあたえました。これによって，労働組合の結束もすすみ，米軍の強い圧力で立ち消えになっていた「祖国復帰」運動もよみがえり，1960年4月28日には「沖縄県祖国復帰協議会」が結成されました。

a. 2.1決議

1962年2月1日，琉球立法院は，国連の植民地解放宣言を引用して，沖縄の施政権返還に関する要請決議を全会一致で採択しました。これを2.1決議といいます。この決議は，内外に波紋をおこし，沖縄返還運動に大きな影響をあたえました。沖縄の日本復帰を求める「4.28沖縄デー」は本土でも定着し，翌年には北緯27度線上ではじめての「海上集会」がおこなわれました。

沖縄の牛乳パックはなぜ1000mlではなく，946mlなのか

沖縄のスーパーやコンビニでは，大型牛乳パックの表示が1000mlではなく946mlと記されたものを多く見かけます。なぜなのでしょうか。

日本復帰前の沖縄では，牛乳工場の機械や紙パックも米国製を使用していました。そのため，容量の単位もガロンを用いていました。本土復帰に伴い，牛乳の容量も本土の基準に合わせて，大型紙パックの容量を1ガロン(3,784リットル)の四分の一(クォーターガロン)，すなわち946mlにして使用するようになったからなのです。中型や小型容器も同様です。

1965年4月28日の『琉球新報』夕刊に、「4.28沖縄デー」の北緯27度線上で開かれた本土と沖縄の人たちによる「海上集会」の写真が掲載されました。当時、まだ写真電送機がなかったため、とても車では夕刊に間に合いません。

どんな方法でフィルムを運んだのでしょうか。

（　　）

a．伝書鳩で運んだ。

b．ヘリコプターで運んだ。

c．海上タクシーで運んだ。

a．伝書鳩で運んだ。

　沖縄が日本から分離された4月28日は「4.28沖縄デー」と呼ばれました。1963年にはじめて施政権の壁となる北緯27度線の海上で，本土と沖縄で船による海上交歓会が開かれました。その前夜には，沖縄島北端の辺戸岬と日本本土南端の与論島でかがり火を焚いて，復帰運動の連帯を誓いあいました。

　1965年4月28日の『琉球新報』夕刊には，海上集会の様子が初めて写真で報道されました。当時，まだ写真電送機はありません。いったい，どのような方法で本社までフィルムを運んだのでしょうか。その時のことを，『琉球新報百年史』は次のように述懐しています。

　「本紙記者たちが知恵をしぼったのが伝書バト作戦。沖縄市胡屋に鳩舎のある鳩四羽を借り受け，予行演習のうえ現場取材へ。船上で現像され鳩の足に取り付けられたネガフィルムは，二十七度線海上から一路胡屋の鳩舎へ，約百三十ㇳを時速90ㇳで飛んだ。フィルムは車で本社に運ばれ二枚の写真が夕刊を飾った」。

　翌年からは写真電送機が使用されるようになったということです。

「琉球新報」1965年4月28日（夕刊）

1967年2月24日，琉球政府の与党・保守派は，教職員の政治活動の制限や争議行為を禁止した「教公二法」と呼ばれる法案を強行採決しようとしました。立法院正門前には，これを阻止しようと前夜から多数の教職員が座り込み，それを警官隊が排除（はいじょ）するなどして混乱しました。

　しかし，この法案はあることをきっかけに廃案となりました。何がおこったのでしょうか。（　　）

立法院前の教公二法阻止闘争（沖縄タイムス社提供）

a．阻止団と警官隊が激しく衝突（しょうとつ）し，死亡者をだしたため。
b．阻止団が警官隊をゴボー抜きにし，立法院を包囲したため。
c．阻止団の指導者が，抗議の焼身自殺を遂げたため。

b．阻止団が警官隊をゴボー抜きにし，立法院を包囲した
　ため。

　教公二法とは，「地方教育区公務員法」と「教育公務員特例法」のことで，学校
教職員の身分を本土並みに保障する法律でした。しかし，その法案のなかには
教職員の政治行為の制限，争議行為の禁止，勤務評定の実施事項などが含まれ
ていたため，教職員会は反対の立場をとっていました。この法案が通過すると，
「祖国復帰」運動と自治権拡大闘争の中心的役割を担っていた教職員の行動が
制限されることになるからでした。

　主席公選が現実化してくると，保守陣営にとっては革新共闘のかなめであっ
た教職員会の活動を放任しては，主席公選を勝ち取ることは困難でした。教職
員会にしても，ここで政治活動に制限が加えられると，自治権拡大の要求のみ
ならず，復帰運動も抑圧されてしまうことになるので，自らの身分保障をいく
ぶん犠牲にしてでも政治活動の自由を守らなければなりませんでした。

　政府与党の保守派にとっては必要な法案であり，野党革新派にとってはどう
しても阻止しなければならない法律でした。

　一度廃案になった法案でしたが，1966年5月に再度立法院へ送られました。
教職員会は，連日100人余の会員を動員して立法院前でハンストを決行するな
ど，激しく抵抗しました。

　1967年2月24日，与党保守派は警察力を総動員し，本会議で教公二法の強行
採決を図ろうとしました。しかし，教職員会やこれを支持する民衆の阻止団は，
警官隊の数をはるかに上回る2万人余にも膨れ上がり，逆に警備にあたった警
察官をゴボー抜きにして立法院を包囲したのです。

　立法院議長は，不測の事態を避けるために本会議の中止を決断しました。そ
して8時間にも及ぶ与野党の話し合いで，廃案が決まったのです。

　議会内少数派が，議会外の大衆行動の力を背景に法案を廃案においこんだの
は，日本の歴史に例のない「戦後沖縄における大衆運動の成果」として評価さ
れました。

1965年8月，日本の総理として初めて来沖した佐藤栄作首相は，ある声明を発表して沖縄返還にかける強い熱意を示しました。

佐藤首相は何と言ったのでしょうか。（　　）

那覇空港で声明を発表する佐藤首相（琉球新報社提供）

a．日本の戦後は終わりました，次は沖縄の戦後を終わらせたい。

b．沖縄の皆様，ご苦労おかけしました。必ず復帰を実現させます。

c．沖縄が復帰しない限り，日本の戦後は終わらない。

1969年11月，日米共同宣言が発表され，沖縄返還の基本方針が確定しました。どのような内容だったでしょうか。（　　）

a．即時・無条件・全面返還

b．核抜き・本土並み・72年返還

c．基地の整理縮小による本土並み返還

c．沖縄が復帰しない限り，日本の戦後は終わらない。

b．核抜き・本土並み・72年返還

　佐藤栄作首相は1965年に来沖し，「沖縄が復帰しない限り，日本の戦後は終わらない」と表明して，沖縄返還にかける強い熱意を示しました。

　しかし，日米両政府が考えていた沖縄返還と沖縄住民が思い描いていた「祖国復帰」とのあいだには，大きな隔(へだ)たりがありました。

　沖縄住民は，「即時・無条件・全面返還」を掲(かか)げ"基地のない平和な島"を望んでいたのですが，日米両政府は従来どおり沖縄を"太平洋の要石(かなめいし)"として位置づけ，基地の安定保持を考慮した施政権返還を考えていたからです。

　そのため，1969年11月に発表された日米共同宣言は，「核抜き，本土並み，72年返還」の基本方針を確定していましたが，日本政府が決定した「復帰対策要綱」は基地の存続を前提にしており，その多くは沖縄住民の要求からはかけ離れたものになっていたのです。

 沖縄は"悪魔の島"か

　1965年に本格的なベトナム戦争がはじまると，沖縄は米軍の発進基地となりました。そのため，ベトナム戦争に関する著書等では沖縄のことを「ベトナムでは悪魔の島」と呼んでいたと記されています。

　ところが，『写真記録　ベトナム戦争』で知られる報道写真家・石川文洋さんは，「ベトナムの人が沖縄を『悪魔の島』と呼んでいるのを聞いたことがない」と否定しており，沖縄・ベトナム「子どもたちが見た戦争と平和」絵画展(2016年12月)で来沖したホーチミン市戦争証跡博物館のフィン・ゴック・ヴァン館長，ホーチミン市人文社会大学のグエン・ゴック・ズン歴史学部長も，「悪魔の島」という名称を否定しています。

　沖縄が「悪魔の島」と呼ばれるようになったのは，ベトナム戦争後に悲惨な戦争の実相を伝える際，沖縄が米軍の発進基地だったところから，誰かがそれを強調するために後付けで「悪魔の島」という表現を使用したのではないかと思われます。

「反復帰論」が訴えたものは何か

　日米で合意された 1972 年の沖縄返還に対し，「沖縄は国家としての日本に無条件に帰一すべきではない」とする「反復帰論」も唱えられました。それは，「廃琉置県（琉球併合）」以来，日本国家の沖縄支配を支えてきた根底に，沖縄人自身の内なる問題としての，日本への同化思想があったからでした。復帰思想にもそれが引き継がれており，沖縄の歴史的な主体性や独自性があいまいにされていたことへの危機感のあらわれでもありました。

　無批判的な日本志向を断ち切り，沖縄のもつ異質性・差意識を認識してこそ，沖縄住民の願いを踏みにじろうとしている国家権力と対決できるとし，「国家への合一化としての日本復帰拒否」を主張したのです。

　国会議員を選出する国政選挙についても，「沖縄返還協定の承認に沖縄の代表者を形式的に国会に参加させるための欺瞞的な選挙である」として，沖縄県民の意志を無視した押し付けの返還を否定する意味でも，国政参加選挙を拒否すべきであるとして「国政参加拒否闘争」を呼びかけました。

　そのほか，沖縄の日本復帰のありかたとして，憲法第 95 条〔特別法の住民投票〕によって沖縄特別自治体や沖縄州を形成すべきとの意見もありました。少数派ではありましたが，沖縄独立論を主張する人びともいました。しかし，これらの構想や思想が，大衆にまで浸透することはありませんでした。むしろ復帰から四半世紀，基地問題で政府の沖縄に対する構造的差別があらわになったころから，沖縄自立論として再認識されるようになったといえるでしょう。

＜届かなかった沖縄の声＞

　1971 年 6 月 17 日，沖縄住民の要求が受け入れられないまま沖縄返還協定は調印されました。しかし，国会における批准が成立しなければ返還協定は効力を発することができません。

そこで地元沖縄では同年11月10日，沖縄返還協定に反対し「即時・無条件・全面返還」を要求するゼネストを決行しました。沖縄の住民意思を国会に反映させ，協定のやり直しを求めようとしたのです。

　11.10ゼネストは，前回の5.19ゼネストを上回る規模となり，復帰運動の中でも最高の盛り上がりをみせ，「沖縄返還協定批准に反対し完全復帰を要求する県民大会」が開かれました。しかし，そのあとのデモで警察官が死亡するという事故が起こり，デモ隊と警察隊が激しく衝突して多数の負傷者を出す事態となりました。

　デモは，混乱の内に流れ解散で終わりました。

　11月17日，屋良主席は沖縄県民の要求書である「復帰に関する建議書」を携えて上京しました。国会に届けるためでした。しかし，屋良主席が空港を降りたとき，衆議院沖縄返還特別委員会は，抜き打ち的な強行採択を行ったばかりでした。沖縄の声は，国政の場に反映されませんでした。

復帰措置に関する建議書（一部抜粋）

　　　　　　　　　　1971年11月18日　琉球政府行政主席　屋良朝苗
　沖縄県民の要求する復帰対策の基本もすべての戦争及びこれにつながる一切の政策に反対し，沖縄を含むアジア全域の平和を維持することにあることを挙げてきました。そして，沖縄県民の要求する最終的な復帰のあり方は，県民が日本国憲法の下において日本国民としての権利を完全に享受することのできるような「無条件且つ全面的返還」でなければならないことも繰り返し述べてきました。しかるに，右に挙げた返還協定の内容は，明らかに沖縄県民のこれらの理念や要求に反するものであります。そこで，わたくしは，日本政府当局及び国会議員各位がこれらの諸点に対する沖縄県民の心情を卒直に理解され，単に問題を党派的立場で議論するのではなく，沖縄県民の将来の運命がこれらの論議の成り行きいかんにかかっていることに留意され慎重の上にも慎重を重ねてご検討いただき，沖縄県民の疑惑，不安，不満を完全に解消させて下さるよう強く要請するものであります。

1970年12月の深夜, コザ市（現・沖縄市）で沖縄住民によっ
て, 米軍車両70数台が焼き払われるという騒動が発生しま
した。きっかけは, 道路横断中の沖縄人を, 米兵が車でひい
てケガを負わせたことでした。

　それにしても, なぜ米人車両だけを選び出して焼き払うこ
とができたのでしょうか。（　　）

コザ反米騒動で焼き討ちにあった米人車両(琉球新報社提供)

ａ．米人車両のナンバープレートは黄色だったので, すぐにわかった。

ｂ．米人車両は左ハンドルだったので, すぐにわかった。

ｃ．米人車両のナンバープレートにはＵＳＡと記されていたので, すぐにわ
　　かった。

a．米人車両のナンバープレートは黄色だったので，すぐにわかった。

　1970年12月19日夜11時過ぎ，コザ市（現・沖縄市）中の町で陸軍病院所属の米兵が，道路横断中の軍雇用員をひいてケガをおわせました。当時の沖縄は，ベトナム戦争の激化によって米兵の心が荒み，彼らによる事件・事故が多発していました。事故処理にあたっていたMP（米軍憲兵隊）に，現場周辺にいた群衆から不当な取調べをしないよう抗議の声がなげかけられました。これまでもこうした事件で，加害者の米人に無罪の判決が下されていたからです。その年の9月に，糸満市でおこった主婦轢殺事件^(注)に対しても，無罪判決が出されたばかりでした。事故を目撃していた人びとは，絶対にそんな不当な事故処理は許すまい，と激高したのです。

　そのうち，群衆がMPと加害者の米兵を取り囲み，一時，険悪なムードになりました。その場は，コザ署員の説得でひとまず騒ぎはおさまりました。ところが事故処理後，MPが群衆に対して威嚇発砲したため，人びとの不満が一気に爆発して，MPカーや駐車中の黄ナンバーの外人車両をひっくりかえし，次々と火をつけて燃やしだしたのです。深夜とはいえ，年末だったこともあって約5000人の人びとが集まり，20数年余の抑圧された異民族支配の鬱憤をはらすかのように，群衆は暴徒と化しました。

　警察本部は多数の警官を出動させて鎮圧にあたりましたが，なかなか騒ぎはおさまりませんでした。なかには基地内にまで押し寄せる集団もいました。米軍は武装兵数百名を出動させ，ベトナム戦争でも使用したといわれるCSガスなどを使って群衆を退却させようとしました。しかし，騒動は明け方まで続き，米人車両73台，嘉手納基地雇用事務所や米人小学校3棟などが焼かれました。

　基地の町コザでおこった事件は，日ごろ米軍に従順と思われた人びとが中心となっていただけに，米軍に大きなショックをあたえました。また，復帰を間近にひかえていた時期でもあり，日米両政府にあたえた影響も少なくありませんでした。

（注）米兵が猛スピードによる蛇行運転で歩道に乗り上げ，主婦を轢殺して無罪になった事件。米国民政はこの事故を再検証し，「判決は誤審である」との認識を持っていました。しかし，「事実を公開するのは生産的ではなく，ほぼ判決への批判を高めるだけ」として，自らの判断を隠ぺいしていました。

1970年12月，米軍は沖縄島北部の山林に実弾砲撃演習場を建設しましたが，住民の反対運動でこれを放棄することになりました。

　米軍が演習場を放棄することになったきっかけは何だったのでしょうか。（　　）

a．世界的に貴重な集落遺跡がみつかったから。

b．世界的に有名な毒蛇・ハブの生息地だったから。

c．世界的な珍鳥ノグチゲラが生息していたから。

c．世界的な珍鳥ノグチゲラが生息していたから。

　1970年12月，米軍は沖縄島北部山原（ヤンバル）の山岳地帯で実弾砲撃演習を実施する計画を進めていました。そのことが発覚すると，地元の国頭村をはじめ琉球政府や民主団体が反対運動をくりひろげました。この地域には動植物の固有種が多く，自然保護の面からも大きな問題がありました。

　しかし，米軍は半年以上も前から演習場の建設をはじめており，カシマタ山にはすでに演習場が完成していました。実弾砲撃演習の目的は，ベトナムに送り込む海兵隊の訓練をするためでした。山原の地はベトナムの山岳地帯に似ていることから，ベトナム兵を訓練するためのゲリラ訓練場もありました。

　米軍は同月31日（大晦日）に演習を実施する旨伝えてきました。地元の住民や支援団体は，演習を阻止するため当日の早朝から射撃場や着弾地に押し寄せました。米軍も警備隊を動員して演習を敢行しようとしましたが，身体をはった阻止団の抵抗にあい，演習を中止せざるをえませんでした。

　翌年，米軍は「実弾演習場は撤去しない」ことを明確にしましたが，結局2月までには演習場の放棄を決定したのです。日本野鳥の会をはじめ国際的な自然保護団体はもちろん，沖縄の米軍関係者からもこの地域での実弾砲撃演習に反対する声がよせられていたのです。世界的な珍鳥ノグチゲラが，米海兵隊の実弾演習場を放棄させたのです[注]。

（注）米軍の砲撃演習場建設を放棄させた地域住民の戦いは，比嘉康文『鳥たちが村を救った』に詳しく記されています。

現在の南風原町出身の金城哲夫は，本土で高校・大学を出て，「ゴジラ」で有名な円谷プロダクションに入り，ウルトラマン誕生の中心的な役割をはたしました。そのためか，「ウルトラマン」シリーズには，ときおり沖縄的な名前の怪獣が登場します。

次のなかで，実際に使われた沖縄的な怪獣名はどれでしょうか。（　　）

a．チブル（頭）星人

b．ミンタマ（目玉）星人

c．ワタブー（大腹）星人

もう一人のウルトラマン生みの親
上原正三（1937〜2020）

　ウルトラマンの脚本家には，もう一人沖縄人（ウチナーンチュ）がいます。哲夫に誘われて円谷プロに入った上原正三です。デビュー作は「ウルトラQ」。フリーになってからも「帰って来たウルトラマン」を手掛けました。

　正三のウルトラマンは，哲夫とは対照的でした。近未来の怪獣（かいじゅう）や宇宙人と戦うヒーローではなく，様々な問題を抱えた現実社会を舞台に，弱さをさらけ出しながらも勇気をもって怪獣と戦うというものでした。

　正三は，真実と向き合う子に育ってほしいと，批判を覚悟で当時，問題になっていた公害やマイノリティーに対する差別なども作品に取り入れていったのです。

a．チブル星人

1966年，金城哲夫は円谷プロの企画文芸部長として，ウルトラシリーズを任されました。最初の『ウルトラQ』は，自然環境の破壊によって生まれた怪獣を退治するなど様々な問題を解決するというものでした。これは毎回，30％前後の視聴率をマークする人気番組となりました。

次に企画された『ウルトラマン』への期待は大きく，第一話は有名な作家が手がけましが，盛りあがりに欠け面白みがありません。結局，哲夫が全面的に書き直すことになりました。主人公は地球上の悪を退治するために，M78星雲からやってきた宇宙人です。沖縄には昔から，ニライ・カナイの遠い世界から幸せをもたらす神がやってくるという言い伝えがあります。それがウルトラマン誕生のヒントになったのでした。

『ウルトラマン』は放送開始とともに子ども達のヒーローとなり，毎週40％近い視聴率をあげる記録的な番組になりました。しかし，高視聴率をずっと維持することはできません。哲夫の書いた39話の『さらばウルトラマン』が最終回となりました。半年後に放映された『ウルトラセブン』でも哲夫はメインライターをつとめ，その後も怪獣をテーマとした物語を数多く制作しました。

ところで，『ウルトラマン』シリーズの怪獣には，チブル（頭）星人やザンパ（残波）星人など，沖縄的な名前の怪獣も登場します。制作にかかわった哲夫や，同僚の上原正三が沖縄出身だったことに由来するといわれています。

1969年，金城哲夫は突然，家族とともに沖縄に帰ってしまいました。理由は色々ありましたが，沖縄の日本復帰をこの眼で見届け，作家として沖縄を描きたいと思うようになっていたからでした。それはまた，怪獣や宇宙人ではなく，人間そのものをテーマにするという哲夫の課題でもありました。

沖縄ではラジオやテレビのキャスターとして活躍し，沖縄海洋博覧会（1975～76)の開会式前夜祭や閉会式などの演出も任されました。しかし，沖縄をテーマにした小説はなかなか書けません。「長いあいだ，本土で暮らしてきたせいなのか。ぼくは沖縄の何を書けばいいのだ」。哲夫はしだいに自分自身に苛立つようになりました。そして1976年２月，志半ばで不慮の転落事故で亡くなりました。37歳の若さでした。

復帰前の沖縄に影響をあたえたヤマトゥンチュ

1960年代にはいると沖縄の復帰運動が本格的に行われるようになり，本土から様々な分野の文化人がやってきました。彼らは米軍支配下に置かれた沖縄の特殊な状況に目を向けるとともに，独自の歴史や文化を探求し，それぞれの視点で沖縄の情報を発信していきました。

ジャーナリストの筑紫哲也は，復帰前に新聞社の政治特派員として来沖し，復帰に伴う諸問題や沖縄の文化を全国に発信しました。のちにワシントン駐在員を経て，雑誌の編集長やＴＶのキャスターとして活躍し，復帰後も沖縄問題を報道し続けました。筑紫はその理由を，「私は沖縄だけのために，沖縄のことを取り上げたり，語っているのではない・・・『沖縄』は私たち日本人すべてが正視すべきテーマだということを知ってもらいたい。それは私たちの国のありようを問うていると思うからなのである」（『沖縄：世の間で』2004年）と述べています。

作家の大江健三郎は，雑誌の取材や自らの著作活動で「復帰運動」真っ只中の沖縄に長期滞在し，沖縄の現状だけでなく「琉球併合」以後の沖縄と，そこに住む人間に対する日本人の差別意識を鋭く批判しました。沖縄の要望を一切無視し，基地を押し付けたまま沖縄返還を進める日本政府と日本人に対して「沖縄からの限りない異議申し立ての声を押しつぶそうと，自分の耳に聞こえないふりをするのみか，それを聞きとりうる耳を育てようとしないこと，それは同じ国家犯罪への新しい布石ではないのか」（『沖縄ノート』1970年）と，厳しく糾弾しました。大江は，その欺瞞に満ちた「日本人」の一人として，慶良間諸島で多くの住民を「集団自決」においやった守備隊長の例を挙げています。

大江はまた，沖縄文化から多大な影響を受けました。自身初の長編小説『万延元年のフットボール』は，1994年にノーベル文学賞を授賞した際の代表作にあげられています。この小説の全体構想への出発が確保されたのは，沖縄の村落が「根所」を中心に共同体として形成され，相互扶助の精神性が強固であることに触発されたことにありま

す。それゆえ，主人公の名前も根所蜜三郎としたということです。

　随筆家の岡部伊都子は，沖縄戦で婚約者を失いました。1967年に沖縄を訪れ，南風原の津嘉山で戦死したという婚約者の霊を弔っています。その時のルポルタージュ『二十七度線　沖縄に照らされて』（1972年）には，「皇国の教育を疑わず，女らしくとのみ育てられ，戦死を必然だと思いこんでいた軍国の少女だった自分を許せぬ」と，記しています。岡部は一時，竹富島に移り住み，沖縄が日本に復帰した日に，西集落に購入した古民家と自身の蔵書を島の子ども達に寄贈しています。これは「こぼし文庫」と名付けられ，現在でも島の図書館として利用されています。

　芸術家の岡本太郎は1959年に沖縄を訪れ，『沖縄文化論−忘れられた日本』（1961年）を著しました。沖縄の素朴で質素な文化を，豊かさとして認識した独特の視点が現代文化への警鐘として評価され，現在まで広く読み継がれています。有名な「何もないことの眩暈」は，聖地である御嶽に神体も偶像もないことに衝撃をうけ，「神はこのようになんにもない場所において来て，透明な空気の中で人間と向かいあうのだ」「一たん儀式がはじまるとこの環境は，なんにもない故にこそ，逆に，最も厳粛に神聖にひきしまる」ことへの衝撃を言いあらわした言葉です。

　岡本は沖縄の日本復帰に際し，「私は沖縄の人に言いたい，復帰が実現した今こそ，沖縄はあくまでも沖縄であるべきだ。沖縄の独自性を貫く覚悟をすべきだ。決して，いわゆる「本土なみ」などになってはならない」と述べています。

　このように，復帰前には様々な分野の著名人が沖縄を訪れ，復帰に伴う諸問題や沖縄文化などを本土に発信し，彼ら自身もその影響を受けました。しかし，復帰が現実のものになりはじめると，「沖縄問題は終わった」とばかりに本土の沖縄への関心が薄れ，ヤマトゥンチュの沖縄理解が深まることはありませんでした。

まとめクイズ（6）

　次の文を読み正しいものには○，誤っているものには×で答えてください。

1　戦中・戦後，米軍は沖縄住民の土地を接収して，広大な軍事基地を建設したが，これはハーグ陸戦法規に基づいて行われたものだった。（　　）

2　米軍によってつくられた普天間基地は，公共施設や人の居住する村の無い原野に造られた。（　　）

3　戦後，那覇の復興を象徴する道路として，奇跡の1マイルとよばれた国際通りの名称は，沿道にあった映画館の名にちなんでつけられた。（　　）

4　天皇メッセージとは，昭和天皇がアメリカによる琉球諸島の占領を長期にわたって継続するようマッカーサーに伝えたことをいう。（　　）

5　戦後の沖縄では交通ルールもアメリカと同じで，車は右側通行だった。（　　）

6　1958年，夏の甲子園大会に沖縄からはじめて那覇高校が参加した。（　　）

7　琉球列島米国民政府の長官のことを，琉球列島最高司令官といった。（　　）

8　戦後，沖縄は米軍の支配下に置かれたが，1947年5月3日に「日本国憲法」が施行されると，沖縄にも適用された。（　　）

9　沖縄料理の定番となっている「ポーク玉子」は，米軍支配下で生まれた料理である。（　　）

10　米軍の物資をひそかに盗み出す者を戦果アギヤーと呼び，米軍圧政への抵抗として「生きるために働いた窃盗」だと正当化した。（　　）

11　米軍による暴力的な土地接収を，「銃剣とブルドーザー」にたとえて批判した。（　　）

12　1960年4月28日，「沖縄県日本復帰協議会」が結成されて，本格的な日本復帰運動がはじめられた。（　　）

13　1969年11月に発表された日米共同宣言は「核抜き，本土並み，72年返還」を基本方針としていた。（　　）

14　1965年8月，沖縄を訪れた佐藤栄作首相は，「沖縄が復帰しない限り，日本の戦後は終わらない」との声明を発表した。（　　）

15　1972年6月23日，沖縄は日本に復帰することができた。（　　）

1　次の戦後沖縄に関する人物と，関係ある事項を線でむすんでください。

志喜屋孝信　a・　　　・ア　笑いと芸能の力で戦後復興に貢献。

比嘉秀平　b・　　　・イ　戦後初期の沖縄民政府知事。

瀬長亀次郎　c・　　　・ウ　琉球政府の初代主席。

阿波根昌鴻　d・　　　・エ　早稲田大学の総長を三期務める。

小那覇舞天　e・　　　・オ　非暴力の抵抗で平和運動を貫く。

仲吉良光　f・　　　・カ　不屈の精神で米軍支配に抵抗。

大濱信泉　g・　　　・キ　戦後，最初に日本復帰を唱える。

2　沖縄は戦後27年間も米軍の支配下におかれました。米軍基地で働く沖縄の
　　人たちは，いやがうえにも米人と言葉をかわしてしてコミュニケーションを
　　とらなければなりませんでした。そこで生まれたのが，型破りのオキナワン
　　イングリッシュです。

　　では，次の言葉を《例》にならって訳してください。

(例) オイルチョンチョン

　　　訳　オイル漏れ--

　　　エアーグッドバイ

　　訳--

　　　オー　ジスイズナンバーテン

　　訳--

　　　ヘイ ジョンスン トゥモロー ユーカム ミーカム ライカム オーケー ？

　　訳--

　　　--

次の琉球切手は，1967年3月16日の万座毛での植樹祭を記念して発行される予定だった「日米琉合同　記念植樹祭記念切手」です。しかし，どういうわけか発行中止となり，廃棄処分にされてしまいました。どういう理由があったのでしょうか。（　　）

a.日の丸が描かれているから。
b.星条旗が，日の丸の下に描かれているから。
c.植樹祭が中止になったから。

次の琉球切手のなかで，最終発行となったのものはどれでしょうか。（　　）

a.

b.

c.

1 （×）財産は没収してはならない　2 （×）役場や学校などがあり住民
も 9000 人ほど居住　3 （○）　4 （○）　5 （○）　6 （×）首里高校
7 （×）高等弁務官　8 （×）日本国憲法は適用されない　9 （○）
10 （○）　11 （○）　12 （×）沖縄県祖国復帰協議会　13 （○）
14 （○）　15 （×）5 月 15 日

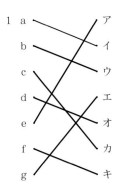

1 a　　　　ア
　b　　　　イ
　c　　　　ウ
　d　　　　エ
　e　　　　オ
　f　　　　カ
　g　　　　キ

2　エアーグッドバイ

　　訳：タイヤがパンクしている
　　（エアーは空気で，グッドバイがさようならだから）

　　　オー　ジスイズナンバーテン
　　訳：最悪だ
　　（ナンバーワンが最高なら，最悪はナンバーテン）

　　　ヘイ ジョンスン トゥモロー ユーカムミーカム
　　　ライカム オーケー ？
　　訳：やあジョンスン，あしたライカムに来てくれ
　　　　俺も行くから。

b．星条旗が，日の丸の下に描かれているから。
　表向きの理由は「図柄の星条旗と日の丸が単色であるのは国
　際的に問題がある」ということでした。

最終発行の切手（ c ）
　ご祝儀用の泡盛を入れる酒器で，嘉瓶（ユシビン）と呼ばれ
　ています。めでたい，縁起がよいことに由来。切手の上部に
　「Final Issue（最終発行）」の文字が記されています。
　a は 1972 年発行の「沖縄返還協定批准」の記念切手。
　b は 1968 年発行の「としよりの日」（老人踊り）の記念切手。

謎解きジンブン塾

第7章

戦後沖縄編(2)

～日本復帰後の沖縄～

[ジンブン試しマーク]

ジンブンとは, ウチナーグチで「知恵」という意味。ジンブン試しで「知恵試し」という意味になります。本書では琉球・沖縄史の知識を試すクイズの問題を, ジンブン試しと呼んでいます。

[アシャギマーク]

アシャギとは住宅の「離れ」のこと。昔の沖縄では, 大きな家にはアシャギと呼ばれる離れがあり, 客人用に使ったり, 引退した老夫婦が住んだりしていました。本書では, ジンブン試しの内容を補足したり, 関連するコラムを「アシャギ」と呼びます。

[シーブン話マーク]

シーブンとはウチナーグチで「おまけ」のこと。本書では, ジンブン試しの解答・解説やアシャギのオマケとしてついてくるこぼれ話のミニコラムを指します。

本土	沖縄	西暦	出 来 事
昭		1972	日本復帰で新生沖縄県となる。ドルから円へ通貨交換
		1975	国際海洋博覧会開催
		1978	交通方法変更(7.30)，保守の西銘順治知事誕生
		1982	日本史教科書の住民虐殺削除問題おこる
		1986	「日の丸・君が代」問題で卒業式・入学式が混乱
		1987	6.21嘉手納基地包囲行動。海邦国体，かりゆし大会開催
	戦	1990	「慰霊の日」休日存続。革新の大田昌秀知事誕生
		1992	復帰20年。首里城正殿復元
		1993	全国植樹祭開催。上原康助，県選挙区選出議員として初の開発庁長官に就任
	後	1995	「平和の礎」建立。米兵三人よる少女暴行事件に対する県民総決起大会
和		1996	象のオリ，国による不法占拠状態となる。普天間飛行場の全面返還合意。「日米地位協定の見直しと米軍基地の整理縮小を求める県民投票」で89%が賛成
		1997	名護市の市民投票で海上基地受け入れ反対が多数占めるが，市長は受け入れを表明
		1998	保守の稲嶺惠一知事が誕生
	沖	2000	九州・沖縄サミットの首脳会議を名護市で開催 琉球王国のグスク及び関連遺産群が世界遺産に登録
		2002	普天間代替基地「埋め立て」で合意。中城港湾の泡瀬地区埋め立て工事着手
		2004	沖縄国際大学に普天間基地所属の大型ヘリ激突墜落
		2006	普天間代替施設の「V字滑走路案」などで日米合意。保守の仲井眞弘多知事誕生
	縄	2009	民主党の鳩山代表，普天間移設，最低でも県外約束
		2010	民主党政権，普天間移設，辺野古へ回帰
		2012	普天間飛行場にオスプレイの強行配備
		2013	仲井眞知事，辺野古埋め立てを承認
期		2014	オール沖縄の翁長雄志知事誕生。翌15年，辺野古沿岸部埋め立て承認の取り消しで法廷闘争へ
		2016	子どもの貧困拡大(全国の2倍)。米軍属の女性殺害事件で6万5000人が抗議集会。辺野古沿岸部の埋め立て取り消し訴訟で県が敗訴。名護市安部の海岸にオスプレイ墜落
		2017	名護市辺野古の新基地建設で護岸工事始まる。東村高江の民間地で米軍の大型輸送機炎上
		2018	翁長知事死去。県が埋め立て承認を撤回。国は12月に土砂投入。オール沖縄の玉城デニー知事誕生
		2019	辺野古県民投票，約72%が新基地反対

35 新生沖縄県の課題

日本復帰によって何が変わったのか

1972年5月15日，ついに沖縄住民の悲願であった「祖国復帰」の日がやってきました。しかし，沖縄県民が手放しで喜べる復帰ではありませんでした。日の丸を掲げて復帰を祝う人もいましたが，復帰運動の中核であった沖縄県祖国復帰協議会をはじめとする諸団体は，抗議集会を開いてこれを批判しました。

沖縄県知事・屋良朝苗は，復帰記念式典のあいさつで，「沖縄の復帰の日は疑いもなくここにやってきたのであります。しかし，米軍基地の問題をはじめ，いろいろな問題を持ちこんで復帰したわけであります。したがって，これからもなお厳しさがつづき，新しい困難がつづくかもしれませんが，沖縄県民にとって復帰は強い願望であり正しい要求でした。これからも自らの運命を開拓し，歴史を創造しなければなりません（以下略）」と述べました。不満足ながらも，沖縄住民の悲願であった復帰をうけいれ，残されたあらゆる問題を県民が力を合わせて解決し，平和でゆたかな沖縄県を築いていきたいという主旨でした。

これに対し佐藤総理は，「祖国愛にもえて，身命をささげた人びとを思い，現代に生きるわれわれとして，ここに重ねて自由を守り，平和に徹する誓いを新たにするものであります。…沖縄の自然，伝統的文化の保存と調和をはかりつつ，相互開発の推進に努力し，豊かな沖縄県づくりに全力をあげる決意であります（以下略）」と述べました。だが，その言葉とはうらはらに，米軍基地の存続は認められ，沖縄を「太平洋の要石」とする米軍の基本姿勢にもかわりはなく，復帰の現実は「基地のない平和な島」からはほど遠いものでした。

本土復帰にともなう最初の県知事選挙でも，沖縄県民は「国の政策と直結した経済優先」をとなえる保守派候補ではなく，「基地撤去による平和な島づくり」と，沖縄の独自性と主体性を主張する革新の屋良朝苗をひきつづき支持しました。

日本復帰に際しての沖縄県知事の言葉

1972年5月15日

私はいま，沖縄がこれまで歩んで来た，歴史のひとこまひとこまをひもとくとき，とくに，終戦いらい，復帰をひたすらに願い，これが必ず実現することを信じ，そしてそのことを大前提としてその路線にそう基礎，布石，基盤づくりに専念してきたものとして，県民とともに，言いしれぬ感激と，ひとしおの感慨をおぼえるものです。

…それと同時に，今日の日を迎えるにあたり，たとえ，国土防衛のためとはいえ，去る大戦で尊い生命を散らした多くの戦没者の方々のことに思いをはせるとき，ただただ，心が痛むばかりであります。ここに，つつしんで，沖縄の祖国復帰が実現しましたことをご報告するとともに，私ども沖縄県民は，みなさまのご意志をけっして無にすることなく，これを沖縄県の再建にいかし，そして，世界の恒久平和の達成に一段と努力することを誓うものであります。

　さて，沖縄県の復帰は疑いもなく，ここにやってきました。しかし，沖縄県民のこれまでの要望と心情にてらして，復帰の内容をみますと，必ずしも私どもの切なる願望がいれられたとはいえないことも事実であります。

　そこには，米軍基地をはじめ，いろいろな問題があり，これらをもちこんで復帰したわけであります。したがって私どもにとって，これからもなお厳しさが続き，新しい困難に直面するかもしれません。

　しかし，沖縄県民にとって，復帰は強い願望であり，正しい要求でありました。また，復帰とは，沖縄県民にとってみずからの運命を開拓し，歴史を創造する世紀の大事業であります。

　その意味におきまして，私ども自体がまず，自主主体性を確立し，これらの問題の解決に対処し，一方においては，沖縄が歴史上，常に手段として利用されてきたことを排除して，県民福祉の確立を至上の目的とし，平和で，今より豊かで，より安定した希望のもえる新しい県づくりに全力をあげる決意であります。

「密入国者」扱いになった最後の高等弁務官

　1972年5月15日午前零時過ぎ，高等弁務官の任期を終えたランパート中将は，屋良知事らに見送られて特別専用機に乗り込み，嘉手納基地から横田基地へ向けて飛び立ちました。民間航空機で帰国するためでした。

　ところが，羽田空港で民間航空機に乗るため入国管理官にパスポートを見せると，「出国は認められない」と足止めを食らったのです。「入国スタンプ」が押されていなかったからです。本来なら横田基地で入国スタンプを押してもらわなければならなかったのですが，日本に復帰した沖縄から来たので，入国スタンプは必要ないと考えたのです。しかし，管理官としては認めるわけにはいかず，ちょっとした騒動になりました。

　結局，外務省による政治判断で出国は認められましたが，一時とはいえ，かつての沖縄の最高権力者が，沖縄の日本復帰で「密入国者」扱いされたとは皮肉な話です。

1972年，沖縄は日本へ復帰しました。当初，返還の日は日本の新年度にあたる4月1日と考えられていましたが，どういうわけか5月15日になりました。

なぜでしょうか。（　　）

a．「琉球王国」が成立した日だから。

b．日本から分離された日だから。

c．核兵器の撤去（てっきょ）が間に合わなかったから。

 日本復帰で誕生した沖縄国際大学

　復帰前の沖縄には，3つの四年制大学がありました。琉球政府立・琉球大学と私立・沖縄大学，国際大学です。しかし，いずれも大学の設置基準を満たしておらず，琉球大学はトランジスター大学，沖縄大学はマッチ箱大学などと揶揄（やゆ）されました。戦後復興もままならないなか，高等教育機関の整備が遅れているのはやむを得ないことでした。

　復帰に伴い琉球政府立の琉球大学は国立大学として整備され，私立の沖縄大学と，国際大学は政府主導で沖縄国際大学に統合されることになりました。沖縄大学は存続を希望しましたが，文部省はそれを認めず沖大存続闘争がおこりました。結局，沖縄大学が新たに大学設置を申請することで解決が図られ，新生・沖縄大学が誕生したのです。

ｃ．核兵器の撤去（てっきょ）が間に合わなかったから。

　歴史的な沖縄返還の日，５月15日。

　この日は，1932年におこった犬養毅首相暗殺の軍事クーデターがおこった日（5.15事件）でもあります。沖縄にとって祝福すべきこの日が，なぜダーティーなイメージの濃い５月15日に決められたのでしょうか。沖縄にとって，何か歴史的ゆかりのある日だからなのでしょうか。

　そのことを，当時，外務大臣として米国のサクラメントで米国政府と沖縄返還の日を決めた福田赳夫（たけお）元総理は，次のように説明しています。

　「そうだなあ，当初アメリカ側は７月１日を主張し，われわれは４月１日を主張したわけね。で，それではということで，足して二で割って５月15日に決めたわけですよ」。

　しかし，2011年12月に開示された外交文書で，実際は日本側の決めた4月1日に対し，アメリカ側が核兵器の撤去が間に合わないことを理由に拒否し，返還が５月15日に伸びたことが判明しています。

　いずれにせよ，沖縄人にとっての歴史的な沖縄返還の日，５月15日は，沖縄にゆかりのある特別な日ではありませんでした。沖縄住民の意志を無視した返還協定の中身を象徴するような，日米両政府による妥協の産物だったのです。

 **復帰前の沖縄に，どれだけの核兵器があったのか。**

　米国公文書によると，1950年代半ばに沖縄へ大量の核兵器が配備され，ベトナム戦争のピーク時に当たる1967年には，約1300発も持ち込まれていました。韓国が900発，グアムが500発の配備でしたから，沖縄がアジア最大の「核弾薬庫」だったことがわかります。

　核兵器の種類も核爆弾や核砲弾，核ロケットなど18種類と多く，なかでも象徴的なのが射程距離2200㌔超の核巡航ミサイル「メースＢ」で，読谷村や恩納村など四か所に配備されていました。

　復帰前，沖縄に配備された核ミサイルは，ソ連や中国を射程に収めていました。

ジンブン試し
Q.273

　　沖縄返還では，いくつもの密約があったことがわかっています。核についても，再持ち込みできる密約が交わされていました。ところが，政府はこの事実が明らかになっても，これは「密約とは言えない」としています。どうしてでしょうか。（　　）

a．佐藤総理とニクソン大統領が，文書ではなく口約束をしていたものだから。

b．「合意議事録（密約）」は外務省ではなく，佐藤元総理が個人で保管していたから。

c．日本復帰しても，沖縄の軍事基地は米軍が自由に使用できることになっていたから。

b.「合意議事録（密約）」は外務省ではなく，佐藤元総理
　　が個人で保管していたから。

　1994年，佐藤首相の密使だった若泉敬が，沖縄へ核持ち込みの密約があることを公表しました。その内容は，「日本を含む極東諸国の防衛のため米国が負っている国際的義務を効果的に遂行するために，重大な緊急事態が生じた際には，米国政府は，日本国政府と事前協議をおこなった上で，核兵器を沖縄に再び持ち込むこと，及び沖縄を通過する権利が認められることを必要とするであろう。さらに，米国政府は，沖縄に現存する核兵器の貯蔵地，すなわち，嘉手納，那覇，辺野古，並びにナイキ・ハーキュリーズ基地を，何時でも使用できる状態に維持しておき，極めて重大な緊急事態が生じた時には活用できることを必要とする」というものでした。

　1971年11月，衆議院本会議は沖縄返還協定に関連して「政府は核兵器を持たず，作らず，持ち込ませずの非核三原則を遵守(注)するとともに，沖縄返還時に核が沖縄に存在しないことを明らかにする措置をとるべきである」との決議を行っていました。このような「核密約」は重大な政治問題ですが，日本政府はそのような事実はない，と否定し続けてきました。

　2009年，民主党政権が誕生すると，外務大臣となった岡田克也は有識者委員会を立ち上げ，4つの密約について調査を行わせました。翌年，調査委員会の検証報告書が公表され，3件について密約の存在が認められました。ところが，「沖縄返還時の核密約」は佐藤邸から発見されており，外務省に引き継がれた形跡がないことから密約とは確認できないと結論づけたのです。

日米四密約の認定

密約の時期	内　　容	外務省報告書	有識者委員会報告書
1960年 （安保条約改定時）	核持ち込みに関する「密約」	日米の認識に不一致	広義の密約があった
1960年 （安保条約改定時）	朝鮮半島有事の際の戦闘作戦行動に関する「密約」	「朝鮮議事録」の写しを発見	狭義の密約があった
1972年 （沖縄返還時）	有事の際の核持ち込みに関する「密約」	「合意議事録」は外務省では発見できない	密約とはいえない
1972年 （沖縄返還時）	現状回復補償費の肩代わりに関する「密約」	日米で交渉したが文書は作成しないと結論	広義の密約があった

沖縄島北端の辺戸岬に,「祖国復帰闘争碑」が立てられています。碑文には,どのようなことが刻(きざ)まれているでしょうか。(　　)

「祖国復帰闘争碑」(国頭村)

a．復帰の喜びを分かち合い,運動の勝利を未来に伝えるための内容。

b．沖縄の日本復帰に協力してくれた,すべての国民に感謝する内容。

c．復帰の喜びや運動の勝利ではなく,戦いを振り返り警鐘(けいしょう)を鳴らす内容。

c．復帰の喜びや運動の勝利ではなく，戦いを振り返り警
鐘を鳴らす内容。

　「祖国復帰闘争碑」は，復帰の喜びや復帰運動の勝利を記念するために建て
られたものではありません。「闘いをふり返り　大衆が信じ合い　自らの力を
確め合い決意を新たにし合うために」建立されているのです。
　復帰運動とは何だったのか，あらためて考えてみる必要があるでしょう。

祖国復帰闘争碑

全国の　そして世界の友人へ贈る

　　　（前略）

１９７２年５月１５日　おきなわの祖国復帰は実現した
しかし県民の平和への願いは叶えられず
日米国家権力の恣意のまま　軍事強化に逆用された
　　しかるが故に　この碑は
　　喜びを表明するためにあるのでもなく
　　ましてや勝利を記念するためにあるのでもない
闘いをふり返り　大衆が信じ合い
自らの力を確め合い決意を新たにし合うためにこそあり
　　人類が　永遠に生存し
　　生きとし生けるものが　自然の摂理の下に
　　生きながらえ得るために警鐘を鳴らさんとしてある

1972年５月の「日本復帰」にともない，県内ではドル
　から円への通貨切り替えが行なわれることになりました。
　ところが，1971年８月に，アメリカはドルと金とを交換
　する兌換制を廃止したため，これまでの１ドル＝ 360円
　だった価値がどんどん下落していきました。

　日本政府は，沖縄だけに１ドル＝ 360で交換することはできないとして，
日本復帰によるドルと円の切り替えは，国際レートにのっとって行うことを
発表しました。ドルは急激に下落していきます。このままでは，県経済に甚
大な被害をもたらしてしまいます。

　そこで，琉球政府は何とか救済措置をとってほしいと，本土政府の関係者
と何度も交渉を重ねました。その結果，次善の策としてある方法がとられる
ことになりました。

　いったい，どのような方法だったのでしょうか。（　　　）

ａ．1971年10月９日に県民の保有するドルを確認して，復帰時点ではその交
　　換レートで交換し，360円との差額分を補償することにした。

ｂ．復帰祝賀記念予算として，1972年度の沖縄県の予算に100億円上積みす
　　ることで損失補償とした。

ｃ．1972年5月15日から1週間，ドルから円へ通貨交換する際，祝賀金として
　　一人当たり10万円の商品券をプレゼントした。

a．1971年10月9日に県民の保有するドルを確認して，復帰時点ではその交換レートで交換し，360円との差額分を補償することにした。

1972年5月15，沖縄の「日本復帰」にともない，県内ではドルから円への通貨切り替えが行なわれることになりました。

ところが，1971年8月に，アメリカはドルと金の交換を停止する政策を発表したのです。このことは1ドル＝360円だった固定相場が変動相場制へ移行し，ドルの価値がどんどん下落していくことを意味していました。復帰を翌年にひかえていた琉球政府は，通貨の交換を早めに行うよう日本政府に要望しました。しかし，それでは米国の施政権を侵すことになるとして，認められませんでした。

沖縄住民にとってはたまったものではありません。琉球政府は何とか救済措置をとってほしいと，本土政府の関係者と交渉しました。その結果，1971年10月9日に県民の保有（預貯金を含む）するドルを確認して，復帰時点ではその交換レート（305円）で交換し，360円との差額分を補償する措置をとることになったのです。ただし，そのことが事前に知られると，沖縄以外からドルを持ち込んで利益を上げる人が出てくるので，極秘裏（ごくひり）に進められました。そして，前日の10月8日に県民に知らされ，翌9日（土曜日）に沖縄全域（357か所）に設けられた確認場所で予定どおり実施されたのです。

 ── **540億円の海上輸送大作戦!**

通貨交換は1972年5月15日から20日までの6日間で行なわれることが決まっていました。問題は540億円もの大金をどう運ぶかでした。事前にそのことがわかると，海賊やテロリストなどに襲われる恐れがあったからです。そのため，海上自衛隊が訓練を名目に運ぶことになりました。現金をコンテナに搭載（とうさい）する作業も，特別に選ばれた人たちによって行われました。

1972年4月26日午前2時，トラック80台，161個のコンテナが機動隊の警護を受け，大井ふ頭に待機していた海上自衛艦「おおすみ」「しれとこ」に運びこまれました。そして翌27日未明に出港し，5月2日の午前4時20分，那覇港に到着し，無事540億円の現金は各交換所に届けられたのです。

交換されたドルも，同様の手順で東京へ運ばれました。

1971年10月9日に県民の保有するドルを確認して，復帰時点ではその交換レート（305円）で交換し，360円との差額分を補償することにしました。そのさい，重複確認を避けるため，届けられたドル紙幣に確認済みの印をしなければなりませんでした。

いったい，どういう印を押したのでしょうか。（　　）

a．星条旗を示す★の印を押した。

b．日本を象徴する✿（サクラ）の印を押した。

c．エンピツの頭にある消しゴムを印にして押した。

c．エンピツの頭にある消しゴムを印にして押した。

　琉球政府は，円の変動相場制への移行で，１ドル＝360円が復帰までには1ドルが50円程度値下がりすることを見込んでいました。翌年には沖縄が日本に復帰することが決まっていたので，一足早く通貨交換すれば問題はないのですが，施政権がアメリカにあるうえ，国際経済との関係でそのような措置は取れない，ということになりました。そのため，次善の救済策として1971年10月９日に県民の保有するドルを確認して，復帰時点ではその交換レート（305円）で交換し，360円との差額分（55円）を補償することにしました。

　ところが，届けられたドル紙幣をそのまま返すと，別の確認場所で再度申請して不当に利益を得る人が出てくる可能性があります。こうした二重申請や外国からの投機ドル（差額を設ける）をふせぐために，一度確認したドル紙幣には何らかの印をつけなければなりませんでした。そこで確認済みの紙幣には，「祝復帰　琉球政府　1972」と書いたスタンプを押すことになっていました。しかし，確認業務開始の直前になって，「アメリカの顔であるドルに，直接スタンプやシールを貼るのは好ましくない」と，アメリカ大使館から強硬なクレームがついたのです。もう時間はありません。いったい，どうすれば・・・。

　そこで考え出された苦肉の策が，エンピツについた消しゴムを印にしてドル紙幣に押すという方法でした。この程度の汚損（おそん）でしたら，さすがのアメリカも目くじらを立てて怒ることはないだろうと判断したのです。

　さらに，ドル確認証書の印紙には，琉球政府が自然公園の切手シリーズの一つとして大蔵省に印刷を発注していた「沖縄西表政府立公園」の４セント切手がつかわれました。

Q.277 沖縄住民のドル保有の確認について，何の相談も受けていなかったランパート高等弁務官は激怒しました。すぐさま屋良知事を呼び寄せ，「高等弁務官の私の立場はない。あなたは，一体，それをどうしてくれるんだ」と問い詰めました。

それに対し，屋良知事は何と答えたのでしょうか。（　　）

a．何の対策もしないあなたに，答える義務はない。

b．日米両政府で合意した話なので，知っていると思った。

c．私はこれに関与してないので，連絡のしようがなかった。

Q.278 ランパート高等弁務官は屋良主席に抗議したあと，あることを要求しました。それは何でしょうか。（　　）

a．アメリカ人にも同様の補償をしてほしい。

b．琉球銀行にある私の預金も補償してほしい。

c．米国民政府の職員だけでも補償してほし。

c．私はこれに関与してないので，連絡のしようがなかった。

　日本政府は，1971年10月9日に県民の保有するドルを確認して，復帰時点ではその交換レートで交換し，360円との差額分を補償することにしました。しかし，そのことは事前に公表されませんでした。もし，それがわかると，沖縄以外からドルを持ち込んで，その交換差額で利益を得ようとする人が出てくるからです。

　沖縄の最高権力者ランパート高等弁務官すら，日本政府の声明で知ることになったのです。そもそも，アメリカの都合で，ドルから円への切り替えで沖縄住民が不利益をこうむるのであって，その救済措置をアメリカに通達する筋合いはありませんでした。ただ，琉球列島の最高権力者としては，せめて相談くらいはしてほしかったのでしょう。それで，屋良知事を呼んで不満を爆発させたのです。

　そこで屋良知事は，次のような弁解をしたのです。

　「今回の県民に対する救済措置は，宮里副主席と山中総務長官の間で決定されたもので，私は，これに全く関与していない。（略）だから，あなたにも連絡のしようがなかったのだ」

　当然，その場を繕っただけの言い訳でしたが，ランパート高等弁務官はこれ以上追究することはできませんでした。

a．アメリカ人にも同様の補償をしてほしい。

　ランパート高等弁務官は屋良主席に抗議したあと，「沖縄でドルを使っているのは，沖縄の人たちだけではない。そこでは，大勢のアメリカ人たちも，沖縄の人たちと同様にドルを使って生活している」と述べ，アメリカ人にも同様の救済措置を取ってくれと，虫のいい要求をしたのです。

　それに対し屋良知事は，「これは，日本政府が沖縄県民のために講じてくれた救済措置であるから，県民以外にそのような措置を講ずることはできない」と，きっぱりと断ったのです。当然のことでした。

沖縄の日本復帰を記念して，全国民が沖縄に対する理解を深めるとともに，遅れた沖縄の社会基盤を整備することを主なねらいとして，三大事業が行われました。

次の中で，三大事業でないものはどれでしょうか。（　　）

ａ．植樹祭

ｂ．海邦国体

ｃ．沖縄国際海洋博覧会

b．海邦国体

　沖縄の日本復帰を記念した三大事業とは，植樹祭・若夏国体・沖縄国際海洋博覧会のことです。

　植樹祭は，沖縄戦でもっとも被害の大きかった，沖縄島南部の糸満市摩文仁で行われました。沖縄での植樹祭の意義は，単に国土の保全，森林資源の確保，環境緑化の推進だけでなく，戦争で山林が焼きはらわれ，地形まで変わったといわれる沖縄を"緑豊かで平和なふるさと"にすることにありました。1993年にも復帰20周年事業の一環として，糸満市米須海岸で第44回全国植樹祭が実施されました。

　若夏国体は「強く・明るく・新しく」をテーマに，復帰の翌年5月に特別国体として実施されました。天皇の臨席や自衛隊の運営協力はありませんでしたが，一部種目への自衛隊員の参加で民主団体による反発をまねきました。沖縄県選手は，ウェイトリフティングやボクシングなど7種目に優勝するなど各種目で健闘しました。1987年には，復帰15周年を記念して"きらめく太陽ひろがる友情"をスローガンに，全国一巡の最後をしめくくる海邦国体が開催され，沖縄選手団が大活躍しました。しかし，日の丸掲揚・君が代演奏に対する反対も根強く，さまざまなしこりを残しました。

　沖縄国際海洋博覧会は，「海—その望ましい未来」をテーマに沖縄島北部の本部町で，1975年7月からおよそ半年間の期間で開催されました。

　沖縄では昔から，海のかなたのニライ・カナイの世界には，豊かな実りと幸せをもたらしてくれる神が住んでいるという信仰があり，当初は海洋博に対する期待も大きかったようです。しかし，開催が近くなるにつれ，本土企業による土地買い占め，物価高，環境破壊などの問題がクローズアップされ，県民生活よりも企業中心に進められる海洋博に反対する運動もおこりました。海洋博開催は，環境問題だけでなく，沖縄経済に対する起爆剤としての役割にも疑問がもたれるようになりましたが，さまざまな利害や思惑がからみあい，反対運動も大きな勢力をうみだすにはいたりませんでした。

Q.280

1978年7月30日，復帰による制度上の総仕上げとして交通方法の変更が行われました。何が変わったのでしょうか。

（　　）

a．信号機の赤色が進めから止まれに変わった。

b．車両の右側通行が左側通行に変わった。

c．スピードが無制限から制限制度に変わった。

ｂ．車両の右側通行が左側通行に変わった。

　米軍占領時代から続いていた交通方法（車両の右側通行）の変更は，復帰による制度上の総仕上げとして1978年７月30日に行われ，７・３０（ナナサンマル）とよばれました。

　交通方法の変更によって，道路標識の変更やバス停留所の変更，バス・タクシー車両の切り替えや施設整備などに約330億円，特別事業費も含めると約400億円もの資金が投入され，県経済にうるおいをもたらしました。

　７月29日午後10時，全県車両通行止めのサイレンとともに通行区分の切り替えがおこなわれ，７月30日午前６時を期して多くの県民の見守るなか，"人は右車は左"へと交通方法の変更がなされました。県外からの2800人を含む約4200人の警察官が交通整理とその指導にあたりましたが，各地で交通事故が続発しました。

　また，交通方法変更にともなう給油所・店舗・食堂などの転廃業による損失補償や，事故による補償はほとんどなされなかったため，不利益を被った県民も少なからずいました。

交通方法変更の歴史的瞬間を見守る人たち（琉球新報社提供）

36　現在の沖縄県

21世紀の沖縄県はどこへ向かおうとしているのか

　復帰後の沖縄県政は，次のように大別することができます。その歩みを振り返りながら，現在の沖縄の課題について考えてみましょう。

1　第1期革新県政（1972年5月〜1978年12月）

　初代知事：屋良 朝苗（やらちょうびょう）（1972年5月〜1976年6月）2期4年余

　主な政策：復帰関連事業を実施。CTS（石油備蓄基地）建設が問題化。

　2代知事：平良幸市（たいらこういち）（1976年6月〜1978年11月）1期2年余

　主な政策：文化立県の素地づくり。交通方法の変更実施。病気で辞職。

2　第1期保守県政（1978年12月〜1990年12月）

　3代知事：西銘順治（にしめじゅんじ）（1978年12月〜1990年12月）3期12年

　主な政策：国際交流と大型プロジェクト主導の地域開発。基地問題が後退。

3　第2期革新県政（1990年12月〜1998年12月）

　4代知事：大田昌秀（おおたまさひで）（1990年12月〜1998年12月）2期8年

　主な政策：平和行政の推進と国際都市形成構想。基地問題で国と対立。

4　第2期保守県政（1998年12月〜2014年12月）

　5代知事：稲嶺惠一（いなみねけいいち）（1998年12月〜2006年12月）2期8年

　主な政策：辺野古に15年期限付き軍民共用基地建設を提案したが立ち消え。

　6代知事：仲井眞弘多（なかいまひろかず）（2006年12月〜2014年12月）2期8年

　主な政策：沖縄21世紀ビジョン策定。辺野古の埋め立て承認が問題化。

5　オール沖縄県政（2014年12月〜）

　7代知事：翁長雄志（おながたけし）（2014年12月〜2018年8月）1期3年余

　8代知事：玉城デニー（たまき）（2018年10月〜）現在1期目

　2014年11月の沖縄県知事選挙は，普天間飛行場の移設問題が最大の争点になりました。現職の仲井眞弘多は，普天間飛行場の辺野古への移設と5年以内の運用停止，嘉手納基地より南の米軍基地の早期返還などを掲げ，3選を目指して立候補しました。対立候補は，保革を乗り越えて沖縄の基地問題（オスプレイ配備反対，普天間飛行場の県外移設）を解決するために組織された，オール沖縄の推す前・那覇市長の翁長雄志でした。

　翁長は自民党沖縄県連事務局長をつとめたり，仲井眞知事の2期目の選対本

部長をつとめるなどした保守政界のリーダーでしたが，基地問題をはじめ沖縄の諸問題を解決するには「イデオロギーよりアイデンティティー」だと訴え，革新寄りのオール沖縄から立候補しました。ただし，日米同盟のもとに一定の基地負担は認める立場にあり，従来の革新勢力とは一線を画していました。

　激しい選挙戦の結果，翁長雄志が仲井眞弘多に約10万票の大差をつけて勝利しました。12月に行われた衆議員選挙でも，オール沖縄の候補が小選挙区すべてで勝利し，沖縄の民意が「辺野古新基地反対」にあることを示しました。しかし，政府は普天間飛行場の危険を取り除くには「辺野古が唯一の解決策」として，粛々と辺野古埋め立てのための海上作業を進めました。

　翁長知事は，「辺野古に新基地を造らせないことを県政の柱とし，県の有するあらゆる手法を用いて取り組む」姿勢を崩しませんでした。

　翁長県政の特徴は，基地問題をのぞくと前県政で策定した「沖縄21世紀ビジョン基本計画」を引き継ぐ中で，独自色を打ち出していくというものでした。たとえば，経済政策では「米軍基地は沖縄の経済発展にとって最大の阻害要因」だとして新基地建設の反対を強く打ち出す一方，アジア経済戦略課を設置して観光や物流を主に自立経済の発展を促しました。ただし，公約だった2020年開業予定の「大型ＭＩＣＥ施設の整備」は，沖縄振興一括交付金の大幅減額で工程の見直しをせまられました。

　福祉分野では，子どもの貧困対策が注目を集めました。2016年，県が公表した沖縄の子どもの貧困率は，29.9％で全国（13.9）の2倍以上になることが明らかになりました。県は子ども未来政策課を設置するとともに，知事が会長を務める官民一体の「沖縄子どもの未来県民会議」を発足させました。これによって，児童養護施設の子どもらを対象にした給付型奨学金事業や，生活困窮世帯の子どもを対象にした無料塾などの支援事業が進められました。

　2018年7月27日，翁長知事は病気を押し切って記者会見を行い，前知事の辺野古埋め立て承認を撤回すると表明し，8月8日に急逝しました。沖縄県は8月31日，米軍普天間基地の名護市辺野古への移設計画をめぐり，仲井真弘多前知事による埋め立て承認を撤回しました。

　翁長知事死去に伴う知事選挙は9月30日に実施され，翁長知事の遺志を継いだ「オール沖縄」の玉城デニー候補が当選しました。

ジンブン試し
Q.281

復帰後・第1期革新県政(1972.5〜1978.12)のもとで行われた政策や,この時期におこった出来事について,(1)〜(3)に答えてください。

(1) 復帰後の革新県政を揺るがした問題の一つに,公害企業と批判されたCTS設置の認可がありました。CTSとは何のことでしょうか。(　　)

   a．石油備蓄基地

   b．天然ガス貯蔵施設

   c．太陽光発電所

(2) 屋良知事のあとを受けた,復帰後2代目の県知事は誰ですか。(　　)

   a．平良幸市　　　　b．安里積千代　　　　c．大田政作

(3) 復帰後2代目の県知事と関係ないものは何でしょうか。(　　)

   a．総合交通体系の基本構想とモノレールの導入計画,琉大への医学部の設置が手がけられ,「文化立県」への素地づくりを進めた。

   b．米軍基地の計画的な返還と有効な跡地利用を進めるための「軍用地転用特措法案要綱」を提起した。

   c．総合保養地域の整備に関する基本構想(沖縄トロピカルリゾート構想)を策定し,国土庁から承認された。

（1）a．石油備蓄基地　　（2）a．平良幸市

（3）c．総合保養地域の整備に関する基本構想（沖縄トロ
ピカルリゾート構想）を策定し，国土庁から承認された。

　復帰後に実施された初の県知事選挙でも，県民はひき続き「自治県政の確立
と基地撤去による平和な島づくり」をめざす革新統一候補の屋良朝苗を支持し
ました。また，県議会議員選挙においても革新勢力が保守派をおさえました。

　屋良知事の時代には，復帰にともなう事業として，通貨切り替え，第一次振
興開発計画の策定，植樹祭・若夏国体・海洋博の開催などが次つぎと実施され，
複雑な問題をはらみながら本土への一体化が進められました。

　革新県政を揺るがした問題としては，米軍基地から派生する事件・事故の
頻発と，軍雇用員の大量解雇と海洋博後の経済不況，自衛隊の配備，公害企業
と批判されたCTS（石油備蓄基地）設置の認可などがあげられます。特にC
TSの誘致は，産業振興と雇用の拡大が目的でしたが，雇用効果は予想外に少
なく，逆に原油流失事故による環境汚染が問題となり，大衆運動の猛烈な非難
をあびることになりました。

　復帰前後のもっとも困難な時期に，2期8年間，県民の支持を受けて県政を
担当した屋良朝苗知事は，1976年6月に同じ革新の平良幸市に政権を引き継ぎ
ました。

　平良知事のもとで，離島・僻地地域対策，総合交通体系の基本構想とモノレー
ルの導入計画，琉大への医学部の設置が手がけられ，「文化立県」の素地づく
りが進められました。混迷状態が続く経済に関しては，地場産業の振興発展に
つとめ，「産業まつり」を企画しスタートさせました。

　また，革新県政の大きな課題であった軍事基地についても，計画的な返還と
有効な跡地利用を進めるための「軍用地転用特措法案要綱」を提起しました。
しかし，この時期には政府・自民党に受け入れてもらえず，1995年まで待たな
ければなりませんでした。

　1978年7月，平良知事は復帰の総仕上げといわれた「人は右，車は左」の交
通方法変更が行われる前に病に倒れ，同年11月に辞任しました。

　沖縄トロピカルリゾート構想は，1990年に西銘県政が策定したものです。

ジンブン試し
Q.282

　復帰後・第1期保守県政(1978.12 ～ 1990.12)のもとで行われた政策や，この時期におこった出来事について，(1)～(3)に答えてください。

(1) 復帰後，初の保守県政を誕生させた復帰後3代目の県知事は誰ですか。

（　　　）

　a．知花英夫　　　　b．西銘順治　　　　c．喜屋武眞榮

(2) 初の保守県政を誕生させた復帰後3代目・県知事の有名な言葉に，「沖縄の心とは何か」と問われた際にこたえた，ある発言があります。

　　何と言ったのでしょうか。（　　　）

　a．本土人（ヤマトゥンチュ）になりたくて，なりきれない心
　b．イデオロギーよりもアイデンティティー
　c．沖縄戦の経験から得た「命どぅ宝」の精神

(3) 第1期保守県政と関係ないものは何でしょうか。（　　　）

　a．沖縄国際センター建設，県立芸術大学開校，沖縄コンベンションセンター建設などを行った。
　b．沖縄自動車道の南伸道建設，海邦国体開催，世界のウチナーンチュ大会開催，県庁舎建設などを行った。
　c．「集団自決」の記述削除に対する「教科書検定意見撤回を求める県民大会」が開催され，11万人余（主催者発表）が結集した。

（1）b．西銘順治　（2）a．本土人（ヤマトゥンチュ）になりたくて，なりきれない心　（3）c．「集団自決」の記述削除に対する「教科書検定意見撤回を求める県民大会」が開催され，11万人余（主催者発表）が結集した。

　平良知事の病気辞職にともなう知事選挙では，保守側が衆議院議員（自民党）の西銘順治を擁立し，経済不況の打開に苦しむ革新県政を厳しく批判しました。経済不況で失業問題に悩む県民は，この選挙で政策論争にあけくれる革新勢力よりも，経済政策を強くアピールし，中央政権と直結した政策で企業誘致と地域開発を提唱する保守政権を選択したのです。地方選でも保守派が台頭し，1980年には県議会も保守派が過半数を占めました。

　1985年，西銘知事は本土新聞の取材で，「沖縄の心とは何か」と問われ，「本土人（ヤマトゥンチュ）になりたくて，なりきれない心」と答え，沖縄人（ウチナーンチュ）としての複雑な感情を吐露して話題になりました。

　中央政府と直結した西銘県政の特徴は，基地政策を後退させ，かわりに地域開発と国際交流を前面にうちだした点にありました。具体的には第二次沖縄振興開発計画のもとに，沖縄国際センター建設（85年），県立芸術大学開校（86年），沖縄コンベンションセンター建設（87年），沖縄自動車道の南伸道建設（87年），海邦国体開催（87年），世界のウチナーンチュ大会開催（90年），県庁舎建設（90年）などの大型プロジェクト主導の地域開発が行われました。

　リゾート開発にも積極的で，社会基盤の整備が進められるとともに観光産業は順調に伸び続け，観光客も300万人をこえました。だが，企業誘致ではほとんど成果をあげることができず，フリーゾーン開設も思ったほどの効果をあげることはできませんでした。

　西銘県政のもとで沖縄の経済は確実に成長し，県民所得も本土との格差はあるものの順調に伸びてきました。しかし，経済構造はあいかわらずの財政依存型で，産業構造も極端に第三次産業にかたより，地域の特性をいかした自立経済の発展をみるまでにはいたりませんでした。

　いっぽう，長期保守政権のもとで経済成長をとげる過程で，土地改良事業やリゾート開発などによる自然環境の破壊，米軍の演習強化と湾岸危機は沖縄県民に不安をあたえました。1990年に4期目をめざした西銘知事は，保守派の内部分裂などもあって，「反戦平和」と「公正公平」の政治を訴えた革新候補の大田昌秀に敗れました。

　（3）のcは，2007年9月に仲井眞県政下で行われたものです。

ジンブン試し

Q.283

次の復帰後・第2期革新県政 (1990.12 ～ 1998.12) のもとで行われた政策や，この時期におこった出来事について，（1）～（3）に答えてください。

（1）第2期革新県政を誕生させた，復帰後4代目の県知事は誰ですか。

（　　）

a．大田昌秀 <small>おおたまさひで</small>　　　b．翁長助裕 <small>おながすけひろ</small>　　　c．吉元政矩 <small>よしもとまさのり</small>

（2）この時期に「基地の整理・縮小と日米地位協定の見直し」をもとめる島ぐるみの運動がおこりました。そのきっかけとなった事件は何でしょうか。

（　　）

a．米兵3人による少女暴行事件

b．沖縄国際大学への大型ヘリの墜落

c．名護市安部海岸へのオスプレイ墜落

（3）第2期革新県政と関係するものは何でしょうか。（　　）

a．沖縄自動車道の南伸道建設，海邦国体開催，世界のウチナーンチュ大会開催，県庁舎建設などを行った。

b．本島北部の陸上に，15年限定で軍民共用空港を建設する公約を掲げた。 <small>かか</small>

c．「国際都市形成」をめざした「21世紀・沖縄のグランドデザイン構想」をうちだした。

（1）a．大田昌秀　　（2）a．米兵３人による少女暴行事件
（3）c．「国際都市形成」をめざした「21世紀・沖縄のグラ
ンドデザイン構想」をうちだした。

　大田革新県政のもとで，復帰20年と戦後50年の記念事業が手がけられ，首里城の復元や「平和の礎」が建立されました。

　大田県政の最大の行政課題は，基地対策でした。日米両政府は，基地の整理・縮小につとめることを約束していましたが，具体的な作業は進んでいませんでした。それどころか，米軍よる実弾砲撃演習や各種の軍事訓練による自然環境・生活環境の破壊，米軍人等による事件・事故の多発など，県民生活を脅かし続けていました。

　そんな折り，1995年９月に米兵３人による少女暴行事件がおこり，「基地の整理・縮小と日米地位協定の見直し」をもとめる島ぐるみの運動が湧きおこったのです。知事も21世紀にむけて基地が強化・固定化されることを懸念し，軍用地の強制使用にともなう代理署名を拒否する強い姿勢を示しました。同時に，2015年をめどに計画的・段階的に基地の全面返還を求める「基地返還アクションプログラム」を策定し，基地の跡地利用による国際都市形成をめざした「21世紀・沖縄のグランドデザイン構想」をうちだしました（国際都市形成構想）。ただし，この構想は米軍基地の返還を前提にしており，日米両政府の安全保障政策や国内の制度上の問題などから，実現を困難視する見方もありました。しかし，沖縄の将来像を県自ら決定しようとした試みは高く評価され，これをきっかけに基地の跡地利用のありかたについては，各方面から幅広い論議がわきおこりました。

　知事の代理署名をめぐる裁判は，1996年に沖縄県知事の敗訴となりました。しかし，同年９月８日に行われた「日米地位協定の見直しと基地の整理・縮小をもとめる県民投票」では，全有権者の過半数が賛成票を投じ，基地に対する県民の意思を示しました。その間，普天間飛行場の返還が日米で合意されましたが，県内からの撤去ではなく，沖縄島東海岸沖への移設が計画され，県民から不満の声があがりました。12月にはSACO（沖縄における施設及び区域に関する日米特別行動委員会）の最終報告で，米軍基地の整理・縮小が示されましたが，返還合意のほとんどが県内移設を条件とし，日米地位協定については手つかずで，県民の要求からはほど遠いものでした。

　第２期革新県政の課題として，基地問題のほか，環境保全や全国の２倍といわれる高い失業率問題などがありました。

　（3）のaは西銘県政，bは稲嶺県政で行われたものです。

ジンブン試し
Q.284

　　復帰後・第2期保守県政(1998.12 〜 2014.12)のもとで行われた政策や，この時期におこった出来事について，(1)〜(4)に答えてください。

（1）復帰後・第2期保守県政を誕生させた復帰後5代目の県知事は誰ですか。
（　　）

　　a．大山朝常
　　　おおやまちょうじょう
　　　　　　　　　　b．牧野浩隆
　　　　　　　　　　　まきのひろたか
　　　　　　　　　　　　　　　　　　　c．稲嶺惠一
　　　　　　　　　　　　　　　　　　　　いなみねけいいち

（2）第2期保守県政のもとで，国際的な会議が開かれました。何という会議が開かれたのでしょうか。（　　）

　　a．国際平和会議
　　b．国連環境開発会議
　　c．九州・沖縄サミット

（3）2006年に保守県政を引き継いだ復帰後6代目の県知事は誰ですか。
（　　）

　　a．仲井眞弘多
　　　なかいまひろかず
　　　　　　　　　　b．伊波洋一
　　　　　　　　　　　いはよういち
　　　　　　　　　　　　　　　　　　c．糸数慶子
　　　　　　　　　　　　　　　　　　　いとかずけいこ

（4）復帰後6代目の県知事と関係ないものは何でしょうか。（　　）

　　a．沖縄21世紀ビジョンを策定した。
　　b．沖縄平和賞を創設した。
　　c．辺野古埋め立て申請を承認した。

（1）ｃ．稲嶺惠一　　（2）ｃ．九州・沖縄サミット
（3）ａ．仲井眞弘多　　（4）ｂ．沖縄平和賞を創設した。

　1998年12月に誕生した稲嶺県政は，沖縄政策協議会を再開させ，沖縄自動車道の通行料金引き下げ，航空運賃低減の追加措置，国立高等専門学校の設置などを実現させました。県民の期待も経済振興にあり，台湾企業との経済交流やコールセンターを中心に情報関連企業の沖縄進出もあいつぎました。しかし，県内の経済状況は厳しく，企業倒産や中心商店街の営業不振も深刻（しんこく）で，雇用情勢（じょうせい）を改善するまでにはいたりませんでした。

　普天間基地の移設については，名護市辺野古の沿岸域に15年期限つきの軍民共用施設の建設を約束しましたが，日米両政府の反応は厳しく，県民の十分な理解も得られないまま立ち消えになりました。こうした社会状況を背景に，2000年7月，政府は主要国首脳会議（サミット）を沖縄の名護市で開催しました。「基地問題とサミットはリンクしない」ことを強調しましたが，県民の多くは基地を容認させるための布石としてうけとめました。また，米軍基地の実態を世界中に知らせ，平和を求める「沖縄のこころ」を世界各国に伝える意味では有意義であるという意見もありました。

　文化面では，2000年12月，「琉球王国のグスク及び関連遺産群」が世界遺産に登録されました。

　2002年には「沖縄平和賞」が創設され，第一回は「仲村哲を支援するペシャワール会」が受賞しました。

　2006年に稲嶺県政を引き継いだ仲井眞弘多知事は，普天間基地の県外移設を公約（かか）に掲げていましたが，2013年末に安倍首相の基地負担軽減を評価して，辺野古移設に向けた埋め立てを承認しました。翌年1月，沖縄県議会は知事の公約違反として辞任を求める決議を可決しました。

　仲井眞県政の注目すべき政策は，将来（おおむね2030年）のあるべき沖縄の姿を描き，その実現にむけた方向性と県民や行政の役割などを明らかにした「沖縄21世紀ビジョン」を策定したことです。この時期に観光関連事業を中心に景気が拡大し，雇用情勢も着実に改善しました。

近年誕生したオール沖縄県政 (2014.12 〜) のもとで行われた政策や, この時期におこった出来事について,（1）〜（4）に答えてください。

（1）オール沖縄県政を誕生させた, 復帰後7代目の県知事は誰ですか。

（　）

a．翁長雄志
おながたけし

b．喜納昌吉
きなしょうきち

c．下地幹郎
しもじみきお

（2）オール沖縄県政の政策として, 誤っているのは何でしょうか。（　）

a．子どもの貧困対策に取り組んだ。

b．前知事の辺野古埋め立て承認を撤回した

c．沖縄工業高等専門学校を開校させた。

（3）2018年, 前知事の死去にともなう選挙で当選し, オール沖縄県政を引き継いだ現・知事の名前を書いてください。

（　　　　　　　）

（4）現・知事(2020年)と関係ないものは何でしょうか。（　）

a．名護市辺野古の米軍新基地建設に必要な埋め立ての賛否を問う県民投票が実施された。

b．宜野湾市の普天間第二小学校の校庭に, 米軍ヘリの窓枠が落下する事故がおこった。

c．普天間の辺野古移設問題の打開策として, 日米両政府に沖縄を加えた話し合いの場（SACOW）を求めたが, 日本政府に拒否された。

A 285

（1）a．翁長雄志

（2）c．沖縄工業高等専門学校（国立高専）を開校させた。

（3）玉城デニー（本名：玉城康裕）

（4）b．宜野湾市の普天間第二小学校の校庭に，米軍ヘ
　　リの窓枠が落下する事故がおこった。

　翁長雄志は，父が真和志村の村長，立法院議員，兄が県議や副知事を務めた，保守系政治家の一家に育ちました。幼い頃から政治家になることを志し，1985年に那覇市議会議員に初当選。県議会議員を歴任した後，那覇市長として14年間，人と人とが支え合う「協働のまちづくり」に努めました。

　2014年10月，沖縄の諸問題を解決するには「イデオロギーよりアイデンティティー」が重要だと訴え，市長を辞任して革新寄りのオール沖縄から立候補して当選しました。

　翁長県政の特徴は，「米軍基地は沖縄の経済発展にとって最大の阻害要因」だとして新基地建設反対の姿勢を明確にし，「沖縄県アジア経済戦略構想推進計画」を策定して，観光や物流を主に自立経済の発展を促したことでした。また，子どもの貧困対策など福祉政策にも力をそそぎました（p.305〜306参照）。

　2018年7月27日，闘病中に記者会見を開いて前知事の辺野古埋め立て承認の撤回を表明し，8月8日に亡くなりました。

　翁長知事の死去に伴う沖縄県知事選挙は9月30日に実施され，「オール沖縄」の推す玉城デニーが当選しました。玉城知事は沖縄島中部の与那城村（現・うるま市）の出身で，米軍基地に駐留していた父と，伊江島出身の母親の間に生まれたアメラジアンです。「デニー（Denny）」は子どもの頃からの愛称で，本名は「康裕（やすひろ）」といいます。2000年代にタレントから政治家に転身し，沖縄市議会議員，衆議院議員を歴任。故・翁長知事が生前に後継指名していたことから，「オール沖縄」勢力の後押しで知事選に出馬しました。

　玉城知事は，「故・翁長知事の遺志を受け継ぎ，辺野古に新たな基地は造らせない。普天間飛行場の閉鎖・返還を一日も早く実現するよう政府に強く要求」し，日米両政府に沖縄を加えた話し合いの場「SACWO（サコワ）」を求めましたが，日本政府に拒否されました。

　（4）のbは，翁長県政の時におこった事故です。

37　沖縄の米軍基地及び自衛隊

なぜ沖縄に軍事基地が集中しているのか

　復帰後，沖縄の米軍基地は，県民の意思を問うことなく日米安全保障条約によって引き続き使用されることになりました。基地の整理統合は行われましたが，返還されたのは全体のわずか15％にすぎませんでした。

　沖縄は全国からみると，面積が0.6％，人口が１％の小さな県です。その沖縄に今なお全国の米軍専用施設の70.6％が集中しているのです。これは県面積の約８％にあたり，沖縄島にかぎると約15％にもおよびます。次に多い青森県の米軍専用施設の割合が約９％ですから，いかに沖縄に過重な軍事負担がのしかかり，県民生活が異常な状態におかれているかがわかるでしょう。しかも，基地は陸上だけでなく，空や海にも訓練域として広がっています。そのため，復帰48年以上たった今なお基地からの航空機騒音，環境破壊，米軍人・軍属等による犯罪はたえず，県民に多大な被害をおよぼしているのです。

　では，なぜ基地の実態は変わらないのでしょうか。日米両政府の合意による日米安保条約が存在するからであり，米軍がいまなお沖縄を太平洋の要石としての認識をもちつづけ，日本政府がその維持費の70％を肩代わりしているからにほかならないからです。

　復帰後，沖縄の新たな負担として加わったのが，自衛隊の配備でした。

　沖縄戦では日本軍のいる地域では，住民がスパイ容疑で殺害されたり「強制集団死」においやられたりして犠牲をしいられました。その経験から，沖縄県民は「軍隊の目的は国家体制を守ることであり，住民を守ることではない」ということを，身をもって知ったのです。それは，27年ものあいだ沖縄を支配した米軍も同じでした。

　このような体験をもった沖縄県民にとって，自衛隊の配備には大きな抵抗がありました。日米両軍の基地がおかれることで，また戦場になる恐れがあること，沖縄の基地が海外への出撃拠点になることが予想されたからでした。沖縄県民は自衛隊の配備に激しく反対の抗議をしましたが，日本政府はその声に耳を貸すことはありませんでした。

　1972年10月，陸上自衛隊混成群の第１陣100人の配備を皮切りに，航空自衛隊，海上自衛隊があいついで配備されました。それに対し，革新自治体では自衛官

の住民登録を受け付けなかったり，隊員の成人式への参加を認めなかったり，大学では入学を拒否したりするなどの抵抗運動がおこりました。その後，法的な手続きにそった事務処理などはなされるようになりましたが，募集業務の受け入れには消極的な市町村もあります。

　いっぽう，沖縄戦の負の遺産である不発弾処理や，離島へき地における救護活動などで県民に評価されている面もあります。しかし，反自衛隊感情はまだ根強く残っているといっていいでしょう。

　2020年現在，沖縄には陸・海・空の自衛隊をあわせて44施設（県土面積の0.3パーセント）あり，約7500人の自衛官が配備されています。

航空自衛隊那覇基地

 **なぜ沖縄の軍用地は本土に比べて民有地が多いのか**

　沖縄県を除く全国の米軍施設・区域では，約87％が国有地ですが，沖縄県では国有地はわずか23％しかなく残り77％が公有地（約37％）と民有地（約40％）になっています。特に人口密集地である嘉手納飛行場より南では，民有地が約88％も占めています。これは，本土の米軍基地の大半が戦前の旧日本軍の基地をそのまま使用しているのに対し，沖縄では戦後，米軍によって公有地・民有地が強制接収されたことが背景にあるからです。

　『沖縄から伝えたい。米軍基地の話。Q＆ABook』沖縄県　参照

沖縄の海兵隊基地の名称は，あることに貢献した人の名前をとってつけられています。どういう事をした人でしょうか。

( )

キャンプ・ハンセン　　　　　　　　　キャンプ・シュワーブ

a．沖縄の「祖国復帰」に貢献した兵士の名前。

b．戦後沖縄の復興に貢献した兵士の名前。

c．沖縄戦で活躍した兵士の名前。

c．沖縄戦で活躍した兵士の名前。

　米国の軍隊は，陸軍・海軍・空軍・海兵隊・アメリカ沿岸警備隊，それに宇宙軍^(注)を加えた6軍で構成されています。沖縄には沿岸警備隊と宇宙軍を除いた4軍が配備されており，軍人の約6割が海兵隊です。海兵隊の主要任務は，敵地への強襲上陸で「殴り込み部隊」とも呼ばれています。沖縄では，米軍基地の約75%・兵員の約60%を海兵隊が占めています。

　実は，その海兵隊基地の名称には，沖縄戦で戦功のあった海兵隊員の名前がつけられているのです。キャンプ・ハンセン，キャンプ・シュワーブ，キャンプ・コートニー，キャンプ・マクトリアスなどがそうです。

　米軍は，ことあるごとに「沖縄住民の良き隣人でありたい」といいます。しかし，良き隣人が沖縄戦で多くの住民の命を奪った兵士の名を，自らの施設の名称として掲げるでしょうか。戦後75年以上も，占領者意識で沖縄に居座り続けていることの証ではないでしょうか。

　この基地の名称が示す通り，沖縄の戦後はまだ終わっていないのです。

（注）2019年末に編成

沖縄に派遣されている米軍人の約6割は海兵隊員

　在日米軍人は，3万6712人で，そのうちの2万5843人が沖縄に駐留しています。そして，その約6割に当たる1万5365人が「殴り込み部隊」の異名を持つ海兵隊員なのです。

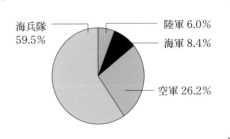

海兵隊 59.5%
陸軍 6.0%
海軍 8.4%
空軍 26.2%

次の地図A〜Hは，在沖米軍基地を示しています。1〜3の設問に答えてください。

1　Cの基地の名称を書いてください。
　（　　　　　　　　　　　　　）
2　普天間飛行場の場所を，A〜Hのなかから選んでください。
　（　　　）
3　普天間飛行場の移設先（新基地建設）として反対運動がおこっている場所にある基地を，A〜Hのなかから選んでください。
　（　　　）

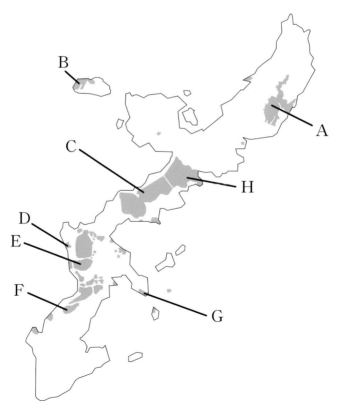

1　キャンプ・ハンセン
2　F
3　H

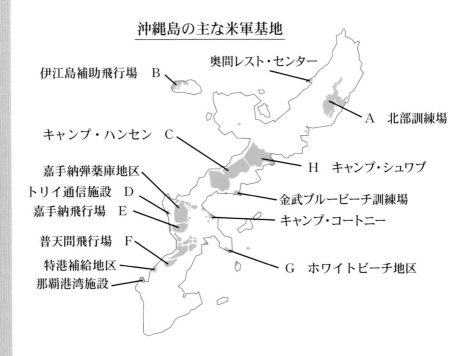

沖縄島の主な米軍基地

奥間レスト・センター

伊江島補助飛行場　B

A　北部訓練場

キャンプ・ハンセン　C

H　キャンプ・シュワブ

嘉手納弾薬庫地区

トリイ通信施設　D

嘉手納飛行場　E

金武ブルービーチ訓練場

キャンプ・コートニー

普天間飛行場　F

特港補給地区

那覇港湾施設

G　ホワイトビーチ地区

ジンブン試し
Q.288

　新聞の広告や野外の立て看板広告で「軍用地買います」「求む軍用地」などの文字をよく目にします。
　どういう目的で、軍用地を買おうとしているのでしょうか。

（　　　）

新聞にみる軍用地の売買広告（切り抜きでまとめたもの）

ａ．「反戦運動」の一環で軍用地を買占め、日米両政府に圧力をかける。

ｂ．銀行金利や株に期待がもてないため、投機目的で軍用地を買う。

ｃ．沖縄の基地を安定的に米軍に提供するため、政府がひそかに買い占めている。

b．銀行金利や株に期待がもてないため，投機目的で軍用地を買う。

　1950年代，「コーラ1本代」にもならなかった軍用地は，復帰によって大幅に引き上げられました。軍用地は税金も安く確実に値上がりするので，バブルが崩壊した1990年代以降は，新聞広告にもみられるようにおおやけに売買が行われるようになりました。

　現在では，最も高い嘉手納基地は，年間地料の40〜48倍で取引が行われているようです。たとえば，年間100万円の土地は，年間地料の40倍で計算すると，4000万円で売買されていることになります。そのため，もし東京の大金持ちが嘉手納基地の地主になると，「金は東京に落ち，被害は地元に」ということになり，新たな問題を引き起こしかねない状況になっています。

　米軍基地が単なる不動産ではないといわれるゆえんです。ちなみに軍用地の売買が多く行われる時期は，年間地料が支払われた後の9月から11月ごろだといわれています。

　　　軍用地主は大金持ちなのか

　米軍に土地を提供している軍用地主は，約4万2000人います。地主に支払われる軍用地料の総額は850億円(2015年度)近くもあることから，多くの地主が年間1000万円以上もらっていて，「基地の地主さんが六本木ヒルズに住んでいる」とのうわさもあります。実際はどうなのでしょうか。2015年度の沖縄防衛局の資料によると，100万円未満が57.4%，100万円以上200万円未満が19.9%で，200万円未満の地主が全体の75%を占めているのが実態なのです。とはいえ，年間地料500万円以上もらっている地主が7%(約3000人)いることも事実です。

　　　どれだけの日本人が米軍基地で働いているのか

　米軍基地で働く県人従業員は，常用・臨時を含め8942人(2013年度)で，労働条件は国家公務員なみで就職希望者も多く，雇用倍率は10倍を超えています。ただし，パートタイマー・派遣労働者の増加や米軍再編による雇用削減の不安などから，近年は応募者数が減少しているようです。沖縄経済に占める基地関連収入は復帰時の15.6%から5%程度まで減っていますが，一般的にはそれ以上の経済効果があると思われています。

普天間基地は世界一危険な飛行場といわれています。米軍はどのようにして，この場所に飛行場を作ったのでしょうか。

（　　）

a．何もない原野に，住民の合意のもとで飛行場を作った。

b．集落が点在する地域を，強制接収して飛行場を作った。

c．広大な放牧地を，安い値段で買い取って飛行場を作った。

普天間飛行場

ｂ．集落が点在する地域を強制接収して飛行場を作った。

　米軍上陸前年の宜野湾村（現・宜野湾市）には多くの集落が存在し，約1万4000人の住民がいました。沖縄に上陸した米軍は，普天間飛行場建設のために宜野湾，神山，新城，中原の4つの集落を中心に広い範囲を強制接収しました。

　なかでも，普天間飛行場が建設される前の当時の宜野湾村の中心は字宜野湾という場所で，現在の普天間飛行場の中にありました。そこは，もともと役場や国民学校，郵便局，病院，旅館，雑貨店がならび，いくつもの集落が点在する地域でした。

　また，字普天間には，沖縄県庁中頭郡地方事務所や県立農事試験場など官公庁が設置され，沖縄島中部の中心地でした。

　住民が避難したり収容所に入れられている間に，米軍が利用価値の高い土地を強制的に接収したため，戻ってきた住民は自分の故郷に帰りたくても帰れず，その周辺に住むしかないという状況でした。

普天間飛行場に配備されているオスプレイ（琉球新報社提供）

広大な米軍基地を抱える沖縄県では，米軍基地に起因する事件・事故も多く発生しています。1972年の本土復帰から2017年までの45年間に，何件の航空機に関連する事故が発生していますか。（　　）

a．５００件

b．６００件

c．７０９件

宮森小学校ジェット機墜落事故の慰霊塔「なかよし地蔵」

1972年の本土復帰から2018年までの46年間に，米軍人・軍属等による刑法犯罪は約6,000件発生しています。そのうち，殺人・強盗・強姦などの凶悪犯罪は何件ですか。（　　）

a．３７６件

b．４７６件

c．５７６件

名護市安部沿岸に墜落したオスプレイ
（沖縄から伝えたい。米軍基地の話。Q＆A Bookより）

A.290. ジンブン試し

c．７０９件

　復帰前の米軍機事故として，映画「ひまわり」で話題になった「宮森小学校ジェット機墜落事故」がよく知られています。1959年６月，嘉手納基地所属のジェット機が石川市（現・うるま市）の宮森小学校に墜落炎上し，死者18人（うち１人は後遺症による死亡），重軽傷者200人余，学校をはじめ民家数十軒を全焼・半焼させる大惨事でした。

　復帰後も事故は相次ぎ，2004年８月には，米海兵隊所属の大型ヘリコプターが沖縄国際大学の本館に接触して墜落・炎上しました。2016年にはオスプレイが名護市の集落近くの海岸に墜落しました。また，2017年12月に，宜野湾市の緑ヶ丘保育園に米軍ヘリの部品カバーが落下，その１週間後には普天間第二小学校運動場に米軍大型ヘリの窓枠（重さ7，7kg）が落下する事故がおこっています。

米軍関係の航空機関連事故件数

墜落	不時着	その他	計
47	518	144	709

1972年から2016年末まで
『沖縄から伝えたい。米軍基地の話。Q＆A Book』
沖縄県より

A.291 ジンブン試し

c．５７６件

　沖縄県の資料（表）によると，米軍人・軍属等による刑法犯罪は，1972年の日本復帰から2018年末までの間に，5,919件発生し，うち殺人・強盗・強姦などの凶悪犯罪が576件となっています。1995年には小学生の少女が米兵３人に暴行される事件が発生し，2016年には米軍属の男性によって若い女性が殺害されるという悲惨な事件がおこっています。

米軍構成員等による犯罪検挙数

凶悪犯	粗暴犯	窃盗犯	知能犯	風俗犯	その他	計
576	1,067	2,939	237	71	1,029	5,919

1972年から2016年末まで『沖縄から伝えたい。米軍基地の話。Q＆A Book』沖縄県より

軍雇用員のＡさんは，米国人上司からパワハラを受け，心身に不調をきたしていました。そんなある日，同様に嫌がらせを受けていた別の上司に，ある言葉をかけて慰めたところ，それが問題となって解雇されました。

　結果的に，解雇処分取り消し訴訟で勝訴し，復職することができましたが，Ａさんの言葉の何が問題となったのでしょうか。（　　）

ａ．ウチナーグチの「ウチクルス（うち殺す＝こらしめる）」という言葉が，脅迫とみなされた。

ｂ．ウチナーグチの「ヤナアメリカー（悪いアメリカ人）」という言葉が，差別とみなされた。

ｃ．ウチナーグチの「フリムンヤサ（馬鹿な奴だ）」という言葉が，侮辱とみなされた。

a．ウチナーグチの「ウチクルス(うち殺す＝こらしめる)」
という言葉が，脅迫とみなされた。

　米軍キャンプ瑞慶覧(北中城村)にある在沖米海兵隊の施設で働いていたＡさ
んは，2003年ごろから米国人上司のパワハラを受けて心身に不調をきたしてい
ました。そんなある日，同様に嫌がらせを受けていた別の上司に，慰める意味
で，何かあれば「ウチクルスサー」とウチナーグチで言葉をかけてあげました。
ところが，その発言が上司に報告され，「殺すと脅迫した」とみなされたのです。
　その結果，Ａさんは出勤停止処分や「職場の秩序を乱した」との訓戒を受け，
2007年末に雇用主の日本政府（沖縄防衛局）から，懲戒解雇処分を受けたので
す。在日米軍の労働者は，日本の防衛省が雇用して労務を米軍に提供する仕組
みになっていたからです。
　Ａさんは，米国人上司からパワハラを受けたうえ解雇させられたのは不当と
して，雇用主の国を相手に復職などを求めて訴訟をおこしました。その結果，
那覇地裁はＡさんの言動を「脅迫に該当するとは解されない」と解雇を無効と
し，国側に復職と解雇以降の給与の支払いを命じました。ところが，国側は判
決内容について「事実認定や判断を認めれば，駐留軍等労働者の円滑な労務管
理や基地内職場の秩序維持に重大な影響があり容認できない」（2010年4月28
日『沖縄タイムス』より）として控訴したのです。驚いたことに，日本政府は
日本人労働者の身分を守ることよりも，米軍側の恣意的な意見を優先させよう
としたのです。
　2010年12月，福岡高裁那覇支部は，Ａさんの解雇無効などを認めた一審の判
決を支持し，国側の控訴を棄却しました。2011年9月，Ａさんは3年8か月ぶ
りに，在沖米軍従業員として復職することができました。
　この裁判を通して，日米の労務協約上の不平等さがあらわになりました。安
全上の理由で解雇された従業員が，裁判で解雇の無効判決を勝ち取っても，日
本の司法判断を米軍側が拒むことができることになっていたのです。ただし，
Ａさんの場合は「在日米軍が復職を拒むことのできる事案ではない」ことは明
らかで，控訴審でもそのことは強調されました。

沖縄はなぜ基地を拒否するのか

　沖縄の文化は「やさしさの文化」とか「非武の文化」だといわれています。近世期に琉球をおとずれた西洋人が，争いをこのまない琉球人を評したことばです^(注)。

　そんな沖縄の人びとが，皮肉にも「沖縄戦」で県民の4人に1人を犠牲にするという，筆舌につくしがたい悲惨な体験を味わわされたのです。そして米軍支配下では，米軍人・軍属の横暴に苦しめられ，ベトナム戦争では，基地を許すことは戦争の加害者にほかならないという体験をさせられたのです。

　こうした経験から，沖縄の人たちは戦争によって国際紛争を解決するのではなく，戦争をおこさない努力をする「命どぅ宝」の精神を教訓としてえました。戦争の犠牲者にも加害者にもなりたくない，というのが「沖縄の心」なのです。

　「日本復帰」を望んだ沖縄の人たちが，米軍基地の「即時・無条件・全面返還」を求めたのも，そのためでした。にもかかわらず，日米両政府は沖縄の声には耳をかたむけず，日本全国の約70％におよぶ米軍基地をおしつけたままなのです。

　みずからの意思を反映できない異国の基地を認めることは，人間としての自尊心を失うことでもあるのです。基地問題は経済の問題ではなく，人間の生きかたにかかわる問題なのです。沖縄が米軍基地の県外・国外への移設を求める大きな理由がそこにあります。

　しかし，現実の沖縄は，基地に反対しながら基地に依存して生活させられている（思い込み）という，矛盾した状況におかれたままなのです。

（注）1827年に来琉したイギリス船ブロッサム号の航海記録には，琉球住民の特性を「彼らは戦争になるより，持っているものをすべて投げ出してもいいと思っている」と記しています。他の航海記録にも同様の記述が見られ，王府の外交スタンスも「兵なく力なく，ただ礼儀を持って接することが最善である」というものでした。

ジンブン試し
Q.293

まとめクイズ（7）

次の文を読み正しいものには○，誤っているものには×で答えてください。

1　1972年5月15日，沖縄は日本に復帰した。（　　）

2　日本政府は，沖縄返還にともなう日米の財政取り決めで，米国政府に3億2000万ドル支払った。（　　）

3　1973年，沖縄の日本復帰を記念した三大事業の一つとして，世界のウチナーンチュ大会が開催された。（　　）

4　1978年3月30日，復帰による制度上の仕上げとして，交通方法（車両の右側通行）の変更がおこなわれ（サンサンマル）とよばれた。（　　）

5　嘉手納町は，面積の約80％が米軍基地で占められている。（　　）

6　日米間の騒音防止協定で，午後10時から翌朝の午前6時まで航空機の飛行は制限されている。（　　）

7　1995年6月23日，国籍や軍人，民間人の区別なく，沖縄戦などで亡くなったすべての人びとの氏名を刻んだ「平和の塔」が建立された。（　　）

8　1996年9月8日，「日米地位協定の見直しと，基地の整理縮小」を問う県民投票では，約70％が賛成の意思を示した。（　　）

9　2000年7月，九州・沖縄サミットの首脳会合が，名護市の万国津梁館で開かれた。（　　）

10　2010年，興南高校が甲子園で春夏連覇を達成した。（　　）。

11　軍用地主は約4万2000人いるが，そのうちの75％が年間地料として500万円以上もらっている。（　　）

12　垂直離着陸輸送機ＭＶ22オスプレイは安全性が高いと言われ，2012年に沖縄に配備されてからも事故はおこっていない。（　　）

13　2014年，恩納村は「国内でもっとも人口の多い村」となった。（　　）

14　復帰後，沖縄経済に占める基地関連収入の割合は減少しているが，現在（2019年）でも県経済の15％程度を占めている。（　　）

15　2019年度に沖縄の入域観光客数がはじめて1000万人を突破した（　　）

16　2019年現在の沖縄県の人口は，約145万人である。（　　）

次の復帰後の沖縄県知事と関係のある政策を線で結んでください。

〔 知 事 名 〕　　　　　〔　主　な　政　策　〕

a．屋良朝苗　・
(1972～1976)

b．平良幸市　・
(1976～1978)

c．西銘順治　・
(1978～1990)

d．大田昌秀　・
(1990～1998)

e．稲嶺惠一　・
(1998～2006)

f．仲井眞弘多　・
(2006～2014)

g．翁長雄志　・
(2014～2018)

・ア　交通方法の変更，「文化立県」への素地づくり，産業まつりの開催。

・イ　首里城正殿の復元，「平和の礎」建立。平和行政の推進。女性副知事の誕生。

・ウ　復帰記念植樹祭，若夏国体，沖縄国際海洋博覧会の三大事業開催。

・エ　米軍普天間飛行場の名護市辺野古移設で，埋め立てを承認。沖縄21世紀ビジョン。

・オ　オール沖縄の支持で，辺野古埋め立ての承認を撤回。こどもの貧困対策。

・カ　沖縄平和賞の創設，普天間代替施設の15年期限つき軍民共用施設公約。

・キ　沖縄国際センター建設，海邦国体開催，世界のウチナーンチュ大会開催

次の芥川賞作家の名前と作品を線でむすんでください。

(1967年)大城立裕　a・　　　・ア　『オキナワの少年』

(1972年)東峰夫　　b・　　　・イ　『水滴』

(1996年)又吉栄喜　c・　　　・ウ　『カクテル・パーティー』

(1997年)目取真俊　d・　　　・エ　『豚の報い』

A 293

1（○）　2（○）

3（×）三大事業は，記念植樹祭（1972年11月），若夏国体（1973年5月），沖縄国際海洋博覧会（1975年7月〜76年1月）。世界のウチナーンチュ大会は1990年に第一回大会が開催され，その後ほぼ5年に一度実施。

4（×）交通方法変更（車両の右側通行から左側通行へ）は1978年7月30日に行われ，ナナサンマルと呼ばれた。

5（○）　6（○）　7（×）「平和の礎」　8（×）89.09%　9（○）

10（○）　11（×）地主の75%が200万円未満である。

12（×）事故が頻発している。　13（×）読谷村

14（×）基地関連収入は5%程度　15（○）　16（○）

A 294

a．屋良朝苗
b．平良幸市
c．西銘順治
d．大田昌秀
e．稲嶺惠一
f．仲井眞弘多
g．翁長雄志

ア
イ
ウ
エ
オ
カ
キ

A 295

（1967年）大城立裕　a
（1972年）東峰夫　b
（1996年）又吉栄喜　c
（1997年）目取真俊　d

ア　『オキナワの少年』
イ　『水滴』
ウ　『カクテル・パーティー』
エ　『豚の報い』

主な参考文献一覧

安里進・高良倉吉・田名真之・豊見山和行・西里喜行・真栄平房昭『沖縄県の歴史』　山川出版社　2004
阿波根昌鴻『米軍と農民』　岩波新書　1982
新川明『沖縄・統合と叛逆』　筑摩書房　2000
新川明『反国家の兇区』　社会評論社　1996
新川明『琉球処分以後』上・下　朝日新聞社　1981
新崎盛暉『沖縄現代史　新版』岩波書店　2005
新崎盛暉『戦後沖縄史』　日本評論社　1982
新崎盛暉『ドキュメント沖縄闘争』　亜紀書房　1969
新城俊昭『2045年のあなたへ』沖縄時事出版　2016
新城俊昭『教養講座　琉球・沖縄史(改訂版)』東洋企画　2019
新城俊昭『琉球・沖縄　歴史人物伝』沖縄時事出版社　2007
伊江村教育委員会『証言・資料集成　伊江島の戦中・戦後体験記録』　1999
石川文洋『ベトナム戦争と平和』岩波書店　2005
家永三郎『戦争責任』岩波書店　1992
伊佐眞一編・解説『謝花昇』　みすず書房　1998
伊波洋一『普天間基地はあなたの隣にある。だから一緒になくしたい。』　かもがわ出版　2010
石田正治『沖縄の言論人　大田朝敷』　彩流社　2001
石原昌家・大城将保・保坂廣志・松永勝利『争点・沖縄戦の記憶』社会評論社　2002
井出孫六『滿蒙の権益と開拓団の悲劇』岩波ブックレット　1993
稲垣武『沖縄　非運の作戦　異端の参謀八原博通』　光人社　1998
上江洲トシ『久米島女教師』繭の会　1995
上原正稔『沖縄戦トップシークレット』　沖縄タイムス社　1995
内村千尋『瀬長フミと亀次郎』　あけぼの出版　2005
梅林宏道『情報公開法でとらえた　沖縄の米軍基地』　高文研　1994
太田朝敷『沖縄県政五十年』　リューオン企画　1976
大城将保『沖縄戦の真実と歪曲』　高文研　2007
大城将保『改訂版　沖縄戦　民衆の眼でとらえる〈戦争〉』　高文研　1988
大田昌秀『総史　沖縄戦』岩波書店　1982
大田昌秀『沖縄の帝王　高等弁務官』　久米書房　1984
岡部伊都子『二十七度線　沖縄に照らされて』　講談社　1972
岡本太郎『沖縄文化論―忘れられた日本』　中央公論社　1972
沖縄人民党史編集刊行委員会『沖縄人民党の歴史』　1985
沖縄県教育委員会『沖縄県史　第1巻　通史』　1977
沖縄県教育委員会『沖縄県史　9　沖縄戦記録1』　1971
沖縄県教育委員会『沖縄県史　10　沖縄戦記録2』　1974
沖縄県史料編集班『沖縄県史　資料編23　沖縄戦日本軍史料　沖縄戦6』　2012
沖縄県史料編集編『沖縄県史料　近代4上杉県令沖縄関係資料』　沖縄県教育委員会　1983
沖縄歴史研究会編『近代沖縄の歴史と民衆』　至言社　1977
沖縄県史料編集室『沖縄県史料　各論編　第五巻　近代』　沖縄県教育委員会　2011
沖縄タイムス社『沖縄大百科事典』上・中・下・別巻　1983
沖縄歴史研究会編『近代沖縄の歴史と民衆』　至言社　1977
沖縄県史料編集室『沖縄戦研究II』沖縄県教育委員会　1999
小熊英二『〈日本人〉の境界』　新曜社　1998
鹿野政直『沖縄の淵』　岩波書店　1993
我部政明『沖縄返還とは何だったのか』　日本放送出版協会　2000
我部政明『世界のなかの沖縄　沖縄のなかの世界』　世織書房　2003
我部政明『日米関係のなかの沖縄』　三一書房　1996
川北稔ほか10名『新詳　世界史B』　帝国書院　2019
河野康子『沖縄返還をめぐる政治と外交』　東京大学出版会　1994
慶世村恒任『宮古史伝(復刻版)』　私家版　1976
具志堅隆松『ぼくが遺骨を掘る人「ガマフヤー」になったわけ。』合同出版　2012
来間泰男『沖縄の米軍基地と軍用地』　榕樹書林　2012
来間泰男『沖縄経済の幻想と現実』　日本経済評論社　1998
教科書検定訴訟を支援する全国連絡会『沖縄戦の実相』ロング出版　1990
高教組南部支部平和教育委員会『歩く見る考える沖縄戦』沖縄時事出版　1997
近藤健一郎『近代沖縄における教育と国民統合』　北海道大学出版会　2006
櫻澤誠『沖縄現代史』　中公新書　2015
笹山晴生ほか15名『詳説　日本史B　改訂版』　山川出版　2019
佐次田勉『沖縄の青春　米軍と瀬長亀次郎』かもがわ出版　1998
後田多敦『海邦小国　をめざして』　出版舎　Mugen　2016

後田多敦『琉球救国運動』 出版舎 Mugen 2010

嶋津与志『沖縄戦を考える』ひるぎ社 1993

下嶋哲朗『南風の吹く日 沖縄読谷村集団自決』童心社 1984

ジョージ・ファイアー・小城正訳『天王山』上・下 早川書房 1995

瀬長浩『世替わりの記録―復帰対策作業の総括』若夏社 1985

新里金福・大城立裕『沖縄の百年 近代沖縄の歩み』太平出版社 1971

戦後補償問題連絡委員会『朝鮮植民地支配と戦後補償』岩波書店 1992

曽我部司『笑う沖縄』 エクスナレッジ 2006

平良勝保『近代日本最初の「植民地」沖縄と旧慣調査』藤原書店 2011

高橋義夫『沖縄の殿様』 中公新書 2015

谷川健一『北国からの旅人』 筑摩書房 1980

田村洋三『沖縄県民斯ク戦ヘリ』講談社 1994

徳田球美子・島袋由美子編『久米島の戦争』久米島の戦争を記録する会 2010

渡久山朝章『南の巌の果まで』文教図書 1978

仲宗根源和『沖縄から琉球へ』月刊沖縄社 1973

仲宗根政善『琉球語の美しさ』 ロマン書房 1995

中野好夫・新崎盛暉『沖縄戦後史』 岩波書店 1985

七尾和晃『琉球検事』 東洋経済新聞社 2012

波平恒男『近代東アジア史のなかの琉球併合』 岩波書店 2014

西塚邦雄編『琉球教育 第1巻』 本邦書籍 1980

西里喜行『清末中琉日関係史の研究』 京都大学学術出版会 2005

西原文雄『沖縄近代経済史の方法』 ひるぎ社 1991

野里洋『汚名 第二十六代沖縄県知事泉守紀』講談社 1993

野々村孝男『首里城を救った男』 ニライ社 1999

野本一平『宮城与徳』 沖縄タイムス社 1998

林博史『沖縄戦が問うもの』大月書店 2010

林博史『沖縄戦と民衆』大月書店 2001

比嘉康文『沖縄独立の系譜』 琉球新報社 2004

比嘉康文『鳥たちが村を救った』 同時代社 2001

比屋根照夫『近代沖縄の精神史』 社会評論社 1996

藤原彰『沖縄戦・国土が戦場になったとき』青木書店 1987

福地曠昭『命(ヌチ)まさい』 那覇出版社 1987

平凡社地方資料センター『沖縄県の地名』 平凡社 2002

別冊歴史読本特別増刊号『沖縄 日本軍最期の決戦』新人物往来社 1992

防衛庁防衛研修所戦史室『沖縄方面海軍作戦』朝雲新聞社 1968

防衛庁防衛研修所戦史室『沖縄方面陸軍作戦』朝雲新聞社 1968

外間正四郎訳・米国陸軍省編『日米最後の戦闘 沖縄』 光人社 1997

毎日新聞特別報道部取材班『沖縄戦争マラリア事件』東方出版 1994

牧野清『新八重山歴史』 私家版 1972年

牧野浩隆『再考 沖縄経済』 沖縄タイムス 1996

三木健『沖縄 西表炭坑史』 日本経済評論社 1996

宮城悦二郎『占領者の眼』 那覇出版社 1983

宮城晴美『新版 母の遺したもの』高文研 2008

宮里一夫編『沖縄 旧海軍司令部壕の軌跡』ニライ社 1997

宮里政玄『アメリカの沖縄統治』 岩波書店 1966

宮里政玄『戦後沖縄の政治と法 1945－72』 東京大学出版会 1975

森口豁『沖縄 近い昔の旅』凱風社 1999

山田輝子『ウルトラマン昇天』 朝日新聞社 1992

屋良朝苗『回想録 激動の八年』 沖縄タイムス社 1995

吉田健正『50年後の証言 沖縄戦 米兵は何を見たか』彩流社 1996

吉田嗣延追悼文集観光委員会『回想 吉田嗣延』 1990

吉浜忍「沖縄戦研究と軍事資料」『史料編集室紀要 第24号』沖縄県教育委員会 1999

読谷村史編集委員会『読谷村史 第5巻資料編4 戦時記録 下巻』2004

養秀同窓会編『沖縄教育風土記』養秀同窓会 1971

琉球新報社・新垣毅『沖縄の自己決定権』 2015

琉球新報社『沖縄 20世紀の光芒』 2000

琉球新報社『ひずみの構造 基地と沖縄経済』 2013

琉球新報社『世替わり裏面史』 1983

若泉敬『他策ナカリシヲ信ゼムト欲ス』 文芸春秋 1994

脇田修ほか15名『日本史B 改訂版』 実教出版社 2019

謎解きジンブン塾　琉球・沖縄の世界（下巻）

発　　行　　2020年7月31日

著　　者　　沖縄大学客員教授
　　　　　　沖縄歴史教育研究会顧問

　　　　　　新 城　俊 昭

制作印刷　　株式会社 東洋企画印刷
製　　本　　沖縄製本株式会社
発 売 元　　編集工房 東洋企画
　　　　　　〒901-0306　沖縄県糸満市西崎町4-21-5
　　　　　　TEL.098-995-4444／FAX.098-995-4448

郵便振替　01780-3-58425
ISBN978-4-909647-14-6 C0020　￥1500E
乱丁・落丁はお取替えします。